广东改革开放30年研究丛书

广东省哲学社会科学"十一五"规划2007年度规划特别委托项目

社会巨变

—— 广东社会发展30年

王　宁等　著

廣東省出版集團
广东人民出版社
·广州·

图书在版编目（CIP）数据

社会巨变：广东社会发展30年／王宁等著．—广州：广东人民出版社，2008.11

（广东改革开放30年研究丛书）

ISBN 978－7－218－05964－8

Ⅰ．社…　Ⅱ．王…　Ⅲ．社会发展—研究—广东省—1978～2008　Ⅳ．D676.5

中国版本图书馆CIP数据核字（2008）第158332号

出版人	金炳亮
责任编辑	易　军
装帧设计	张力平　陈小丹
责任技编	周　杰
出版发行	广东人民出版社
印　　刷	佛山市浩文彩色印刷有限公司
开　　本	787毫米×960毫米　1/16
印　　张	24
插　　页	1
字　　数	346千
版　　次	2008年11月第1版　2008年11月第1次印刷
书　　号	ISBN 978－7－218－05964－8
定　　价	48.00元

如果发现印装质量问题，影响阅读，请与出版社（020－83795749）联系调换。

【出版社网址：http://www.gdpph.com　　电子邮箱：sales@gdpph.com

图书营销中心：020－37579695　37579604】

总序

汪洋

中国的改革开放走过了30年的伟大历程。广东是中国改革开放的先行地区，在改革开放和现代化建设中一直走在全国前列，充分发挥了“试验田”、“窗口”和“示范区”作用。在纪念中国改革开放30周年之际，认真研究总结广东改革开放的成就和经验，有助于深化人们对改革开放重要意义的认识，对于全省人民深入贯彻落实科学发展观，继续解放思想，坚持改革开放，促进经济社会又好又快发展，夺取全面建设小康社会的新胜利，加快推进社会主义现代化，具有深远的历史意义和重大的现实意义。

第一，研究广东改革开放，要系统总结广东改革开放30年的伟大成就，进一步坚定深化改革、扩大开放的信心和决心。

30年来，广东历届省委、省政府团结带领全省人民，高举中国特色社会主义伟大旗帜，发扬敢为天下先的精神和“杀出一条血路”的勇气，解放思想，实事求是，与时俱进，开拓创新，推动经济社会发展取得了举世瞩目的巨大成就。

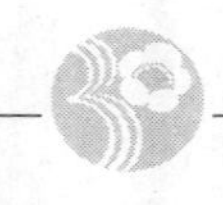

实现了从一个经济比较落后的农业省份向全国第一经济大省的历史性跨越。1978—2007年，全省GDP总量增长41倍，人均生产总值翻了四番，经济总量先后超过了亚洲“四小龙”中的新加坡、香港和台湾地区，已处于世界中等收入国家水平。目前，全省经济总量约占全国的1/8，源于广东的财政总收入约占全国的1/7，进出口总额占全国的近30%。

实现了从计划经济体制向社会主义市场经济体制的历史性转变。30年来，广东人民以改革创新精神推动着改革开放的伟大实践，率先创办经济特区，率先引进“三来一补”、海外的先进技术设备和管理经验及创办“三资”企业，率先进行价格改革，率先改革投资体制，率先进行金融体制改革，率先实行土地有偿转让，率先实行产权制度改革，等等，在建立和完善社会主义市场经济体制方面走在全国前列。同时，政治、文化和社会等领域的改革也取得了重大进展。

实现了从封闭半封闭向全方位开放的历史性转变。积极加强对外往来和友好合作，努力推进与港澳地区和内地省市区的区域经济合作，大力实施“走出去”战略，形成了多层次、多形式、多功能的全方位对外开放新格局。对外贸易不断扩大，1978—2007年，广东进出口总额增长近400倍，约占全国的30%；到2007年底，累计实际利用外资达到1945亿美元，约占全国的1/5；全省经核准的非金融类境外企业已超过1800家，业务遍及90多个国家和地区。

实现了从温饱向宽裕型小康迈进的历史性跨越。改革开放30年是人民群众得到最多实惠的时期。1978—2007

年，全省城镇居民人均可支配收入、农民人均纯收入分别增加了43倍和29倍，居民消费结构优化，公共服务明显增加，人民生活水平总体达到小康，珠三角地区率先达到宽裕型小康。经济快速发展提供了越来越多的就业岗位，大量的外来务工人员在广东安居乐业。社会保障体系加快向城乡居民覆盖，保障能力不断增强。教育、文化、卫生、体育等各项事业迅速发展。

30年来，广东充分利用毗邻港澳的地理优势，大力推进粤港澳合作，对香港、澳门顺利回归祖国并保持繁荣稳定发挥了重要的促进作用，为彰显“一国两制”伟大构想的成功实践作出了积极贡献。作为中国先发展起来的区域之一，广东十分注重推动国家区域发展总体战略的实施，努力帮助和带动中西部地区发展，为促进全国共同发展、共同富裕发挥了重要作用。

广东的实践雄辩地证明，改革开放符合党心民心、顺应历史潮流，方向和道路是完全正确的。只要坚定不移地推进改革开放，广东就一定能继续书写科学发展的奇迹，中国特色社会主义道路就一定会越走越宽广。

第二，研究广东改革开放，要深入概括广东改革开放30年的宝贵经验，进一步开创改革开放和社会主义现代化建设新局面。

广东作为全国改革开放的试验区，每前进一步都离不开党中央的亲切关怀和正确领导，都是坚定不移学习实践中国特色社会主义理论、坚定不移贯彻党的路线方针政策的结果。1992年春，邓小平同志视察南方发表重要谈话，要求广东“力争用二十年的时间赶上亚洲‘四小龙’”。2000年春，江泽民同志视察广东，提出了“三个代表”重要思想，要求广东“增创新优势，更上一层楼，率先基本实现社会主义现代化”。2003年春，胡锦涛总书记视察广东，提出了科学发展观的思想，要求广东抓住机遇，加快发展、率先发展、协调发展，在全面建设小康社会、加快推进社会主义现代化进程中更好地发挥排头兵作用。广东时刻牢记中央的重托，始终坚持以邓小平理论、“三个代表”重要思想为指导，深入贯彻落实科学发展观，坚定不移地用党的创新理论武装头脑、指导实践、推动工作，结合广东实际创造性地贯彻落实中央的路线、方针、政策，努力为全国的改革开放探索道路、积累经验、做出贡献。

坚持以解放思想引领改革开放，不断冲破不合时宜的观念束缚。我们深刻认识到解放思想是正确行动的先导，是扫除思想障碍、引领发展的“法宝”，是推动改革开放的强大动力。我们坚持一切从实际出发，求真务实，求新思变，积极将解放思想形成的共识，转化为政策、措施、制度和法规，把解放思想贯穿于改革开放和社会主义现代化建设的全过程。

坚持以经济建设为中心，推动经济社会又好又快发展。我们深刻认识到发展对于全面建设小康社会、加快推进社会主义现代化，具有决定性意义。我们坚持把发展作为党执政兴国的第一要务，牢牢扭住经济建设这个中心，坚持聚精会神搞建设、一心一意谋发展，不断解放和发展社会生产力。着力把握发展规律、创新发展理念、转变发展方式、破解发展难题，不断提高发展质量和效益，推动经济社会又好又快发展，为率先基本实现社会主义现代化打下坚实基础。

坚持以人为本，激发和保护人民群众的积极性和创造

性。我们深刻认识到全心全意为人民服务是党的根本宗旨，党的一切奋斗和工作都是为了造福人民。我们始终把实现好、维护好、发展好最广大人民的根本利益作为党和国家一切工作的出发点和落脚点，尊重人民主体地位，发挥人民首创精神，保障人民各项权益，走共同富裕道路，促进人的全面发展，做到发展为了人民、发展依靠人民、发展成果由人民共享。

坚持全面协调可持续发展，积极构建社会主义和谐社会。我们深刻认识到社会和谐是中国特色社会主义的本质属性，科学发展与社会和谐是内在统一的，没有科学发展就没有社会和谐，没有社会和谐也难以实现科学发展。我们按照民主法治、公平正义、诚信友爱、充满活力、安定有序、人与自然和谐相处的总要求和共同建设、共同享有的原则，着力解决人民最关心、最直接、最现实的利益问题，努力形成全体人民各尽其能、各得其所而又和谐相处的局面，为发展提供良好社会环境。

坚持统筹兼顾，以世界眼光谋划广东的发展。我们深刻认识到统筹兼顾是在新的历史条件下保证中国特色社会主义事业顺利推进的根本方法。我们统筹城乡发展、区域发展、经济社会发展、人与自然和谐发展、国内发展和对外开放，统筹个人利益和集体利益、局部利益和整体利益、当前利益和长远利益，充分调动各方面积极性。着力把握国内国际两个大局，树立世界眼光，加强战略思维，善于从国际形势发展变化中把握发展机遇、应对风险挑战，营造良好国际环境。

坚持加强和改进党的自身建设，充分发挥党的领导核心作用。我们深刻认识到做好各项工作关键在党。我们坚

持党要管党、从严治党，以提高执政能力和保持先进性为重点，贯彻为民、务实、清廉的要求，抓理想塑灵魂，抓班子带队伍，抓基层打基础，抓作风反腐败，全面加强党的自身建设，充分发挥领导核心作用，不断提高各级党组织的凝聚力、创造力和战斗力，为促进改革发展稳定提供坚强政治保证。

这些经验，既是广东历届省委、省政府带领全省干部群众锐意进取、开拓创新取得的宝贵精神财富，又是广东继续开创改革开放新局面必须坚持的重要原则。

第三，研究广东改革开放，要继续解放思想、坚持改革开放，努力争当实践科学发展观的排头兵。

改革开放是广东的魂。广东靠改革开放起步，也靠改革开放起飞；广东靠改革开放赢得今天，也必须靠改革开放开创未来。经过30年的快速发展，广东已经站在新的历史起点之上，改革开放面临着新机遇、新挑战和新任务。我们要继承和发扬改革开放初期敢为人先的精神和气魄，继续解放思想，坚持改革开放，努力争当实践科学发展观的排头兵，把广东建设成为提升我国国际竞争力的主力省，探索科学发展模式的试验区，发展中国特色社会主义的先行地。

一是继续解放思想，坚定不移地走在实践科学发展的前列。解放思想永无止境。要按照科学发展观的要求，打破阻碍科学发展的思维定势，加快转变发展方式，着力提高自主创新能力，积极建设现代产业体系，切实增强可持续发展能力，使速度、结构、效益相协调，人口、资源、环境相协调，消费、投资、出口相协调，城乡、区域发展相协调，促进经济社会又好又快发展。

二是不断深化改革，坚定不移地走在构建有利于科学发展体制机制的前列。以行政管理体制改革、财政和投融资改革、要素市场体系建设等为重点，统筹经济和社会事业改革，加快建立完善的市场经济体制机制，形成市场配置资源、企业自主发展、政府科学调控的良好格局。建立健全科学发展的综合考核体制，把贯彻落实科学发展观的目标要求转化为可考核的客观指标。

三是继续扩大开放，坚定不移地走在提高区域国际竞争力的前列。要树立全局和世界眼光，抢抓经济全球化和区域经济一体化的发展新机遇，加快构建粤港澳紧密合作区，加强与美国、日本、欧盟等发达国家和地区以及与东盟等新兴经济体的合作，加快完善内外联动、互利双赢、安全高效的开放型经济体系，不断扩大开放领域，优化开放结构，提高开放水平，增创广东国际竞争新优势。

四是着力改善民生，坚定不移地走在构建社会主义和谐社会的前列。要坚持民生为重，稳步实施城乡居民收入倍增计划，加快完善覆盖城乡惠及全民的社会保障网，切实解决住房、医疗、教育和食品安全等突出民生问题，使全体人民学有所教、劳有所得、病有所医、老有所养、住有所居，努力实现好、维护好、发展好最广大人民群众的根本利益，推进和谐广东建设。

五是以改革创新精神全面推进党的建设新的伟大工程，坚定不移地走在加强和改进党的建设的前列。要把党的执政能力建设和先进性建设作为主线，坚持党要管党、从严治党，以坚定理想信念为重点加强思想建设，以造就高素质党员、干部队伍为重点加强组织建设，以保持党同人民群众的血肉联系为重点加强作风建设，以健全民主集中制为重点加强制度建设，以完善惩治和预防腐败体系为重点加强反腐倡廉建设，使党始终成为领导改革开放和社会主义现代化建设的坚强核心。

广东有辉煌的过去、美好的现在，一定会有灿烂的未来。这次出版的《广东改革开放30年研究丛书》，对广东改革开放30年巨大成就、实践经验和未来前进方向等问题进行了系统总结和深入研究，内容涵盖经济、政治、文化、法律、城市、农村、科技、教育、社会、党建等10个方面，为全面深入研究广东改革开放做了大量有益工作，迈出了重要一步。在隆重纪念改革开放30周年之际，希望全社会高度重视广东改革开放问题的研究，希望有更多的专家学者和实际工作者积极投身到广东改革开放问题研究中去，进一步把广东改革开放的伟大意义、巨大成就、成功经验和前进方向总结好、阐述好、宣传好，为推动广东现代化建设迈上新台阶，开辟广东更加美好的未来作出更大的贡献！

（作者系中共中央政治局委员、广东省委书记）

目　录

第一篇　人口与社会变迁

第二篇 生活质量与价值观念的变迁

第三篇 社会保障制度的变迁

第一篇

人口与社会变迁

第一章
改革开放30年广东人口发展

改革开放政策的实施可以说是我们国家历史上前所未有的大事，如果从1979年7月党中央、国务院批准广东在对外经济活动中实行“特殊政策，灵活措施”开始算起，广东已经在改革开放的大潮中经历了将近30年时间的磨炼。回首30年的改革之路，广东的生产力水平迅速地提高，经济保持了持续、快速、稳定的发展，经济实力显著增强，城乡人民收入大幅度增长，生活质量不断改善，可以说全省已经整体进入了小康社会，并进一步向全民富裕的目标前进。

在我省经济取得发展的同时，社会其他各项事业也取得了前所未有的巨大成就。而无论是经济建设还是社会发展，每一项事业的成功都离不开一定数量和质量的人力资源的投入，可以说人口因素已经成为改革开放进程的重要影响条件。改革开放30年来，人口因素在促进经济建设和社会发展的同时，其自身也处于不断的发展和调整之中。全面把握这些发展和调整的状况。既可以总结改革开放以来所取得的成就，也可以为下一步的发展提供经验和指导。在改革开放之后，我们国家的人口事业获得新的发展生机，有利于掌握人口发展现状和变动状况的人口普查、抽查已经制度化、常态化、科学化，这些全国性的人口普查、抽查制度其自身就是人口事业不断发展的明证，而通过这些调查所取得的资料，我们可以准

确、科学、客观地看待我们人口事业发展的真实图景，并为其他社会事业提供参考和标准。本章的目的就是在改革开放后所实行的几次人口普查和人口抽样调查中所获得的资料的基础之上，利用明确的数字记录广东省人口的发展状况。下面将择取人口发展的六个主要方面进行论述，它们是：人口总量状况、人口生育及死亡状况、人口结构状况、人口受教育状况、人口迁移流动状况以及人口就业状况。

一、广东人口总量状况

一个地区人口总量的变化，受该地区人口的自然变动（出生率与死亡率的变动）、人口的机械变动（人口流动、人口迁移）以及行政区划变更等因素的影响，而这些因素本身又会受到政策性因素的影响，从而直接或间接地影响着人口总量的变化。从宏观层面来看，我国1978年的改革开放政策与1979年计划生育政策的实施共同影响着广东省人口总量的变化。具体来看，改革开放为广东带来的在人口方面最大的变化便是流动人口的大量、迅速的增长；而计划生育政策对生育数量的直接控制和随着经济发展给人们带来的生育意识方面的变化又降低了我省的生育率；再加上生活质量和医疗技术水平的提高使得死亡率有所下降。这些因素的综合作用使得广东省实现了由20世纪60年代的“高出生、低死亡、高增长”向现在的“低出生、低死亡、低增长”人口再生产模式的转变。

自改革开放以来，广东省人口发展态势大致可分为以下三个阶段：

（一）人口逐步有计划发展时期（1979—1989年）

1979年至1989年这10年期间，广东省人口总量由5140.50万增加到6024.98万，共增长884.48万人。年均递增1.6%，低于上个10年的人口增长速度。

人口总量这个时期主要受到两个方面的影响：一方面，计划生

育政策的控制。计划生育作为一项基本国策，有效地控制了人口的生育率，因此人口出生率由 1979 年的 23.44‰下降至 1989 年的 21.96‰，同期自然增长率由 17.8‰下降到 16.7‰。

另一方面，出生于 20 世纪 60 年代第二次生育高峰的人陆续进入生育期，以及改革开放使得经济快速发展吸引大量流动人口进入我省，两个因素造成了一定程度上人口的增加。1981 年广东省人口出生率为 25.01‰，是本时期出生率最高的一年，比 1980 年和 1982 年出生率各高出 2.19‰、1.92‰。由于外迁人口对总量的影响，1986 年广东省人口增长量为 85.12 万人，比上年增加 6.12 万人，到 1989 年人口增长量又上升到了 96.67 万人。

（二）人口有效控制低速增长时期（1990—1999 年）

广东省进入 20 世纪 90 年代后，人口保持低速增长。1999 年广东省年末总人口为 7270.37 万人。10 年间总人口共增加 1245.39 万人，年均递增 1.9%，平均增长速度保持在一个较低的水平上。这个时期的广东省出生率呈逐年稳步下降的趋势，由 1990 年的 22.26‰逐步下降至 1999 年的 15.32‰，而到 1999 年为止，自然增长率首次低于 10‰，达到 9.92‰的水平，这直接体现出了计划生育政策的实施效果。

不过在人口的自然增长率持续下降的这段时期内出现了一个人口年递增率增长的小高峰，即达到年均递增 1.9% 的速度，高于上一个 10 年的速度，这主要是由于这个时期内发生了持续的大量人口迁入和流入的现象。

（三）人口变动进入以机械人口变动为主时期（2000 年至今）

2000 年以来，广东省人口再生产类型完成了由 20 世纪 60 年代的“高出生、低死亡、高增长”向“低出生、低死亡、低增长”人口再生产模式的转变。人口自然增长率大大降低，2000 年至 2005 年间人口自然增长率从 9.16‰下降至 4.68‰，所以使得广东省人口总量的增长持续下降，2000年至2005年人口平均递增速度仅为1.23%。2002年，广东省的计划生育工作实现了“全国中等水平”的目标。出生率和自然增长率持续下降，2002年底全省出生率和自然增长率分别为13.29‰和8.21‰，育龄妇女综合生育率达到更替水平以下的1.37。但是这个时期，我省的人口总量增长速度仍然高于全国人口总量的增长速度，这主要是由于人口机械变动，即人口迁移和人口流动因素作用的结果，这也是广东省在人口增长方面的一个显著特征，而其结果就是广东现在是我国唯一一个流入人口过千万的大省（2000年流入人口1506.48万，占全国省际迁移流动人口的35.5%）。由此可见，随着生育率的持续降低，人口总量的变动将主要受到人口迁移和人口流动结果的影响（见表1－1）。

表1－1　全国与广东总人口年均增长率

年份	广东省人口总量（万人）	广东省人口年均增长率（%）	全国年末人口数（万人）	全国人口年均增长率（%）
1985	5670.65	——	104532	——
1990	6347.19	2.28	114333	1.81
1995	7387.49	3.08	121121	1.16
2000	8650.03	3.20	126743	0.91
2004	9110.66	1.31	129988	0.63
2005	9194.00	0.91	130756	0.59

资料来源：广东省统计局编，《广东省统计年鉴2006》，中国统计出版社2006年版。

二、广东人口生育及死亡状况

出生和死亡是人口自然变动的两个基本因素，出生使人口增加，死亡使人口减少，它们直接决定着人口自然增长速度以及人口年龄结构。改革开放近30年来，广东省严格执行国家人口政策，

控制人口数量，全省人口与计划生育工作取得了显著的成效，有效地控制了人口的过快增长，人口出生率和妇女生育水平稳定下降，实现了人口再生产类型的转变，促进了人口与经济、社会的协调发展。同时，改革开放以来，随着广东省经济水平的快速发展，人民生活质量及医疗卫生事业的发展水平也不断提高，使广东省的人口死亡率始终维持在较低的水平，平均预期寿命稳步提高。

（一）人口出生率、死亡率及自然增长率

人口出生率，又叫粗出生率，它是指在一定时期内（通常为一年）平均每千人所出生的人数的比率，一般用千分率表示。出生率能够精确地表明生育对人口总数增长的影响，是计算人口自然增长率的重要部分。死亡率是一定时期内（通常为一年）全部死亡人数与同期平均人口数（或年中人口数）之比，它说明该时期人口的死亡强度。人口自然增长率是在一定时期内人口自然增加数（出生减死亡）和平均人口数（或年中人口数）之比。在数值上，它等于出生率减死亡率。

改革开放以来，广东省人口出生率显著下降，死亡率保持在较低的水平，人口自然增长率明显减缓。2005 年全国 1% 人口抽查资料显示，2004 年 11 月 1 日至 2005 年 10 月 31 日，广东省人口出生率为 9. 2‰，死亡率为 4. 64‰，自然增长率为 4. 56‰。可见，目前广东出生率和自然增长率已降到较低水平。与 1982 年第三次人口普查资料相比，广东省出生和自然增长情况发生了明显变化。1981 年广东省人口出生率为 24. 99‰，死亡率为 5. 54‰，自然增长率为 19. 45‰。24 年来，广东省出生率下降了 15. 79 个千分点，自然增长率下降了 14. 92 个千分点，计划生育工作成绩斐然（见表 1 - 2）。

出生率的大幅下降，主要原因一方面在于广东经济迅速发展，文教、科技、卫生事业不断改善，人口素质逐步提高，加上计划生育工作力度不断加大，人们的生育观念和生育行为逐步改变，妇女生育水平迅速下降；另一方面也与大规模外来人口有一定的关系。

绝大多数外来人口都要回原籍结婚生育，庞大外来人口的“分母效应”，拉低了广东省的出生率。同样，广东省死亡率的低水平，一方面与广东省人均生活水平的提高及医疗卫生事业的发展有关；另一方面也是由于外来人口尤其是中青年外来人口较多，导致人口年龄结构较轻，使得死亡率较低。

表1－2　广东省不同年份人口出生率、死亡率及自然增长率

（单位：‰）

年份	出生率	死亡率	自然增长率
1981	24.99	5.54	19.45
1989	21.59	5.1	16.49
1995	18.1	5.65	12.45
2000	11.3	4.65	6.65
2005	9.2	4.64	4.56

资料来源：1. 国务院人口普查办公室、国家统计局人口统计司编：《中国1982年人口普查资料》，中国统计出版社1985年版。

2. 广东省人口普查办公室编：《广东省1990年人口普查资料》，中国统计出版社1992年版。

3. 广东省人口抽样调查办公室编：《1995年全国1%人口抽样调查资料》（广东分册），中国统计出版社1996年版。

4. 广东省人口普查办公室编：《广东省2000年人口普查资料》，中国统计出版社2002年版。

5. 广东省全国1%人口抽样调查领导小组办公室编：《2005年广东省全国1%人口抽样调查资料》，中国统计出版社2007年版。

（二）生育状况

1. 一般生育率与总和生育率。

一般生育率是指一个时期内（通常为一年）的出生人数与同期内育龄妇女的生存人年数之比。在实际计算中，通常以年平均育龄妇女人数（或年中育龄妇女人数）作为相应的生存人年数的估

计值。育龄妇女一般是指 15～49 岁的妇女。生育率是反映人口再生产过程的一个重要指标。而总和生育率表明的是如果一群妇女按照一组特定的分年龄组生育率度过整个育龄期并且在整个育龄期内无一死亡，那么平均每名妇女将会生育的子女数。总和生育率可以表明按当前观察到的分年龄组生育率进行生育的结果。

2005 年全国 1% 人口抽查资料显示，广东省一般生育率为 30.5‰，总和生育率为 1.00。全国一般生育率为 34.44‰，总和生育率为 1.33。广东省一般生育率及总和生育率均低于全国平均水平。根据 1982 年第三次人口普查资料计算，广东省一般生育率为 102.06‰，总和生育率为 3.27（见表 1－3）。24 年来，全省育龄妇女一般生育率下降了 71.56 个千分点，总和生育率下降了 2.27。进入 20 世纪 90 年代以后，妇女生育率下降幅度更加明显，目前全省妇女生育率已经进入低生育水平行列。生育水平的降低，体现了广东在推行计划生育、控制人口增长和减缓人口压力方面所取得的巨大成效。

表 1－3　　广东省不同年份一般生育率、总和生育率

年份	一般生育率（‰）	总和生育率	年份	一般生育率（‰）	总和生育率
1981	102.06	3.27	2000	31.77	0.94
1989	86.31	2.53	2005	30.50	1.00

资料来源：1. 国务院人口普查办公室、国家统计局人口统计司编：《中国 1982 年人口普查资料》，中国统计出版社 1985 年版。

2. 广东省人口普查办公室编：《广东省 1990 年人口普查资料》，中国统计出版社 1992 年版。

3. 广东省人口普查办公室编：《广东省 2000 年人口普查资料》，中国统计出版社 2002 年版。

4. 广东省全国 1% 人口抽样调查领导小组办公室编：《2005 年广东省全国 1% 人口抽样调查资料》，中国统计出版社 2007 年版。

2. 年龄别生育率。

不同年龄组的育龄妇女，其生育率有着明显的差异。年龄别生育率是某一时期内（通常为一年）某一特定年龄组的妇女生育的活婴数与同一年龄组妇女在同一时期内生存的人年数之比。在实际中，可用年中某一特定年龄组的妇女人数来取代同一年龄组妇女在全年的生存人年数。

1982年以来，广东省育龄妇女年龄别生育率发生了明显的变化，具体变化情况如表1－4所示：

表1－4　广东省不同年份育龄妇女年龄别生育率　（单位：‰）

年份＼年龄	15～19	20～24	25～29	30～34	35～39	40～44	45～49
1982	7.54	141.62	273.7	141.35	60.4	25.19	5.55
1990	19.45	169.47	201.29	79.71	25.71	7.45	2.1
1995	11.19	143.42	155.56	54.33	12.89	2.71	0.89
2000	3.25	51.62	85.21	34.91	9.74	2.63	1.21
2005	3.39	59.79	89.53	35.79	9.29	1.82	0.48

资料来源：1. 国务院人口普查办公室、国家统计局人口统计司编：《中国1982年人口普查资料》，中国统计出版社1985年版。

2. 广东省人口普查办公室编：《广东省1990年人口普查资料》，中国统计出版社1992年版。

3. 广东省人口抽样调查办公室编：《1995年全国1%人口抽样调查资料》（广东分册），中国统计出版社1996年版。

4. 广东省人口普查办公室编：《广东省2000年人口普查资料》，中国统计出版社2002年版。

5. 广东省全国1%人口抽样调查领导小组办公室编：《2005年广东省全国1%人口抽样调查资料》，中国统计出版社2007年版。

从表中数据可以看出，各个年龄段的生育率变化的总体趋势都是明显下降的。虽然1982年到1990年，低年龄组（15～19岁）的生育率有所上升，但1990年之后开始持续下降，并在2000年之后维持在一个较低的水平。1982年及1990年的普查结果显示广东

妇女年龄别生育曲线呈明显的宽峰形：从20岁到29岁（1982年时可达34岁）生育率都比较高，表明当时广东妇女生育数量多，持续周期也较长。1990年之后，在各年龄段生育率普遍下降的同时，各年龄段生育率间的比重也发生了变化。具体表现在25～29岁及30～34岁年龄段的生育率占总和生育率的比重在逐渐增大，而20～24岁年龄段的生育率占总和生育率的比重在明显减小，低龄组（15～19岁）生育率则降到很低的水平，说明广东省妇女生育的平均年龄在逐渐提高，生育模式进一步向晚育和少育方向发展。

和全国妇女生育模式相比较，广东省各年龄组的生育率均低于全国水平，特别是20～24岁组远低于全国水平。这样的特点一方面说明广东省的计划生育工作以及提倡晚婚晚育方面的工作成效显著，晚育的思想深入人心；另一方面与广东省人口结果较特殊也有一定关系，广东省外来育龄妇女较多，这些外来妇女年龄结构轻，她们在广东生育的比例不大，这些外来妇女的存在拉低了广东省低龄组妇女的生育率。

3. 孩次构成。

20多年来，广东省出生孩次构成状况发生了明显的变化。2005年1%人口抽查数据显示，广东省一孩生育率为20.33‰，二孩生育率为8.27‰，三孩及三孩以上生育率为1.91‰。而根据1982年人口普查的数据计算，广东省一孩生育率为37.52‰，二孩生育率为28.34‰，三孩及三孩以上生育率为35.53‰。综合其他几次人口普查及抽查的资料来看，广东省各孩次生育率都普遍下降。其中，三孩及三孩以上生育率下降最为明显，二孩生育率也有较大幅度的下降。也就是说，一孩在出生婴儿中的比例不断增大，二孩、三孩所占比例不断减小。这进一步说明广东省计划生育工作效果显著（见表1－5）。

而与全国水平相比，情况则稍有不同。2005年抽样数据显示，全国一孩生育率为21.68‰，二孩生育率为10.9‰，三孩及三孩以上生育率为1.85‰。相比之下，广东省的一孩及二孩生育率都低于全国水平，而三孩及三孩以上生育率却比全国水平略高，这说明广东省的多孩生育现象在一定范围、一定程度内仍然存在，且比较突出。

表1－5　　　　广东省分孩次生育率　　　　（单位:‰）

年份	一般生育率	一孩生育率	二孩生育率	三孩及以上生育率
1982	101.39	37.52	28.34	35.53
1990	86.31	35.10	26.20	25.01
1995	66.11	34.24	21.85	10.02
2000	31.77	19.80	7.95	4.02
2005	30.50	20.33	8.27	1.91

资料来源：1. 国务院人口普查办公室、国家统计局人口统计司编：《中国1982年人口普查资料》，中国统计出版社1985年版。

2. 广东省人口普查办公室编：《广东省1990年人口普查资料》，中国统计出版社1992年版。

3. 广东省人口抽样调查办公室编：《1995年全国1%人口抽样调查资料》（广东分册），中国统计出版社1996年版。

4. 广东省人口普查办公室编：《广东省2000年人口普查资料》，中国统计出版社2002年版。

5. 广东省全国1%人口抽样调查领导小组办公室编：《2005年广东省全国1%人口抽样调查资料》，中国统计出版社2007年版。

此外，2005年抽查数据显示，广东省的出生一孩性别比为107.62，二孩性别比为146.27，三孩性别比为167.46，四孩性别比为172.03，五孩性别比为131.46。多孩性别比明显高于正常水平，说明在生育多孩时较多使用了性别控制手段，有选择地生育男孩，可见重男轻女的现象依然存在。

4. 平均活产子女数。

平均活产子女数是指一定时点妇女生育的全部活产子女与这些妇女人数之比，不同时期妇女平均活产子女数可以反映妇女生育水

平的变化情况。2005 年抽样调查数据显示，广东省 15～64 岁妇女平均活产子女数为 1.48 个，1990 年为 2.11 个，1982 年为 2.47 个。可见，20 多年来，妇女生育的子女数量是不断减少的，这与全省总和生育率持续下降的趋势是一致的。2005 年全国妇女平均活产子女数为 1.58 个，广东省比全国平均水平少 0.09 个。

（三）死亡状况

1. 广东省死亡率的发展变化。

新中国成立以来，广东省人口死亡水平发生了明显的变化，人口死亡率经历了从高到低逐渐下降的过程。随着广东医疗卫生事业的发展，防病治病能力的提高，人民健康状况得到了明显改善，人口死亡率逐步下降。到 1981 年，广东省人口死亡率降至 5.58‰，与 1949 年广东省人口死亡率 15.00‰相比，下降了 9.42 个千分点，人口死亡率已经降到了一个较低的水平。

1982 年以来，广东省的人口死亡率的特点是在低水平的小幅波动中逐步下降（见表 1－2）。改革开放初期，广东省经济快速发展，人民收入水平显著提高，为人口死亡率的下降提供了必要条件；同时，由于人们寿命普遍延长，老年人口不断增加，使人口死亡率上升的自然因素影响增大，两种因素相互作用，使得死亡率呈现小范围波动的特征。20 世纪 90 年代以来，一方面广东作为改革开放的前沿省份，吸引了大量外省青壮年人口流入，从而减缓了人口老龄化进程，并在一定程度上降低了人口死亡率。另一方面，随着计划生育政策的贯彻实施，妇女生育率下降，婴儿死亡率和育龄妇女的死亡率也随之降低。这些因素促使广东省人口死亡率有所下降。

和全国同期水平相比，广东省人口死亡率处于较低水平。2005 年，广东省死亡率为 4.64‰，比全国死亡率（6.00‰）低了 1.36 个千分点。与全国主要省市进行比较，广东省仅略高于北京（4.54‰）、吉林（4.58‰）、海南（4.62‰），列第四位。可见，广东省是全国人口死亡率较低的省份之一。

2. 广东省人口死亡模式特征。

年龄和性别都是影响人口死亡水平的重要因素，通过对按年龄死亡率变化分析可排除人口年龄结构的影响。从社会经济角度考察，计算不同年龄的死亡率有重大意义。不同年龄的死亡率对人口增长、经济发展、社会损失的影响有巨大差别。

通过对1981年、1989年、2000年、2005年广东省分性别、年龄的人口死亡率进行比较，可以发现广东省死亡率在年龄和性别上具有以下特点（见表1－6）：

（1）人口死亡率随年龄增长先迅速下降再逐步回升，高年龄组死亡率加速上升。各年的资料普遍显示这样的规律：婴儿组（0岁组）的死亡率明显高于平均水平。在幼儿少年阶段（1～14岁），死亡率随着年龄的增加而迅速下降，到10～14岁组，死亡率下降到最低水平。在成年段（15～64岁），死亡率开始缓慢回升，逐渐接近或超过婴儿组死亡率水平。老年段（70岁以上）的死亡率则随着年龄增长而急速上升，并达到最高值。

（2）各年龄别死亡率普遍呈现出下降的趋势。从1981年到2005年，广东省人口死亡率虽有下降，但降幅不大，24年间只下降了0.94个千分点。这是因为死亡是人口过程中的必然事件，人口总体死亡率降低到一定水平就不太可能有很大的变化。但是，分年龄的人口死亡率变化情况却显示了不同的特点。首先，0～84岁各年龄组的死亡率都有明显的下降，特别是60～84岁各年龄组死亡率下降最为明显。其次，婴儿死亡率虽然在2000年出现了反弹，但总体而言是呈下降趋势的。最后，高龄组（85岁以上）死亡率下降不明显，总体来说是上下波动的。

（3）男性死亡率普遍高于女性，但女婴死亡率高于男婴死亡率。2005年广东省男性死亡率为5.17‰，比女性死亡率（4.10‰）高出了1.07个千分点。除婴幼儿（0～4岁）以外，男性各年龄别死亡率均高于女性。这种差异随年龄的增加不断扩大，且年龄越高，差异增加越快。其他各年的数据资料也显示了同样的特征。男女性别死亡率的这种差别特征与男女性的生理和社会分工规律是比

表 1－6　广东省不同年份人口分年龄、性别人口死亡率　（单位：‰）

年龄别	1981 年			1989 年			2000 年			2005 年		
	合计	男	女	合计	男	女	合计	男	女	合计	男	女
总计	5.58	5.69	5.45	5.26	5.57	4.96	4.65	5.09	4.18	4.64	5.17	4.10
0	18.75	18.99	18.49	13.63	12.94	14.41	15.35	11.77	20.11	10.26	9.18	11.60
0～4	6.40	6.42	6.38	4.08	3.98	4.19	3.20	2.70	3.83	2.58	2.26	2.99
5～9	0.90	1.05	0.74	0.70	0.82	0.56	0.47	0.56	0.36	0.33	0.47	0.16
10～14	0.60	0.65	0.55	0.49	0.56	0.42	0.40	0.46	0.32	0.32	0.40	0.22
15～19	0.76	0.85	0.66	0.67	0.81	0.53	0.44	0.61	0.30	0.42	0.61	0.24
20～24	1.05	1.13	0.97	0.99	1.20	0.77	0.65	0.90	0.42	0.52	0.74	0.31
25～29	1.21	1.26	1.16	1.14	1.37	0.91	0.82	1.06	0.57	0.57	0.79	0.36
30～34	1.54	1.68	1.33	1.39	1.62	1.14	1.13	1.43	0.80	1.03	1.44	0.62
35～39	2.15	2.47	1.70	1.85	2.30	1.36	1.54	1.95	1.09	1.26	1.74	0.78
40～44	3.14	3.72	2.45	2.75	3.44	1.94	2.29	2.99	1.52	2.06	2.95	1.16
45～49	4.38	5.38	3.30	4.10	5.11	2.91	3.37	4.45	2.20	2.92	3.92	1.88
50～54	6.83	8.53	5.01	6.18	7.78	4.38	5.14	6.65	3.42	4.38	5.74	2.96
55～59	10.58	13.63	7.61	9.31	12.13	6.34	7.99	10.39	5.29	6.21	8.26	3.96

续上表

年龄别	1981年			1989年			2000年			2005年		
	合计	男	女	合计	男	女	合计	男	女	合计	男	女
60～64	18.31	23.82	13.43	15.33	20.14	10.60	13.14	16.98	9.01	10.41	12.70	7.87
65～69	27.85	37.65	20.45	24.85	32.86	17.94	20.93	27.48	14.64	17.53	22.37	12.47
70～74	44.03	60.37	34.26	40.37	53.40	31.00	35.93	46.45	26.78	30.22	38.49	22.63
75～79	65.39	90.84	53.70	59.92	79.51	48.44	57.86	74.90	45.72	47.93	57.73	39.98
80～84	101.81	137.72	89.69	91.29	119.09	79.54	95.74	121.73	81.49	80.48	99.50	68.26
85～89	148.68	190.01	139.03	136.57	178.18	124.16	146.46	184.00	131.39	131.34	156.31	119.72
90及以上	214.62	226.82	204.33	223.16	263.09	215.16	252.27	292.30	241.97	211.86	254.64	198.97

资料来源：1. 国务院人口普查办公室、国家统计局人口统计司编：《中国1982年人口普查资料》，中国统计出版社1985年版。

2. 广东省人口普查办公室编：《广东省1990年人口普查资料》，中国统计出版社1992年版。

3. 广东省人口普查办公室编：《广东省2000年人口普查资料》，中国统计出版社2002年版。

4. 广东省全国1%人口抽样调查领导小组办公室编：《2005年广东省全国1%人口抽样调查资料》，中国统计出版社2007年版。

较一致的。

而婴幼儿死亡率则有所不同。2005 年广东省 0 岁组男婴死亡率为 9.18‰，比女婴死亡率（11.60‰）低了 2.42 个千分点。对比之前几次普查资料，可以发现，男女婴儿死亡率有一个明显的变化。1981 年时 0 岁男婴死亡率比女婴死亡率高 0.5 个千分点，1989 年时男婴死亡率就已经比女婴死亡率低 1.47 个千分点，2000 年这一差距进一步扩大到 8.34 个千分点，而 2005 年差距开始缩小至 2.42 个千分点。

三、广东人口结构状况

人口的年龄与性别构成是一定时空范围内人口最基本、最重要的结构，它反映了人口群体的自然属性，是研究人口问题的前提和基础。分析了解其状态有助于把握和理解人口问题的发生和发展过程，本节将对广东省人口的年龄、性别结构及其演变特征进行分析。

（一）人口年龄结构

1. 年龄结构的现状与变化。

（1）从国际标准看年龄结构类型的变化。

人口年龄结构是指一定时点、一定地区各年龄组人口在全体人口中的比重，通常根据各年龄组的比重将人口年龄结构划分为年轻型、成年型和年老型三种类型，划分标准见表 1－7。

表 1－7　　人口年龄构成类型划分标准

年龄结构类型	0－14 岁人口比重（%）	65 岁以上人口比重（%）	老少比	年龄中位数（岁）
年轻型	40 以上	4 以下	15 以下	20 以下
成年型	30～40	4～7	15～30	20～30
老年型	30 以下	7 以上	30 以上	30 以上

为比较改革开放以来广东省不同时期的人口年龄构成，将各指标的数据整理如表1－8。从表中四项指标的变化趋势可以看出，自1982年到2005年，广东省的人口年龄结构类型经历了从成年型到老年型的转化。1982年，广东省人口年龄结构四项指标均达到了成年型标准，但这仅仅是个开始，人口还相当年轻。1990年，0～14岁人口比重首先达到老年型标准，其他三项指标相比1982年则均有上升，也开始向着老年型迈进。2000年，0～14岁人口比重进一步下降，老少比上升了5.77个百分点，年龄中位数也有较大的跨越，上升4.73岁，达到28.37，接近老年型的标准，广东省人口年龄构成进入成年型的后期。2005年，65岁以上人口比重相对于其他年份的增长涨幅较大，达到7.41%，达到老年型标准。同时，老少比和年龄中位数均达到老年型标准，广东省人口年龄结构从此完成了向老年型的转变。

表1－8　　不同年份广东省年龄构成

年份	0～14岁人口比重（%）	65岁以上人口比重（%）	老少比	年龄中位数（岁）
1982	33.61	5.43	16.16	21.89
1990	29.92	5.93	19.82	23.64
2000	24.11	6.17	25.59	28.37
2005	21.32	7.41	34.77	30.02

资料来源：1. 国务院人口普查办公室、国家统计局人口统计司编：《中国1982年人口普查资料》，中国统计出版社1985年版。
2. 广东省人口普查办公室编：《广东省1990年人口普查资料》，中国统计出版社1992年版。
3. 广东省人口普查办公室编：《广东省2000年人口普查资料》，中国统计出版社2002年版。
4. 广东省全国1%人口抽样调查领导小组办公室编：《2005年广东省全国1%人口抽样调查资料》，中国统计出版社2007年版。

（2）从人口年龄金字塔看年龄结构的现状。

从2005年的人口年龄金字塔来看（见图1－1），年龄结构成峰谷交替的形态。其中人口比重最大的是15～19岁年龄组，达10.23%，这主要是1990年第三次生育高峰的结果。15～19岁年龄段以下保持2000年的收缩趋势，这说明在经济发展中人们生育观念的变化与计划生育的作用维持了低生育率水平。另一个峰谷是25～29岁年龄组，这是由于1979年广东省开始实行计划生育政策导致20世纪70年代末80年代初的粗出生率低于20世纪70年代初、80年代末以及90年代初的粗出生率，是年龄结构自身移动引发的。30～34岁年龄段以上各年龄组人口比重呈逐渐收缩趋势，值得注意的是70岁以上人口比重相比2000年略有增加，反映出人们生活水平的提高，寿命增长，年龄结构向高龄化发展。总体上看，青壮年人口集中度高于老年组及少儿组，劳动年龄人口比重创历史最高，达到71.27%。

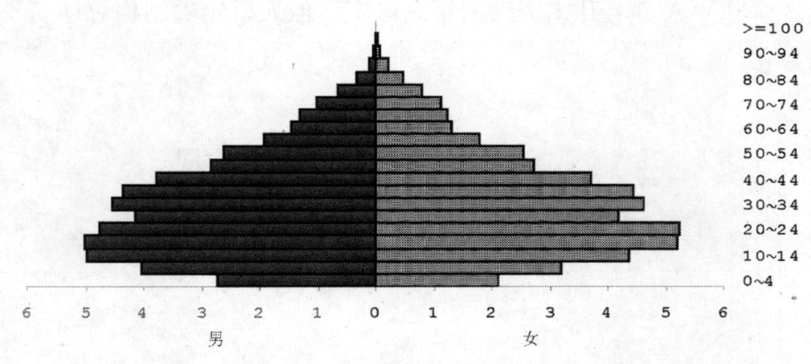

图1－1　广东省2005年人口金字塔

资料来源：广东省全国1%人口抽样调查领导小组办公室编：《2005年广东省全国1%人口抽样调查资料》，中国统计出版社2007年版。

注：横轴表示人口数量，单位为万；纵轴表示年龄段，单位为岁。

（3）从各年份年龄结构曲线图看年龄结构的变化。

从各年份年龄结构曲线图来看（见图1－2），1987年与1990年的曲线较相似，呈双峰型，峰值均处在青少年年龄组中，即青少年人口比重占50%以上，年龄结构比较年轻。1995年年龄结构曲线的双峰较1990年的向右平移一个年龄组，由于0~4岁组及15~19岁组人口比重的下降，青少年人口的比重相对于1990年下降了4.45个百分点，而30~34岁年龄组以上各组当中除了35~39岁组、50~54岁组之外，其余各组人口比重均有所上升。2000年，0~14岁年龄段人口比重显著下降，15~29岁年龄段人口比重则显著上升，30~54岁年龄段人口比重也有所上升，而55岁以上人口比重则有所下降，这主要是改革开放后，特别是20世纪90年代以来大量外省青壮年人口的流入改变了广东省的人口年龄结构。2005年，0~4岁和5~9岁年龄组人口比重继续下降，但下降幅度变小。15~34岁年龄段人口比重也有所下降，其中25~29岁组下降较显著，而35岁以上人口比重均有所上升，年龄结构向老龄化发展。总体上看，年龄结构曲线向右波动，少年儿童人口比重呈不断下降的趋势，下降速度先增后减；青壮年人口和老年人口比重不断上升，青壮年人口上升比例较老年人口多，但人口年龄结构总体将不断老化。

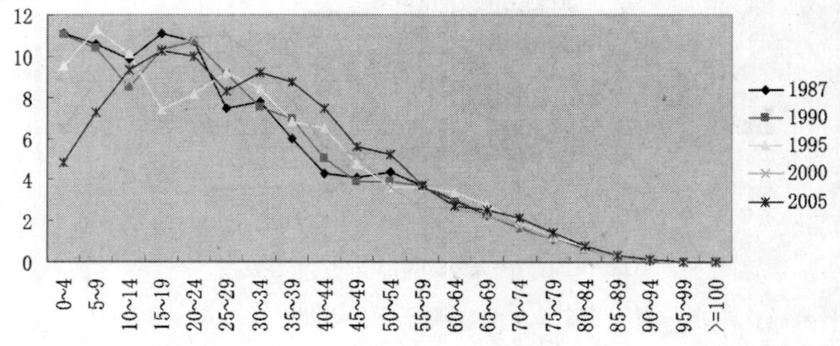

图1-2　各年份年龄结构曲线图

资料来源：1. 国家统计局人口统计司编：《中国1987年1%人口抽样调查资料》（全国分册），中国统计出版社1988年版。

2. 广东省人口普查办公室编：《广东省1990年人口普查资料》，中国统计出版社1992年版。

3. 广东省人口抽样调查办公室编：《1995年全国1%人口抽样调

查资料》(广东分册)，中国统计出版社1996年版。

4. 广东省人口普查办公室编：《广东省2000年人口普查资料》，中国统计出版社2002年版。

5. 广东省全国1%人口抽样调查领导小组办公室编：《2005年广东省全国1%人口抽样调查资料》，中国统计出版社2007年版。

注：横轴表示年龄段，单位为岁；纵轴表示百分比。

2. 人口年龄结构的变化特征。

从表1-8可以看出，自1982年以来，少年儿童人口比重不断下降，老年人口比重不断上升，而且少儿比重的下降速度快于老年系数的上升速度，老少比在不断扩大的同时，劳动适龄人口的比重也在不断扩大，总负担系数明显下降。所谓负担系数也就是抚养系数，是非劳动适龄人口数与劳动适龄人口数之比。2005年，适龄劳动人口即15~64岁人口比重较1982年增长10.31个百分点，负担系数由64.12%下降到40.31%，较1970年前后全世界最低抚养系数45%——日本国家抚养系数还要低。因此，当前广东省人口年龄结构处于“人口红利”期，我们应该充分利用当前社会负担系数小、劳动力规模大的大好形势，积极增加生产，积累社会财富，加快经济发展和提高人民生活水平，将我省社会主义现代化的建设工作推向一个更高的层次，为年龄结构的不断老化做好社会保障。

老年人口增加的同时，其中的高龄老人比例也在增大。高龄老人是指年龄在75岁以上的老人，他们一般需要他人的照顾。1987年、1990年、1995年、2000年和2005年高龄老人在老年人口中的比例分别为34.00%、34.41%、33.59%、34.62%、37.08%。从这组数字可以看出，高龄老人的比例逐渐增大，且增长速度加快，因此在加快经济增长和社会发展的同时，尤其要注意老龄人口的生活保障，特别是对生活不能自理的高龄老人进行周到的社会保障服务。

(二) 人口性别结构

1. 性别比的变化及其特征。

一个地区的人口性别结构是指该地区男性和女性人口各占总人口的比例，通常用性别比来测量。所谓性别比是指在同一年龄组内，每100名女性所对应的男性数。性别比偏高或偏低都可能导致一系列的社会问题，一般认为性别比在95～105之间是基本平衡的。

表1－9　　广东省历年总人口性别比（女性＝100）

年份	1982	1987	1990	1995	2000	2005
性别比	104.57	103.09	104.80	102.64	103.68	102.63

资料来源：1. 国务院人口普查办公室、国家统计局人口统计司编：《中国1982年人口普查资料》（电子计算机汇总）1985年版。
2. 国家统计局人口统计司编：《中国一九八七年1%人口抽样调查资料》（全国分册），中国统计出版社1988年版。
3. 广东省人口普查办公室编：《广东省1990年人口普查资料》，中国统计出版社1992年版。
4. 广东省人口抽样调查办公室编：《1995年全国1%人口抽样调查资料》（广东分册），中国统计出版社1996年版。
5. 广东省人口普查办公室编：《广东省2000年人口普查资料》，中国统计出版社2002年版。
6. 广东省全国1%人口抽样调查领导小组办公室编：《2005年广东省全国1%人口抽样调查资料》，中国统计出版社2007年版。

从表1－9可以看到，广东省的性别比一直未超出正常波动范围的上限105，处在基本平衡的状态。从2005年的性别比来看，与全国性别比106.30相比，广东省的性别比要比全国低3.67。事实上，广东省的性别比一直低于全国平均水平，究其原因主要是改革开放以来，广东迁移流动人口大量增长，特别是进入20世纪90年代以后，省外流入广东的人口增长加快，对广东总人口性别比产生了一定的影响。2000年外省流入广东人口达1506.49万人，占广东总人口的17.68%，流入人口的性别比为95.58，可见女性流入人口占了大多数，这必然会对广东总人口的性别比构成产生影响。

另外，从历年的数据来看，广东省的性别比是在波动中逐年下降的，其影响因素之一是人口老化趋势的发生。众所周知，由于生理原因女性具有比男性更长的预期寿命，65 岁以上人口的性别比往往低于 100，即老年人口中女性较男性多，再加上前面所述的老龄化趋势，老年人口在总人口中的比重逐渐上升，因此总人口中的女性人口比重也就必然上升。

2. 分年龄的人口性别比。

分年龄的人口性别比是指某个年龄上每 100 个女性对应的男性人数。它主要由出生人口性别、男女死亡率水平差异和男女迁移水平差异来决定。出生性别比是各年龄人口性别比的基础，在没有人为干扰的情况下，生男还是生女完全由人的生理因素决定，是一种随机现象，这时的出生人口性别比较稳定，一般在 103—107 之间变化。随着年龄的增长，性别比会受到人口的死亡、迁移因素影响而发生变化。特别是到了老年时期，由于男性人口的死亡率要显著高于女性，因而使进入老龄段之后的性别比通常在 100 以下，并呈加速下降态势。此外，由于受到大量迁移流动人口的影响，广东分年龄人口性别构成也发生了较大的波动。

由表 1 - 10 可以看出，从 1987 到 2005 年，14 岁以下及 55 岁以上各年龄组性别比不断上升，15 ~ 54 岁之间各年龄组性别比则不断下降；此外，随年龄的增长，人口性别比呈下降态势，特别是 65 岁以后，性别比在 100 以下加速下降。从各年龄组情况看，广东的分年龄性别比存在以下明显特征：

表 1 - 10　广东省历年分年龄组性别比（女性 = 100）

年龄组	1987	1990	1995	2000	2005
0 ~ 4	111. 69	110. 88	120. 42	129. 55	129. 61
5 ~ 9	109. 62	110. 69	113. 83	116. 27	127. 30
10 ~ 14	106. 81	108. 99	110. 30	109. 87	114. 71
15 ~ 19	103. 34	101. 64	105. 31	85. 58	95. 83
20 ~ 24	101. 80	101. 35	91. 18	88. 80	91. 29

续上表

年龄组	1987	1990	1995	2000	2005
25~29	106.14	106.41	92.82	104.14	99.60
30~34	101.67	108.01	99.07	108.40	98.49
35~39	108.28	107.05	101.58	110.57	98.84
40~44	115.18	115.99	102.92	111.22	101.42
45~49	109.37	117.54	112.11	108.13	102.91
50~54	106.33	114.48	113.98	113.83	102.81
55~59	100.00	104.83	107.72	112.92	108.40
60~64	95.96	100.50	100.56	109.35	111.09
65~69	84.65	86.78	92.53	96.59	105.17
70~74	71.49	73.51	80.04	88.58	91.41
75~79	54.07	59.32	65.68	72.81	82.90
80~84	39.02	41.91	52.05	56.55	65.62
85~89	28.26	30.32	34.25	41.19	47.13
90~94	18.18	21.40	21.59	27.82	33.07
95~99	32.31	15.42	13.27	22.09	23.07
>=100	20.00	10.27	44.44	17.94	17.11

资料来源：1. 国家统计局人口统计司编：《中国一九八七年1%人口抽样调查资料》（全国分册），中国统计出版社1988年版。

2. 广东省人口普查办公室编：《广东省1990年人口普查资料》，中国统计出版社1992年版。

3. 广东省人口抽样调查办公室编：《1995年全国1%人口抽样调查资料》（广东分册），中国统计出版社1996版。

4. 广东省人口普查办公室编：《广东省2000年人口普查资料》，中国统计出版社2002年版。

5. 广东省全国1%人口抽样调查领导小组办公室编：《2005年广东省全国1%人口抽样调查资料》，中国统计出版社2007年版。

1995年后，低龄组男性比例严重偏高。特别是到了2005年，0~4岁组、5~9岁组性别比较103~107的正常范围值的上限107分别高出22.61和20.30，和1987年相比则上升了17.92和17.68。出生婴儿性别比不断上升是低龄组性别比偏高的根源，1987年、

1990 年、1995 年、2000 年和 2005 年出生婴儿的性别比分别为 108.49、111.99、123.30、131.26、119.17。而且出生婴儿性别比随着孩次的升高而升高，在 2000 年出生婴儿中一孩、二孩、三孩、四孩和五孩以上的性别比分别为 117.34、179.70、183.92、190.01、180.65。可以看出第二孩次的性别比上升幅度最大，随后的孩次性别比上涨幅度不大，这种现象主要是由于胎儿性别的人为选择和出生女婴的瞒报造成的。出生婴儿性别比平衡是人口再生产正常运转的自然基础，广东省低龄人口性别比长期偏高的趋势很容易造成未来婚龄期人口性别比失衡现象，从而导致男性人口婚配难问题。这不仅会影响未来人口结婚率和生育率，还会影响婚姻家庭乃至社会稳定，对此应引起注意。

相比其他年份，2005 年 15 ~ 54 岁各年龄组性别比较均衡，基本维持在 100 左右，除 20 ~ 24 岁组仅达 91.29，女性人口稍多于男性人口。相比 2000 年，15 ~ 24 岁年龄段性别比有所上升，而 25 ~ 59 岁年龄段则有较明显的回落。从 60 ~ 64 岁组开始，性别比随着年龄的上升，开始迅速下降。但从历年数据来看，60 岁以上性别比在逐渐上升，一定程度上反映了男性老年人口的死亡率与女性老年人口的死亡率差距在逐渐缩小。

（三）人口老龄化

人口老龄化是指 65 岁及以上人口占总人口的比重逐渐增长的过程。确定一个国家或地区是否步入人口老龄化社会，国际上常用的方法是考察其老年人口占总人口的比重，若比重超过 7%，则说明该地区已进入人口老龄化社会。

自 20 世纪 70 年代以来，广东推行计划生育政策，严格控制人口增长，努力提高人口素质，人口再生产模式已由原来的高出生、低死亡、高增长，向现在的低出生、低死亡、低增长模式转变，随着出生人口的减少和人口寿命不断延长，全省人口年龄结构也发生了较大的变化，人口老龄化问题逐渐显现。

1. 人口老龄化的发展进程。

1982年第三次人口普查时，广东省65岁及以上人口有322.15万人，人口老化系数为5.43%，与国际上常用的人口老龄化标准7%相比，人口老龄问题不突出。1990年第四次人口普查时，广东省65岁及以上人口增加到372.58万人，比1982年增加50.43万人，增长15.65%，人口老化系数为5.93%，与1982年相比只上升了0.5个百分点，人口老化进程缓慢。2000年第五次人口普查，广东省65岁及以上人口为525.99万人，比1990年增加153.41万人，增长41.18%，虽增长幅度比前期提高了25.53个百分点，人口老化系数也上升到6.17%，但比1990年只升高0.24个百分点，上升幅度更趋减小，但随着人口老化系数的逐步提高，广东省向人口老龄化进程又迈进了一步。而2005年全国1%抽样调查显示，广东省65岁及以上人口有681万人，比2000年增加155.01万人，增长29.47%，增长幅度比2000年下降11.71个百分点，但人口老化系数却上升到7.41%，比2000年升高了1.24个百分点，老龄化进程显著加快，并达到国际老龄化社会标准，说明广东省正式跨入老龄化社会。

2000年与2005年老龄人口数量增长相差不大，但老化系数上升幅度却有很大差别，这主要是因为从1990年到2000年总人口上升2239.53万人中，老龄人口上升的153.41万人仅占6.85%，而从2000年到2005年总人口上升543万人中，老龄人口上升的155.01万人占28.55%，因此大大提高了老龄人口在总人口中的比重。

2. 人口老龄化发展特征。

（1）广东省老龄化程度低于全国。

根据2005年全国1%抽样调查数据公报显示，全国的老年系数为7.69%，广东省为7.41%，比全国低0.28个百分点。这主要是由于广东省人口增长中青壮年人口占绝大多数。1990年到2000年，增长人口中15~64岁人口有1910.73万人，占85.32%。2000年到2005年，增长人口中15~64岁人口有605万人，比总人口的增长量还多。显然这不是人口自然增长的结果，迁移人口的增长改

变了广东省的人口结构，掩盖了广东省人口老龄化的真实水平。

（2）人口老龄化的发展趋势是高龄老人多。

广东省是百岁老人较多的省份之一，1982 年有 459 人，1990 年有 644 人，2000 年激增至 1893 人，占当时全国百岁人口总数的 10.59%，即当时全国 10 个百岁老人当中就有一个生活在广东。2005 年，广东省百岁人口占总人口比重的 0.0048%，是 2000 年百岁人口比重的 2 倍多。80 岁以上人口比重占老龄人口比重的 17.59%，比 2000 年增长 1.15 个百分点。按此比重计算，全省 57 位老人中就有 10 位 80 岁及以上人口，这说明广东省人口老龄化的同时也伴随着老龄人口高龄化的趋势。

（3）老龄人口向城镇发展。

从表 1 - 11 可以看出，城镇老年人口比重在不断上升，乡村老年人口比重在不断下降。城镇老年人口比重已大大超过乡村老年人口的比重，应加强关注城镇老年人口的生活和动向。城镇老年人口不断上升的原因之一是广东省人口城市化程度的不断提高和城镇卫生条件改善。此外，城市老年人口上升比重较镇老年人口上升比重多，而且稳定。但老年人口仍有 1/3 生活在乡村，应注意乡村老年人口的保障问题。

表 1 - 11　　不同年份广东省分城、镇、乡的老龄人口比重

年份	城市（%）	镇（%）	乡村（%）
1990	23.94	9.46	66.60
2000	28.24	16.44	55.32
2005	47.88	14.50	37.62

资料来源：1. 广东省人口普查办公室编：《广东省 1990 年人口普查资料》，中国统计出版社 1992 年版。

2. 广东省人口普查办公室编：《广东省 2000 年人口普查资料》，中国统计出版社 2002 年版。

3. 广东省全国 1% 人口抽样调查领导小组办公室编：《2005 年广东

省全国1%人口抽样调查资料》，中国统计出版社2007年版。

（四）小结

从人口年龄结构来看，当前广东省已进入老龄化社会，人口年龄结构已经发生转变，这种转变是人口控制的结果，与经济发展不同步，因此整个社会对老龄化的承受能力较弱，应充分注意人口老龄化引发的社会问题。此外，从人口性别比来看，广东省的性别比基本处于平衡状态，但出生人口性别比的大幅提高可能引发个人的婚配困难甚至更大的社会问题，对此应提高重视，并采取切实措施控制出生人口性别比保持在一个合理的水平。

四、广东人口受教育状况

人口受教育状况，是人口素质的重要社会特征。人口文化素质的高低，是反映一个国家和地区文化教育水平的标志，它同社会经济发展有着密切联系，既受社会经济发展的制约，又影响社会经济发展的进程。自改革开放以来，由于经济的不断发展，党和各级政府的重视和社会各界的支持，广东省大力发展教育事业。特别是20世纪90年代以来，随着发展教育事业的步伐进一步加快，我省不断扩充中等和高等教育资源，在全国率先实现了基本普及九年义务教育和基本扫除青壮年文盲的目标，全省文盲人口比例大幅下降，尊重知识、尊重人才的社会风气逐渐形成，人口的受教育程度得到明显提高，人口受教育程度的部分指标已跨入全国先进行列。

（一）人口受教育程度的总体状况

人口受教育程度的总体状况着重从规模、结构及发展变化等方面反映当前现状。从改革开放后的历次人口普查及1%人口抽样调查资料可以看出，历经近30年的发展，广东省受教育人口规模不断扩大，素质结构逐步向中高层提升，总体人口的文化水平显著提高，

其中高中及以上文化程度的人才资源存量丰富，教育事业蓬勃发展。

1. 受教育人口的规模扩大，文盲人口进一步减少。

广东省2005年全国1%人口抽样调查主要数据公报显示，在全省常住人口中，受过各种教育程度的人口为8126万人，具有大学程度（指大专及以上）的人口为498万人，高中程度（含中专）的人口为1328万人，初中程度的人口为3491万人，小学程度的人口为2809万人（以上各种受教育程度的人包括各类学校的毕业生、肄业生和在校生）。与2000年第五次全国人口普查相比，大学程度的人口增加190万人，高中程度的人口增加215万人，初中程度的人口增加320万人，小学程度的人口减少55万人。

2000年第五次人口普查，广东接受过各种受教育程度的人口共有7353.54万人，比1990年增加2717.59万人，年平均增长速度为4.7%，高于1982—1990年的3.3%的平均增长速度。

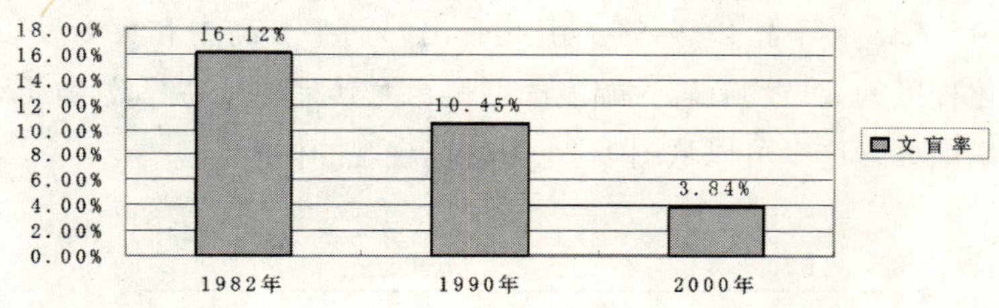

图1-3　广东省历次人口普查的文盲率

资料来源：1. 国务院人口普查办公室编：《中国1982年人口普查资料》，中国统计出版社1985年版。

2. 广东省人口普查办公室编：《广东省1990年人口普查资料》，中国统计出版社1992年版。

3. 广东省人口普查办公室编：《广东省2000年人口普查资料》，中国统计出版社2002年版。

在受教育人口规模不断扩大的同时，全省文盲人口数和文盲率

在急剧下降。从改革开放之后的三次人口普查数据看，全省文盲、半文盲人口由1982年的998.71万人降到2000年的334.31万人，共减少了664.40万人，相应的，文盲人口占总人口比重的粗文盲率，从16.12%下降为3.84%，下降了12.28个百分点。文盲人口的不断减少和文盲率的下降，反映广东在扫除文盲工作中取得了历史性的新进展，同时这也是在经济与教育发展中，青壮年文盲的扫除、学龄人口稳定上升、流动人口不断增加、老年人口自然减少等综合因素共同作用的结果。

2. 受教育人口的素质结构提升。

1982—2000年三次普查数据显示，平均每10万人口中具有各种受教育程度的人口变化较大，具有大专及以上文化程度的人数由1982年的489人上升到2000年的3560人，增长628%；具有高中和中专文化程度的人数由7764人上升为12880人，增长了65.89%；具有初中文化程度的人数由16922人上升为36690人，增长了116.81%；而具有小学文化程度的人数由41401人降为33145人，下降了19.94%。由此看出，初中、高中和大专及以上文化程度的人口均有较大幅度的增长，尤其是受过高等教育的人口增幅最大，这个可以从图1-4中得到直观的体现。

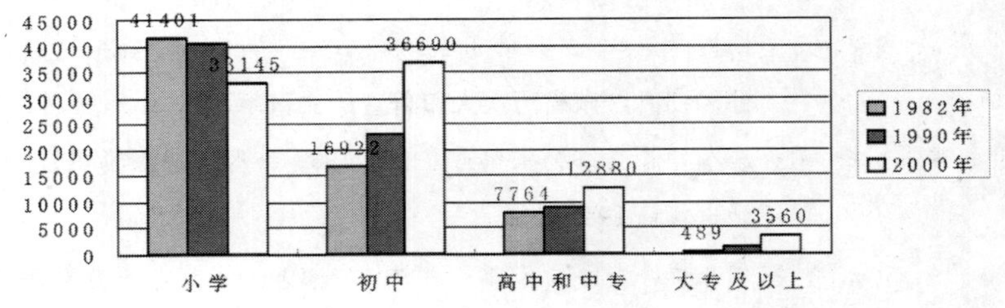

图1-4　广东省第三次到第五次人口普查每10万人拥有的各种受教育程度人口（人）

资料来源：1. 国务院人口普查办公室编：《中国1982年人口普查资料》，中国统计出版社1985年版。

2. 广东省人口普查办公室编：《广东省1990年人口普查资料》，

中国统计出版社 1992 年版。

3. 广东省人口普查办公室编：《广东省 2000 年人口普查资料》，中国统计出版社 2002 年版。

由表 1－12 的具体数字可以进一步看出广东省受教育人口的结构逐渐向高层次提升，而且可以发现其变化呈现出以下的特点：

第一是具有大专及以上受教育程度的人口增长迅猛。1982—2000 年的平均增长速度为 34.89%，增长速度持续保持了较高水平。特别是 1999 年党中央、国务院作出高等学校扩大招生规模的重大决策以来，我省的高等教育获得历史性的发展，普通高等学校在校学生数量呈明显的递增趋势。同时，随着办学体制改革的不断深化，各类高等教育也得到较快的发展。高等教育人口的快速增长，使我省高质量的人力资本存量不断增加，为增强我省自主创新能力和国际竞争力提供了坚实的人才支撑。

第二是具有中等教育人口增长速度较快。1982—2000 年的平均增长速度为 3.66%。2000 年与 1982 年比，高中和中专程度的人口增长较快，尤其是 1990 年以来，从平均每 10 万人口拥有的高中和中专受教育人口来看，1990 年为 8928 人，而 10 年之后，到了 2000 年则突破万人大关，增长到 12880 人，增加了 3952 人。

第三是具有小学受教育程度人口明显减少。这与广东省教育事业发展达到一定水平有关。一方面是因为小学学龄人口的减少。自 20 世纪 70 年代以来，随着我省计划生育工作的广泛开展和不断增强，人口出生率和总和生育率急剧下降，人口年龄结构类型的转变加快，0～14 岁人口规模逐步缩小，小学学龄人口也相应减少。另一方面反映出我省九年义务教育所取得的成绩，人口受教育程度在向更高一级层次加快转化，接受初中及以上教育的人口不断增加。

表1－12　广东省第三次到第五次人口普查每10万人拥有的各种受教育程度人口　（单位：人）

普查年	小学	初中	高中（中专）	大专及以上
1982年	41401	16922	7764	489
1990年	40451	23041	8928	1338
2000年	33145	36690	12880	3560

资料来源：1. 国务院人口普查办公室编：《中国1982年人口普查资料》，中国统计出版社1985年版。

2. 广东省人口普查办公室编：《广东省1990年人口普查资料》，中国统计出版社1992年版。

3. 广东省人口普查办公室编：《广东省2000年人口普查资料》，中国统计出版社2002年版。

3. 人口的受教育年限增加。

随着受教育人口规模的扩大和结构提升，全省的人口识字率提高，平均受教育年限增加。人口识字率是指6岁及6岁以上的人口中受过小学或以上教育程度人口的比重，这是一个反映人口受教育状况的最基本指标。按这一统计口径计算，2005年，全省的人口识字率为94.1%，比1990年的85.0%提高了9.1个百分点，反映出识字的人口更加普遍。为了综合直观地反映不同时期人口平均受教育水平的差距，这里运用平均受教育年限进行测量。2005年广东省6岁及6岁以上人口的平均受教育年限为8.56年［注：平均受教育年限＝（小学人数×6＋初中人数×9＋高中和中专人数×12＋大学专科及以上人数×16）÷6岁以上人口数］，比1990年的6.67年提高了1.89年。这反映出在社会主义市场经济建设的过程中，教育发展的步伐正在加快，人口总体受教育水平普遍提高，这也是改革开放以来广东社会进步的重要体现。

4. 各级各类学校和在校生数量增加，教育事业蓬勃发展。

“百年大计，教育为本”，努力发展教育事业是提高人口文化素质的基本手段。改革开放以来，社会经济生活的巨大变化带动了

教育事业的蓬勃发展，全民办学、多种方式办学的宗旨给教育事业注入了新的活力。

学校是人口受教育的主要场所，各级各类学校在校学生的发展状况对总人口的受教育构成有直接影响，同时也预示着一个地区未来人口受教育构成的发展趋势。据统计，到2005年，全省有普通高等学校102所、教职工9.08万人、在校学生87.47万人，而1978年普通高等学校只有29所、教职工2.16万人、在校学生3.10万人。2005年高等学校数目是1978年的3.51倍，教职工人数是1978年的4.2倍，高等学校在校人数是1978年的28.22倍。自1978年以来高等学校在校人数持续保持较快增长，特别是2000年以来，高等学校在校人数增长尤为迅速。下图反映出我省在改革开放后，各级各类学校的在校生数量不断增长的显著趋势（见图1-5）。

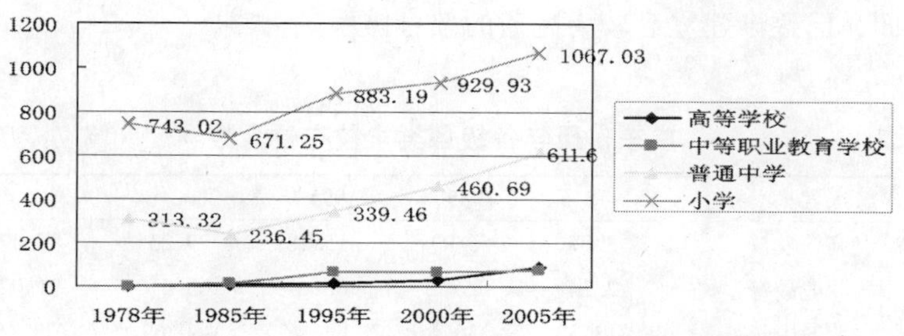

图1-5 改革开放后广东省各级各类学校在校生数量增长趋势图

资料来源：广东省统计局编：《广东省统计年鉴2006》，中国统计出版社2006年版。

从具体的增长数字来看（见表1-13），2005年有中等职业教育学校641所、教职工4.91万人、在校学生数71.02万人，分别是1978年的4.75倍、7.50倍和30.35倍。中等职业教育学校在校人数相比1978年的在校人数的2.34万人，增长了29.35倍，年平均增长1.08倍，其中1978—1995年增长速度较快，年平均增长

1.61倍，1995—2000年中等职业教育学校在校人数虽然继续增长，但增长速度较为缓慢，这是由于我省在20世纪90年代中后期大力发展高等教育，调整中等教育结构的结果。

1978—2005年，普通中学和小学在校人数保持平稳增长，相比普通中学在校人数增长较快，小学在校人数增长较为缓慢。据广东省教育厅统计，2005年小学学龄儿童入学率为99.68%（注：小学学龄儿童入学率指调整范围内已入小学学习的学龄儿童占校内外学龄儿童总数的比率），比1990年的99.29%提高了0.39个百分点，比1978年的95.7%提高了3.98个百分点；2005年小学毕业生升学率为97.15%，比1990年的87.56%提高了9.59%，反映了全省初中教育普及程度有所提高。

自改革开放以来，各级各类学校在校人数不断增长的同时，广东省的教育结构也发生了深刻的变化，成人教育、职业教育以及学前教育、特殊教育等逐步完善，教学设备不断增加，教育功能更加全面，已逐渐建立起较为完备的教育体系。

表1-13　广东省历年各级各类学校在校人数　（单位：万人）

各级各类学校	1978年	1985年	1995年	2000年	2005年
高等学校	3.07	6.99	15.18	29.95	87.47
中等职业教育学校	2.34	15.75	66.67	65.57	71.02
普通中学	313.32	236.45	339.46	460.69	611.69
小学	743.02	671.25	883.19	929.93	1067.03

资料来源：广东省统计局编：《广东省统计年鉴2006》，中国统计出版社2006年版。

（二）人口受教育程度的差异分析

人口受教育程度的差异分析，实际上是在人口自然属性、地区分布、行业经济、地域流动等背景中，考察比较各种受教育程度人口的差别与变化，以体现人口受教育水平与社会经济协调发展的状

况。改革开放以来，在产业经济升级、社会不断进步和人口迁移流动的背景下，广东人口受教育程度许多方面的差异都相继缩小，并逐步朝着社会平等和适应经济建设的方向发展，但也存在局部的非均衡状况。

1. 人口受教育状况的性别差异。

实现男女平等是中国的一项基本国策，人口发展中男女受教育程度是反映男女平等的重要内容。据第五次人口普查数据和2005年全国1%抽样调查数据显示，广东省人口的受教育程度存在明显性别差异，其主要特征是：男性受教育比例略高于女性，男女受教育的差异逐步缩小，受教育程度越高性别差异越大。

（1）男性受教育程度略高于女性。

2005年全国1%人口抽样调查，广东省6岁及6岁以上各种受教育程度人口中，男性有1073779人，女性有990239人，男性所占的比例为52.02%，女性所占的比例为47.98%，男性受教育的比例略高于女性。以女性的人口数为100计算，全省受教育人口的男女性别比为109，高于总人口中同龄人口102的性别比。分各种受教育程度看，2005年，除小学程度的女性比例高于男性之外，其他教育程度都是男性比例高于女性。

（2）男女受教育的差异逐步缩小。

虽然一直以来受教育人口的比例都是男性高于女性，但从发展和变化的角度看，男女受教育程度的差距正在逐步缩小。在1982年、1990年、2000年和2005年这四个时点观察，受过各种教育程度的男性人口比例依次为59.0%、55.6%、52.2%、52.0%，女性人口相应的比例依次为41.0%、44.4%、47.8%、47.9%，男女比例的变动趋势向50%接近。即上述四个时点，男女比例之差分别由18个百分点、11.2个百分点缩小到4.4个百分点和4.1个百分点，这说明随着社会经济的发展，人民生活水平的提高，男女之间接受教育程度差异在逐步缩小。从不同的教育程度看，男女受教育的差异也在缩小，受教育程度越高差异缩小越明显。高等教育程度人口的性别差异，由1982年的57.58个百分点缩小到2005年的

20.47个百分点；中等教育程度人口的性别差异，由1982年的34.78个百分点缩小到18.76个百分点；初等教育程度人口的性别差异在1990年基本消除的基础上，2005年女性比例则高于男性5.54个百分点。

（3）受教育程度越高，性别比重差异越大。

从2005年全省受教育程度的人口性别比重差异来看，小学程度当中女性高于男性5.54个百分点，初中程度当中男性比女性高4.48个百分点，高中程度当中男性高于女性18.76个百分点，大学大专程度的则是男性比女性高13.06个百分点，大学本科程度的男性比女性高出21.66个百分点，而研究生程度的男女性别差异高达26.68个百分点。这种受教育程度越高，性别比重差异越大的趋势借助于下面的折线图可以得到更清晰的反映（见图1－6）。

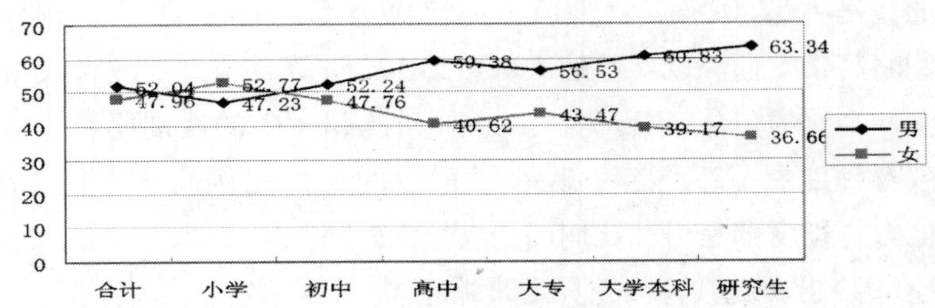

图1－6 2005年广东省受教育程度的人口性别比重差异

资料来源：广东省全国1%人口抽样调查领导小组办公室编：《2005年广东省全国1%人口抽样调查资料》，中国统计出版社2007年版。

2. 人口受教育状况的年龄差异。

经过近些年的发展，广东人口年龄结构由成年型步入了老年型，在此期间，各年龄的受教育人口情况也发生了新的变化。从表1－14中受教育人口的比重来看，中青年受教育程度明显高于老年。当今的年青一代受到了更好的教育，各年龄组人口在受教育构成方面有很大的差异。从不同受教育程度人口占各年龄段人口的比

重看，大学受教育程度（指大专及以上）中，25～29岁和20～24岁组所占比重最大，分别为12.63%、11.3%，其次是30～34岁和35～39岁组，分别为10.33%、7.71%，这是改革开放以来大力发展高等教育的结果。

50～59岁组人口具有大学受教育程度的比重与20～29岁及30～39岁人口相比，明显偏低，这是由于“文化大革命”严重破坏了教育事业，造成大学受教育程度人口比重较低的历史性凹槽。

其他年龄组具有高中、初中受教育程度人口占整个年龄组人口的比重，基本是随年龄增长而下降。小学受教育人口比重在6～14岁及55岁以上较高，6～14岁一般为小学学龄儿童，比重高属正常现象，55岁以上人口一般为新中国成立前出生的人口，接受中高等教育的机会有限，文化素质总体偏低，直到建国后特别是改革开放以来，人口文化素质提高越来越快。

表1－14　　广东省2005年分年龄组受教育程度构成　　（单位：%）

	小学	初中	高中	大专	本科	研究生	大学受教育比重
总计	34.47	43.07	16.34	4.10	1.84	0.17	6.11
6～9	99.66	0.34	——	——	——	——	——
10～14	70.68	29.14	0.18	——	——	——	——
15～19	5.36	63.71	28.70	1.67	0.56	0.00	2.24
20～24	6.23	57.19	25.17	7.89	3.41	0.12	11.30
25～29	10.19	53.20	23.61	8.66	3.97	0.37	12.63
30～34	17.77	53.13	18.43	7.17	3.16	0.34	10.33
35～39	25.57	51.85	14.54	5.03	2.67	0.34	7.71
40～44	26.56	47.92	19.06	4.14	1.96	0.35	6.10
45～49	34.72	39.39	21.66	3.08	0.98	0.17	4.06
50～54	47.26	33.99	15.10	2.71	0.84	0.11	3.55
55～59	57.46	28.58	10.20	2.86	0.83	0.07	3.69
60～64	62.00	24.36	9.14	2.84	1.63	0.03	4.47
65岁及以上	72.89	16.06	6.66	2.44	1.90	0.04	4.34

资料来源：广东省全国1%人口抽样调查领导小组办公室编：《2005年广东省

全国1%人口抽样调查资料》，中国统计出版社2007年版。

3. 人口受教育状况的地区差异。

由于广东省不同地区经济文化基础、经济发展条件和自然条件存在差异，因此人口受教育程度在不同地区之间存在着一定程度的差异。但随着经济和社会的不断发展，不同地区的人口受教育程度都得到持续提高。目前各地区之间的人口受教育状况显示，城市和乡村人口的识字率差异缩小，在2005年，全省城市、镇、乡村人口识字率就全部达到了90%以上水平。在2000年，城市识字率达到了96.2%，比1990年提高了7.4个百分点；镇人口识字率为95.1%，提高了5.3个百分点；乡村人口识字率为91.7%，比1990年提高了9.2个百分点。乡村人口识字率的大幅度提高缩小了与城市的差距，并由6.3个百分点的差距缩小到4.5个百分点。

此外，不同经济发展地带的人口受教育程度也有差异。珠江三角洲人口的受教育水平明显高于其他经济发展地带。在2000年，珠江三角洲的人口识字率达到96.5%，比东翼、西翼、粤北和山区分别高出2.4、5.9、6.0和4.8个百分点。珠江三角洲的人口平均受教育年限为8.88年，比东翼、西翼、粤北、山区的多1.46~1.65年。而且珠江三角洲每10万人口的大专以上人数达到5404人，是东翼、西翼、粤北、山区的2~4倍。珠江三角洲作为广东经济发展水平最高的经济发展地带，总人口占全省的48%，但吸引汇集了超过全省60%的中等教育程度人口，以及70%以上的高等教育程度人口，呈现出受教育程度越高其聚集度越大的规律。

从上述总体状况的描述可以看出，改革开放以来，广东在提高人口受教育程度方面已经取得了令人瞩目的成就。随着经济全球化的发展，国与国之间的竞争日益演化为科技的竞争，而归根结底是人才的竞争，国家和地区的人口受教育程度已经成为影响社会、经济、科技发展水平的决定因素。当前广东的经济发展水平和教育经费支出均排在全国前列，但广东就业人口的总体受教育水平还只是初中文化程度，初中、高中和高等教育入学率偏低，教育水平不能

适应经济发展的需要。因此在未来的发展进程中，还需要进一步提高劳动者的文化素质，为我省的经济增长和社会发展提供人才保障和智力支持。

五、广东人口迁移流动状况

改革开放以来，我国出现了蔚为壮观的人口迁移和人口流动现象。人口迁移流动作为经济发展和社会改革的结果，其本身也会影响社会经济的发展和改革的进程。通过改革开放 30 年来的经验可以看出，随着工业化和城市化的发展，人口迁移流动的规模在不断变化，而且有逐步扩大的趋势。广东省位于我国改革开放的前沿地带，在市场经济发展程度和社会开放程度上都处于全国前列，因此其大规模的人口迁移流动现象特别明显，充分认识改革开放以来广东迁移流动人口的状况，将有助于我们从总体上把握广东省人口发展的态势。

（一）人口迁移和人口流动的概念的界定

目前，我国对于人口迁移和人口流动的概念的界定并不统一，实际上，人口迁移和人口流动是两个相互联系又相互区别的概念。国际上一般把人口迁移定义为人口在空间上的位置变动。根据国际人口科学联盟主持编写的《多种语言人口学辞典》，人口迁移就是“在一个地区单位同另一个地区单位之间进行的地区移动或者空间移动的一种形式，通常它包括了从原住地或迁出地迁到目的地或迁入地的永久性住地变动”。在我国，由于户籍制度的存在，大家常常把人们的地区移动或者空间移动区分为人口迁移和人口流动两种。从人口学上讲，移动到某地后居住一年（或半年）以上的人口即为迁移人口，居住不到一年（或半年）的人口即为流动人口。而从人口管理的角度讲，移动到某地后获永久居留权的人口为迁移人口，否则为流动人口。前一种理解便于统计上划分，但后一种理解更容易管理。

另外，自1987年的全国1%抽样调查和1990年的“四普”首次将人口迁移作为调查项目以来，我国人口迁移流动的统计口径（主要是时间和空间标准）也不统一。从时间标准上看，1987年的全国1%抽样调查把“迁移”时间界定为离开原住地半年及以上，而1990年第四次全国人口普查对这一口径改为一年及以上，但是1995年全国人口1%抽样调查、2000年第五次人口普查和2005年全国1%抽样调查则又恢复使用半年的口径，以便与国际接轨。对人口迁移的定义的不统一不仅具体表现在对时间限定的不一致，对跨越空间的范围界定也不一致。对迁移人口的迁移来源地的调查，1990年第四次全国人口普查、1995年全国1%人口抽样调查均是细化到县（市、区）一级，而2000年第五次全国人口普查对于在本县（市、区）以内的迁移可以细化到乡（镇、街道）一级，而对于跨县迁移就只能统计到县市区一级了。此外，对于现住地的调查同样存在不统一，1990年第四次人口普查中对现住地的调查是细化到县、市、区一级，而1995年全国1%人口抽样调查和2000年全国人口普查中对现住地的调查均是细化到乡镇街道一级。

综上所述，本章主要以1982年第三次人口普查、1987年全国1%抽样调查、1990年“四普”、1995年全国1%抽样调查、2000年“五普”以及2005年全国1%抽样调查为资料来源，把自出生以来到调查时点为止在常住地上发生了跨县（市、区）或跨乡（镇、街道）地域变动的人口统称为迁移人口，并同时把其中常住地发生变动而户口未随迁的人口称为流动人口。因此，本章迁移人口包括了流动人口，以及出生后发生了居住地和户籍迁动的人口。鉴于广东省自1987年以来以迁入人口为主，而迁出人口数量很少，净迁移人口和迁入人口差异不大，故本章所讲的迁移人口是指按居住地登记的迁入人口。

（二）迁移流动人口的总量变动及分布与流向特征

1. 迁移流动人口的总量变动。

改革开放以来，广东省人口迁移可分为两个时期，70年代末

到80年代初的人口迁移以迁出人口比重高为特征，且大部分伴有户口迁移，到1982年省际迁移才从过去20年以净迁出为主转为净迁入。自从1984年我国放松对迁移人口的限制，允许农民自理口粮入城务工经商以来，广东省人口迁移进入了一个新时期。

(1) 人口迁移流动的数量增长惊人。

虽然1990年之前的关于人口迁移的数据只能识别跨县（市、区）的流动人口，而不能反映在一个县（市、区）范围以内跨乡(镇、街道）的流动人口，但迁移流动的总量变化还是相当惊人的(见表1－15)。

表1－15　　1990年至2005年广东省迁移流动人口总量的变化

年份	迁移人口（万人）		流动人口（万人）	
	总量	占全省常住人口比重（%）	总量	占全省常住人口比重（%）
1990	393.17	6.26	331.46	5.28
1995	——	——	——	8.57
2000	3642.80	42.72	2530.43	29.67
2005	——	——	——	29.20

资料来源：1. 广东省人口普查办公室编：《广东省1990年人口普查资料》，中国统计出版社1992年版。

2. 广东省人口普查办公室编：《广东省第四次人口普查流动人口资料》，中国统计出版社1992年版。

3. 广东省人口抽样调查办公室编：《1995年全国1%人口抽样调查资料》（广东分册），中国统计出版社1996年版。

4. 广东省人口普查办公室编：《广东省2000年人口普查资料》，中国统计出版社2002年版。

5. 广东省人口普查办公室编：《广东省2000年人口普查流动人口资料》，广东经济出版社2002年版。

6. 广东省1%人口抽样调查领导小组办公室编：《2005年广东省全国1%人口抽样调查资料》，中国统计出版社2007年版。

注：由于资料内容的限制，全国1%人口抽样调查数据未还原成总体。

在1990年，根据第四次人口普查中1985年7月1日到1990年7月1日的人口迁移调查，5年中全省迁移人口达到393.17万，相当于1990年全省总人口的6.26%。到了1995年，根据全国1%人口抽样资料显示，广东省迁移人口总量占到全省常住人口的16.23%。而根据2000年第五次人口普查资料显示，到2000年11月1日零时普查时点为止，广东迁移人口总量达3642.80万，占全省总人口的42.72%，规模居全国首位。从1990年到2000年广东省人口迁移总量在常住人口中的比重从6.26%上升到42.72%，尤其是1990年以后迁移人口增长总量惊人，从393.17万增加到3642.80万，增加了近3250万。

就流动人口而言，在1990年全省未发生户口迁移的流动人口总量为331.46万，分别占全国迁移人口、全省常住人口和全省迁移人口的9.71%、5.28%和84.30%。到了1995年广东省流动人口占全省常住人口的8.57%。而在2000年全省流动人口为2530.43万人，分别占全国流动人口、全省常住人口、全省迁移人口的17.52%、29.67%和69.46%。到了2005年，全省流动人口占全省常住人口的29.20%。从以上数据可以看出，1990年到2005年广东省流动人口从331.46万增长到2690.59万，增长了8倍多；但我们也可以看到2000年到2005年间流动人口增长的趋势开始减缓，流动人口在2000年和2005年在广东省常住人口中的比重并没有变化。

（2）从迁移人口的来源地来看，省内迁移和跨省迁移并存，跨省流动比重越来越高。

根据1990年“四普”和2000年“五普”的资料，广东省在20世纪80年代末省内迁移相比省际迁移占多数，而1990年之后这一数据显著下降；1990年省内迁移为267.10万，占总迁移人口的67.93%；省外迁移为125.75万，占总迁移人口的32.07%。而2000年，省内迁移人口数上升为1590.31万，占总迁移人口的

43.67%；省外迁移为2051.35万，占总迁移人口的56.33%。而就流动人口而言，在2000年全省的2530.43万流动人口中，跨省流动人口为1506.49万，占总流动人口的59.53%；而跨县（市、区）流动人口有2105.41万，占迁移人口的57.80%，占全部流动人口的83.20%。与1990年“四普”的331.47万相比，10年间跨县流动人口增长了1773.94万。

（3）从时间上来看，分年度迁移人口总量呈上升趋势，大量人口迁入是广东省人口增长的主要因素。根据2000年“五普”资料计算得出，人口迁移率从1996年的1.91%上升到2000年的8.28%。1996年到2000年间的迁移人口与1990年“四普”相比，迁入人口增加了1744.12万，增长了4.44倍，年递增17.81%。

2. 流动人口的分布特征。

广东省迁移人口大部分属于流动人口，1990年流动人口占迁移人口的84.30%，而2000年则占69.46%，它的发展态势直接影响着迁移人口的走向和总人口的变动。因此，我们有必要对流动人口进行深入了解。

（1）流动人口的城乡分布。

流动人口的城乡分布差异较大，流动人口主要集中在城镇地区。根据“四普”、“五普”的资料和2005年1%抽样资料，1990年流动人口在城市、镇区和农村的数量分别为200.24万、41.95万、89.28万，在总流动人口中的比重分别为60.41%、12.66%和26.93%；在2000年广东城市、镇区和农村的流动人口分别为1139.35万、519.99万和446.06万，占全省流动人口比重各为53.95%、24.93%、21.12%；而到了2005年，流动人口在城市、镇区和农村的比重分别为69.16%、16.83%和14.01%。从数据就可以看出，这15年间，流动人口主要集中在城镇，其中1990年位于城镇的流动人口占总流动人口的比重为73.07%，2000年则上升到78.88%，而到了2005年，比重上升到85.99%（见表1－16）。

表1－16　　流动人口的城乡分布

年份	城市流动人口		镇区流动人口		农村流动人口	
	总量（万）	比重（%）	总量（万）	比重（%）	总量（万）	比重（%）
1990	200.24	60.41	41.95	12.66	89.28	26.93
2000	1139.35	53.95	519.99	24.93	446.06	21.12
2005	——	69.16	——	16.83	——	14.01

资料来源：1. 广东省人口普查办公室编：《广东省1990年人口普查资料》，中国统计出版社1992年版。

2. 广东省人口普查办公室编：《广东省第四次人口普查流动人口资料》，中国统计出版社1992年版。

3. 广东省人口普查办公室编：《广东省2000年人口普查资料》，中国统计出版社2002年版。

4. 广东省人口普查办公室编：《广东省2000年人口普查流动人口资料》，广东经济出版社2002年版。

5. 广东省1%人口抽样调查领导小组办公室编：《2005年广东省全国1%人口抽样调查资料》，中国统计出版社2007年版。

注：由于资料限制，2005年1%抽样数据不便于还原成总体。

（2）流动人口地区分布不均衡。

流动人口主要集中于珠江三角洲范围内。珠江三角洲指广州市、深圳市、珠海市、佛山市、江门市、东莞市、中山市、惠州市、肇庆市。根据“四普”、“五普”和2005年全国1%人口抽样资料，这9个城市的合计流动人口总量在1990年、2000年和2005年分别达到281.68万人、2102.15万人和2282.75万人，占全省流动人口的比重分别为84.98%、83.07%和84.84%。尤其是深圳、东莞二市，其流动人口规模在2000年远远超过了当地户籍人口的数量，并分别以607.07万和500.91万位居全省第一位和第二位，由此可见广东省流动人口具有很强的集聚性。

3. 流动人口的来源地分布。

流动人口主要来自东西两翼和粤北山区及邻近省区。根据人口

普查资料显示，1990 年广东省内省外流动人口规模比例为 2. 12 : 1，到了 2000 年这一比例发生了很大的变化，变更为 1: 2. 52。流动人口来源地构成发生逆转的原因众多，但主要原因则是 20 世纪 90 年代以来广东省的社会经济发展速度显著高于内陆省份，从而形成巨大的人口迁移拉力。

具体到省内和省外流动人口的来源地来看，在省内流动人口方面，虽然 1990 年和 2000 年的省内迁移数量有很大的差别，但省内流动人口仍主要来自东西两翼和粤北山区。以 2000 年为例，在省内流入人口中，来自粤北的韶关、清远、梅州、河源的分别达到 40. 77 万、58. 72 万、81. 36 万、67. 65 万，合计占省内流动人口的 34. 29%；来自两翼的阳江、茂名、湛江、汕尾、汕头、揭阳、潮州等市的人口合计占省内流动人口的 35. 06%。而在省外流动人口方面，1990 年省际迁入人口中的 69. 53% 来自邻近广东的广西、湖南、海南、江西、福建、湖北 6 个省份。而在 2000 年流入广东的省外人口中，湖南、江西、广西这 3 省就占到了总流入人口的 47. 49%，位于省外来源地的前三甲。

（三）流动人口的特征结构

流动人口是个具有多方面特征的丰富总体，我们可以从几个重要的方面对其进行观察和分析。

1. 流动人口的自然结构。

（1）流动人口的性别结构。

根据普查和抽查资料显示，1990 年全省流动人口中男性为 166. 01 万人，占总流动人口的 50. 08%，女性为 165. 45 万人，其总体比重为 49. 92%，性别比（女性为 100）为 100. 34。同期，广东省常住人口的性别比为 104. 80。1995 年，流动人口中男性占 49. 13%，女性占 50. 87%，性别比为 96. 59，而同期常住人口性别比为 102. 64，流动人口的性别比较常住人口的低了约 6. 04。2000 年，全省流动人口中，男性为 1055. 35 万，占总体比例为 50. 13%，女性为 1050. 06，占总体比例为 49. 87%，性别比变为 100. 50。同期全省户籍人口中，男性为3856.75万，占51.58%，女性为3620.74万，占48.42%，流动人口的性别比比户籍人口的低了6.02，比常住人口的性别比103.82低了3.32。到了2005年，流动人口性别比则约为103.27，比2000年高了2.87，同期，广东省常住人口性别比为102.63。

（2）流动人口的年龄结构。

从年龄构成上看，流动人口以青壮年为主，且年龄结构呈现“两头低、中间高”的特征。据普查资料显示，1990年15岁到60岁的流动人口为288.37万人，占到总流动人口的86.99%，其中20~29岁的流动人口就有152.60万人，占总流动人口的46.04%。而0~14岁和60岁以上的流动人口分别为34.10万和8.99万，仅分别占10.29%、2.71%。而到了2000年，全省年龄为15~39岁的流动人口就有1806.22万，占流动人口总量的85.79%，其中20~29岁青年人占到48.54%。反之，40岁以上中、老年人口及14岁以下少年儿童比重仅为8.08%和6.13%，低于全省常住人口年龄段的25.83%和24.12%。

2. 流动人口的教育结构和婚姻结构。

（1）流动人口的教育结构。

从1990年到2000年期间，广东省流动人口的教育程度呈现出如下特征。在1990年和2000年，具有初中文化程度的流动人口分别占总体的比例为48.39%和61.43%。而初中及以上文化程度在总流动人口中的比重则由1990年的67.54%上升到82.16%，10年间上升了近15个百分点，其中大专及以上流动人口的比重也由1990年的1.47%上升到3.19%（见表1-17）。

表1-17　　1990年和2000年广东流动人口受教育程度构成　　（单位:%）

年份	文盲、半文盲	小学	初中	高中	大专及以上
1990	4.39	28.07	48.39	12.42	1.47
2000	1.19	16.65	61.43	17.22	3.19

资料来源：1. 广东省人口普查办公室编：《广东省第四次人口普查流动人口资料》，中国统计出版社1992年版。

2. 广东省人口普查办公室编：《广东省2000年人口普查流动人口资料》，广东经济出版社2002年版。

（2）流动人口的婚姻构成。

表1-18　　流动人口的婚姻状况分布　　（单位：%）

婚姻状况	合计		男性		女性	
	1990年	2000年	1990年	2000年	1990年	2000年
合计	100	100	100	100	100	100
未婚	60.69	52.61	56.38	48.82	64.91	56.24
有配偶	37.59	46.63	42.68	50.35	32.60	42.41
离婚	0.25	0.26	0.26	0.26	0.11	0.25
丧偶	1.47	0.49	0.68	0.23	2.38	0.73

资料来源：1. 广东省人口普查办公室编：《广东省第四次人口普查流动人口资料》，中国统计出版社1992年版。

2. 广东省人口普查办公室编：《广东省2000年人口普查流动人口资料》，广东经济出版社2002年版。

广东省15岁及以上的流动人口中，未婚比重偏高，但有下降的趋势。1990年未婚比重为60.69%，2000年这一比重则为52.61%。而有配偶的流动人口在1990年和2000年的比重分别为37.59%和46.63%。可以看出，在未婚人口仍占比重大的基础上，有配偶的流动人口比例有所上升（见表1-18）。

3. 流动人口的就业及行业、职业结构。

（1）劳动力资源及就业状况。

根据“四普”和“五普”资料，1990年广东省流动人口的劳动力资源（指15~64岁人口）有291.50万人，占流动人口总数的87.23%。其中男性人口有145.10万，女性人口有146.4万，分别占流动劳动力人口总量的49.78%和50.22%。在人力资源人口中，在业人口有268.19万，失业人口有23.31万，在业率和失业率分别为92%和8%。

2000年广东省流动人口的劳动力资源有1958.31万，占流动人口总数的93.01%。其中男性人口和女性人口分别为971.31万、987万，性别比（女性等于100）为98.41。在人力资源人口中，在业人口有1665.93万，失业人口有32.1万，在业率和失业率分别为85.76%和1.64%。

（2）在业流动人口的行业结构。

流动人口就业的行业结构呈现较高的集聚性，以生产领域为主体，主要集中在工业（尤其是制造业）、商业、服务业和农林牧渔业等行业上。1990年，工业、建筑业和农林牧渔水利业分别集中了在业流动人口的59.34%、10.27%和11.86%，另外商业、公共饮食业、物资供销和仓储业占10.33%，这四种行业共占总流动人口的88.1%。而2000年，集聚最多在业流动人口的行业是制造业，占在业流动人口的68.76%；其次是批发和零售贸易餐饮业，在业人口有219.59万，占在业流动人口的13.38%；处于第三位、第四位的是社会服务业和农林牧渔业，分别占在业流动人口的4.43%和3.77%。上述这四个行业占总在业流动人口的90.14%。

（3）在业流动人口的职业结构。

与行业构成相似，流动人口从事的职业大部分是商业、服务业、生产和运输业等体力型的职业，而各类专业技术人员、国家机关和企事业单位负责人等智力型职业的从业人员则很少。由表1－19，1990年和2000年在业流动人口中从事体力劳动的分别有254.08万和1517.02万，占总在业流动人口的94.74%和68.36%；其中生产工人、运输工人和有关人员的从业人员最多，分别占67.87%和68.36%。另外，从1990年到2000年间，流动人口的职业构成发生了一些变化，流动在业人口中从事智力型职业的比重越来越高，从1990年的5.26%上升到2000年的31.64%（见表1－19）。

表 1－19　　1990 年和 2000 年广东省在业流动人口的职业构成

职　业	各职业人数（万人）		所占比重（%）	
	1990 年	2000 年	1990 年	2000 年
合计	268.19	1665.93	100	100
各类专业技术人员	6.71	21.09	2.50	1.27
国家机关、党群组织、企事业单位负责人	2.64	48.06	0.98	2.88
办事人员和有关人员	4.77	79.76	1.78	4.79
商业工作人员、服务性工作人员	40.55	312.75	15.12	18.77
农、林、牧、渔劳动者	31.48	65.27	11.74	3.92
生产工人、运输工人和有关人员	182.03	1138.80	67.87	68.36
不便分类的其他劳动者	0.02	0.18	0.00	0.01

资料来源：1. 广东省人口普查办公室编：《广东省第四次人口普查流动人口资料》，中国统计出版社 1992 年版。

2. 广东省人口普查办公室编：《广东省 2000 年人口普查流动人口资料》，广东经济出版社 2002 年版。

（四）流动人口迁移流动的原因分析

根据人口迁移理论，城市或经济发展核心区存在较多的就业机会以及较高的预期收入是导致迁移者作出迁移决策的主要因素。目前，我国大部分农村地区仍存在大量的剩余劳动力，生存就业压力促使他们向外迁移。与此同时，由于广东拥有较其他地区更高的薪资收入水平，再加上其由于改革开放程度比其他地区高，导致该地区的思想、文化观念及行为方式较其他地区更灵活、更现代，凡此种种都吸引着外地人口向该地区流动。推力和拉力同时存在，导致“谋生型”移民和“变动性”移民纷纷南下广东，并主要集聚于珠江三角洲地区。从迁移的原因来分析，根据历年来的人口普查和抽样调查资料，务工经商的经济型动因是促成省际流动的首要影响因素。1987 年，迁移人口主要以务工经商和婚姻迁入为主，其中务工经商类占到了 22.04%；而到了 1990 年，务工经商类的迁移流动人口比例达到了59.06%，与之对比，同期全国迁移人口中务工经商类仅占25.09%，可见，较早时候广东就已经成为吸引外来人口到此务工经商的集聚地。而随着改革开放的深化，这一比例在2000年则提高到了67.90%，综上，可以认为务工经商是主要的迁移流动原因（见表1－20）。

表1－20　1987年、1990年和2000年广东省按迁移原因分的迁移流动人口（单位:%）

年份	工作调动	分配录用	务工经商	学习培训	投亲靠友	婚姻迁入	其他
1987	11.66	4.19	22.04	2.09	12.13	18.66	29.23
1990	7.96	2.88	59.06	5.10	3.59	7.35	14.06
2000	2.50	1.20	67.90	3.70	2.90	3.80	18.00

资料来源：1. 广东省人口普查办公室编：《广东省第四次人口普查流动人口资料》，中国统计出版社1992年版。
2. 广东省人口普查办公室编：《广东省2000年人口普查流动人口资料》，广东经济出版社2002年版。
3. 国家统计局人口统计司编：《中国1987年1%人口抽样调查资料》（全国分册），中国统计出版社1988年版。

六、广东人口就业状况

改革开放以来，广东经济持续保持稳定、快速增长，不但带来了社会事业的全面进步，而且也促进了三次产业结构的优化和人口就业结构的调整。全省15岁及以上就业人口增长较快，规模日趋扩大，2000年就业人口已达4707.57万，同时总人口就业率不断提高，表明广东人口就业充分，劳动参与程度高。除此之外，广东第一产业就业人口也大幅度减少，第二、三产业人口不断增长，这种变化趋势有利于产业结构调整和升级换代，可以说广东省人口就业结构已从传统的正金字塔形转变成过渡期的腰鼓型模式，并向现

代倒金字塔形迈进。

（一）人口就业状况

就业人口是直接参与社会经济活动并取得劳动报酬或经营性收入的人口。这些人口是社会生产和生活的主体，因此其数量、质量和结构对经济发展产生直接影响。改革开放 30 年来，广东就业人口表现出以下几个显著特征：

一是就业人口增长快，劳动参与程度高。人口普查资料显示，1982 年广东 15 岁及以上的就业人口为 3067.37 万人；1990 年广东 15 岁及以上的就业人口为 3365.72 万人；2000 年广东 15 岁及以上的就业人口为 4707.57 万人。2000 年广东 15 岁及以上的就业人口比 1990 年增加 1341.85 万人，增长了 39.87%。可以看出，广东不但就业人口规模大，总人口就业程度也高。2000 年广东总人口就业率达到 55.19%，比 1990 年上升了 1.62 个百分点，比 1982 年上升了 3.46 个百分点，大大高于发达国家和发展中国家的平均水平，属于世界上高就业模式。

二是女性人口就业保持较高水平。1982 年广东就业人口中，男性 1673.48 万人，女性 1393.90 万人，分别占就业人口总量的 54.56% 和 45.44%。1990 年广东就业人口中，男性 1838.79 万人，女性 1527.34 万人，分别占就业人口总量的 54.62% 和 45.38%。2000 年广东就业人口中，男性与女性分别占就业人口总量的 53.33% 和 46.67%。广东就业人口中，女性比重一直保持较高水平，说明女性社会经济活动的参与意识不断提高。

（二）就业人口的行业特征

按照国家行业划分标准，将人口普查的十五大类行业归为三次产业，第一产业包括农林牧渔业；第二产业包括采掘业、制造业、电力、燃气及水的生产和供应业、建筑业；第三产业是除了上述第一、二产业之外的其他各业，包括流通部门和服务部门的各行业。改革开放以来，随着经济体制改革的推进，社会主义市场经济的迅速发展，广东的经济结构变化显著，劳动力地区之间的流动和在部门、行业之间的转移异常活跃，产业结构随着经济的增长变化显著。

根据改革开放后第一次人口普查的资料统计，1982年广东就业人口中从事农、牧、林、渔业的人口占总就业人口的比重为72.60%，从事制造业的人口占总就业人口的比重为12.23%，余下的其他行业人口的比重则为15.2%。表明改革开放初期广东农业就业人口比重大大超过非农业就业人口比重，就业结构是传统的正金字塔形（传统型模式是第一产业劳动力比重占50%以上，第二产业比重占25%左右，第三产业比重占25%以下）。

1990年广东就业人口中从事制造业的人口占总就业人口的比重为18%，比1982年提高了5.77个百分点，表明广东的制造业开始崛起，制造业就业人口开始迅速增加。从事农、牧、林、渔业的人口占总就业人口的比重为60.52%，比1982年下降了10.08个百分点，农业就业人口开始减少。第三产业的就业人口比重有所增加，比1982年提高了5.2个百分点，人口就业结构开始发生变化。

2000年广东省全省15岁及以上就业人口共4707.57万人，比1990年增加1341.85万人，增长了39.87%，就业人口增长较快，规模日趋扩大。在就业人口总量有所增加的同时，人口就业结构也发生了新的变化。同1990年的人口普查状况相比，第一产业的就业人口比重从60.52%降为37.36%，第二产业就业人口比重从22.22%上升为38.22%，第三产业就业人口比重从17.26%上升为24.42%。第一产业就业人口大幅度减少，第二、三产业人口不断增长，这种变化趋势有利于产业结构调整升级换代。按从高到低排序，广东三次产业人口比重位次由1990年的一、二、三转变为2000年的二、一、三。相应的，人口非农业化水平迅速提高，全省非农业从业人员从1990年的1340.08万人增长到2948.82万人，非农业化水平从39.82%上升为62.64%。

2005年广东1%抽样调查显示，广东就业人口中从事制造业的人口占总就业人口的比重为35.94%，比2000年提高了2.46个百

分点。从事农、牧、林、渔业的人口占总就业人口的比重为31.71%，比2000年下降了5.65个百分点。第一产业的就业人口比重从37.36%降为31.71%，第二产业就业人口比重从38.22%上升为40.13%，第三产业就业人口比重则从24.42%上升为28.16%。第三产业的就业人口比重有所增加，比2000年提高了3.74个百分点。

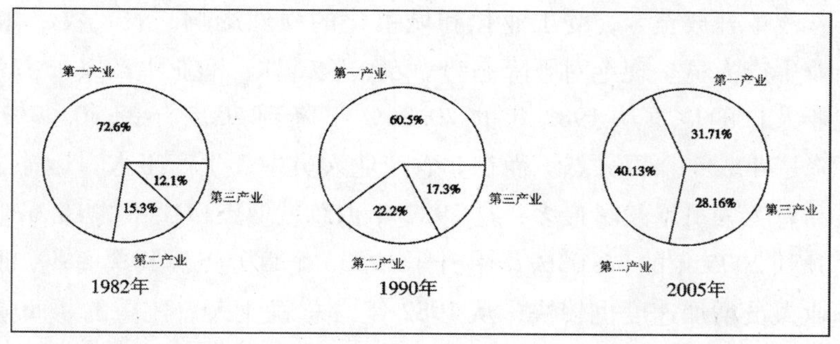

图1－7　广东省历年就业人口的产业结构

资料来源：1. 国务院人口普查办公室、国家统计局人口统计司编：《中国1982年人口普查资料》，中国统计出版社1985年版。

2. 广东省人口普查办公室编：《广东省1990年人口普查资料》，中国统计出版社1992年版。

3. 广东省全国1%人口抽样调查领导小组办公室编：《2005年广东省全国1%人口抽样调查资料》，中国统计出版社2007年版。

从最近几次的普查和抽查资料可以清晰地看出广东改革开放30年来就业人口行业结构的变化过程。人口就业结构不断优化，持续稳定地接近现代型的就业结构（现代型模式是第一产业就业人口比重占15%以下，第二产业比重占35%左右，第三产业比重占50%以上）。改革开放以来，第一产业就业人口比重下降了40.89个百分点，而第二产业就业人口比重则上升了24.83个百分点，高于第三产业16.06个百分点的增幅，这表明在三次劳动力就业结构的转变过程中，第一产业劳动力主要转向第二产业，第二产业在接受第一产业劳动力转移方面所起的基础性作用比较明显（见图1-7）。

（三）就业人口的职业特征

广东在产业结构优化的同时，就业人口的职业构成也相应发生了较大变化。整体来看，改革开放以来除农、牧、林、渔业生产人员大幅度减少外，其余各职业从业人员都呈现增长之势。

改革开放至今，受工业化和城镇化的强烈影响，农、牧、林、渔业生产人员呈现绝对下降态势。农、牧、林、渔业生产人员占总就业人口的比重从1982年的70.96%下降到2005年的30.63%，下降了40.33个百分点。而在非农产业人员中，生产工人、运输工人和有关人员增长量最多，从1982年占总就业人口比重的16.67%上升到2005年的36.03%，上升了19.36个百分点。其次商业、服务业人员增加速度也较快，从1982年占总就业人口比重的4.80%增加到2005年的17.89%，上升了13.09个百分点。再次是办事人员和有关人员，专业技术人员和国家机关、党群组织、企事业单位负责人所占比重也有所增加。办事人员和有关人员所占比重从1982年的1.37%上升到2005年的5.65%，上升了4.28个百分点。专业技术人员所占比重从1982年的4.78%上升到2005年的7.45%，上升了2.67个百分点。国家机关、党群组织、企事业单位负责人所占比重从1982年的1.36%上升到2005年的2.23%，上升了0.87个百分点。非农就业人口的大幅度增长，既是产业结构调整的要求和结果，又从一个侧面反映出我省非农化水平不断提高的过程。这种人口职业构成的变化与就业人口在三次产业中的分布和变化趋势相一致。一方面制造业的高速发展，极大地推进了工业化和城市化的进程，使生产工人就业规模迅速扩大，农业生产人员数量出现绝对下降；另一方面，制造业的飞速发展，不仅使生产工人数量大量增长，同时还聚集了大量的其他经济活动人口，从而带动商业和服务业快速发展，导致商业、服务业人员占就业人口总量的比重也有所上升（见表1-21）。

表1－21　　广东省历年就业人口的职业构成　　（单位:%）

职业名称	1982年	1990年	2000年	2005年
总计	100	100	100	100
各类专业技术人员	4.78	5.40	5.86	7.45
国家机关、党群组织、企事业单位负责人	1.36	1.72	1.98	2.23
办事人员和有关人员	1.37	2.07	4.71	5.65
商业、服务业人员	4.80	8.51	14.81	17.89
农林牧渔劳动者	70.96	60.18	37.55	30.63
生产工人、运输工人和有关人员	16.67	22.11	35.08	36.03
不便分类的其他劳动者	0.06	0.01	0.01	0.12

资料来源：1. 国务院人口普查办公室、国家统计局人口统计司编：《中国1982年人口普查资料》，中国统计出版社1985年版。

2. 广东省人口普查办公室编：《广东省1990年人口普查资料》，中国统计出版社1992年版。

3. 广东省人口普查办公室编：《广东省2000年人口普查资料》，中国统计出版社2002年版。

4. 广东省全国1%人口抽样调查领导小组办公室编：《2005年广东省全国1%人口抽样调查资料》，中国统计出版社2007年版。

（四）未工作人口的主要特征

未工作人口指达到工作年龄界限但未工作的人口。它包括在校学生、家务劳动者、离退休职工、丧失工作能力者、失业人员等。本章的未工作人口是指15周岁以上且未工作的人口。

未工作人口的产生是社会经济发展过程的正常现象，就整个社会来说，随着社会尤其是教育事业的发展，进入劳动年龄阶段而仍在读书深造的人口有所增多，再加上离退休人员、失业人员的增多，使得未工作人口的总量呈上升状态。但据人口普查资料显示，广东未工作人口主要以料理家务人员以及达到劳动年龄的在校学生为主，属于一般状况。

具体来看，1982年广东省未就业人口总计851万人，其中家务劳动的人口总数为452万人，占未就业人口比重为53.06%。而家务劳动人口中女性人口数为364万人，占家务劳动人口比重的80.58%，即占未工作总人口的42.76%，说明女性未工作人口主要以料理家务人员为主。男性未工作人口主要以在校学生为主，这部分人约有107万，占未就业总人口的12.58%（见表1-22）。

表1-22　1982年广东省未就业人口来源构成

项　目	小计（人）	男性（人）	女性（人）	构成（%）
总计	8517348	3128727	5388621	100
在校学生	1600841	1071377	529464	18.80
家务劳动	4519548	877916	3641632	53.06
待升学	52175	36500	15675	0.61
待国家统一分配	5585	4337	1248	0.07
市镇待业	406374	209226	197148	4.77
退休退职	811358	462494	348864	9.53
其他	1121467	466877	654590	13.16

资料来源：国务院人口普查办公室、国家统计局人口统计司编：《中国1982年人口普查资料》，中国统计出版社1985年版。

1990年未就业人口总计1037万人，其中料理家务人口所占比重有所下降，从1982年的53.06%下降为42.38%，下降10.68个百分点。在校学生人口所占比重有所上升，从1982年的18.8%增长到23.24%，上升4.44个百分点（见表1-23）。

表1-23　1990年广东省未就业人口来源构成

项　目	小计（人）	男性（人）	女性（人）	构成（%）
总计	10375209	3909545	6465664	100
在校学生	2410985	1499120	911865	23.24
料理家务	4397407	630970	3766437	42.38
待升学	86223	53302	32921	0.83

续上表

项　目	小计（人）	男性（人）	女性（人）	构成（%）
市镇待业	580922	320066	260856	5.60
离休退休退职	1282199	711944	570255	12.36
丧失工作能力	1303595	497959	805636	12.56
其他	313878	196184	117694	3.03

资料来源：广东省人口普查办公室编：《广东省1990年人口普查资料》，中国统计出版社1992年版。

表1－24　2000年和2005年广东省未就业人口来源构成

项　目	2000年（%）	2005年（%）
总计	100	100
在校学生	23.28	19.69
料理家务	32.96	29.49
离退休	13.32	13.04
丧失工作能力	11.98	16.69
正在寻找工作	13.1	9.76
其他	5.36	11.33

资料来源：1. 广东省人口普查办公室编：《广东省2000年人口普查资料》，中国统计出版社2002年版。

2. 广东省全国1%人口抽样调查领导小组办公室编：《2005年广东省全国1%人口抽样调查资料》，中国统计出版社2007年版。

2000年和2005年人口调查资料显示，料理家务人口所占比重继续下降。2000年料理家务人口占未就业总人口的比重为32.96%，而2005年的数字是29.49%。如果从推行改革开放政策以来算起，未就业人员中料理家务人口所占比重从有资料记载的1982年的53.06%下降到2005年的29.49%，下降了23.57个百分点（见表1－24）。

通过分析，可以发现广东未工作人口的年龄呈两多一少的U形分布，即低年龄段和高年龄段的未工作人口较多，中间年龄段未工作人口较少。如在2005年全省人口抽样调查中，未工作人口中，16～29岁低年龄段占17万人，60岁及以上高年龄段占19万人，而30岁至59岁年龄段则占18万人。在未工作人口中，在校学生、料理家务人员、离退休人员、丧失工作能力者占了78.91%，处于绝大多数。其中年龄较轻的16～19岁的在校学生占16.3%，年龄较大的60岁以上的料理家务人员、离退休人员、丧失工作能力者及其他占了15.9%，而年轻力壮的劳动力基本上都参与到经济活动中去了。从这方面也可以说，广东省全省就业充分，就业形势非常乐观。

结　语

改革开放后大量的外来人口涌入广东省使得我省人口数量加大，也使得我省的人口增长模式主要呈现出机械增长的特点。而在人口自然增长方面，由于全省各级政府上下一致，在计划生育政策落实方面稳妥有力，从而使我省的人口生育数量一直处于有效控制范围内。这30年中全省人民的生活质量都有了极大提高，再加上全省医疗技术水平的提高使得全省人均寿命也不断增长，死亡率不断下降。这些因素的综合作用使得广东省实现了由20世纪60年代的“高出生、低死亡、高增长”向现在的“低出生、低死亡、低增长”人口再生产模式的转变。

在人口年龄结构方面，当前广东省处于“人口红利”期，社会负担系数小、劳动力存量规模大的特点使得我们应当积极增加生产，积累社会财富，加快经济发展和提高人民生活水平，为年龄结构的不断老化做好社会保障。人口数据显示目前我省总体正进入老龄化社会，客观地说，这种转变是人口控制的结果，与经济发展不同步，因此整个社会对老龄化的承受能力较弱，因此应充分注意人口老龄化引发的社会问题。此外，从人口性别比来看，广东省的性别比基本处于平衡状态，但出生人口性别比的大幅提高可能引发个人的婚配困难甚至更大的社会问题，对此应提高重视，并采取切实

措施控制出生人口性别比保持在一个合理的水平。

在人口受教育方面，改革开放30年来，广东省大力发展教育事业。特别是20世纪90年代以来，随着发展教育事业的步伐进一步加快，我省不断扩充中等和高等教育资源，广东省受教育人口规模不断扩大，素质结构逐步向中高层提升，总体人口的文化水平显著提高，其中高中及以上文化程度的人才资源存量丰富。人口受教育程度的部分指标已跨入全国先进行列，广东省在全国率先实现了基本普及九年义务教育和基本扫除青壮年文盲的目标，全省文盲人口比例大幅下降，尊重知识、尊重人才的社会风气逐渐形成，人口的受教育程度得到明显提高。

在人口迁移和流动方面，自改革开放以来，总体上广东省人口迁移可分为两个时期，70年代末到80年代初的人口迁移以迁出人口比重高为特征，且大部分伴有户口迁移，到1982年省际迁移才从过去20年以净迁出为主转为净迁入。自从1984年我国放松对迁移人口的限制，允许农民自理口粮入城务工经商以来，广东省人口迁移进入了一个新时期。此时期内人口迁移流动的数量巨大，省内迁移和跨省迁移并存，但跨省流动比重越来越高。流动人口的地域分布集中，主要以珠江三角洲地区为主。流动人口内部性别比处于正常水平，而且以青年劳动力为主，虽然教育水平逐年提高但整体上偏低，其从事的职业大部分是商业、服务业、生产和运输业等体力型的职业。

在人口就业方面，改革开放后广东经济持续保持稳定、快速增长，不但带来了社会事业的全面进步，而且也促进了三次产业结构的优化和人口就业结构的调整。全省15岁及以上就业人口增长较快，规模日趋扩大，其中女性人口就业保持较高水平。2000年就业人口已达4707.57万人，同时总人口就业率不断提高，表明广东人口就业充分，劳动参与程度高。除此之外，广东第一产业就业人口也大幅度减少，第二、三产业人口不断增长，这种变化趋势有利于产业结构调整和升级换代，广东省人口就业结构已从传统的正金字塔形转变成过渡期的腰鼓型模式，并向现代倒金字塔形迈进。

第二章
改革开放30年广东农村社会分层与社会流动

中国改革开放带来的巨大变迁所引致的利益重新组合和分配吸引了海内外众多的社会分层研究者。和国内许多根据不同的标准（通常是职业）来划分社会层级的做法不同，本章试图分析广东农村在改革开放以来农村经济所发生的变化，农村居民所得渠道及其分配机制的变化，从而从经验的角度描述广东农村居民在改革开放后资源获得状况的变迁以及由此形成的新的社会分层结构。本章首先对广东省农村社会分层状况的历时性变迁进行了描述，然后根据经济特征和分配原则的差异将广东省农村区域划分为三个有代表性的区域：新合作主义经济区域、郊区经济区域和地方经济区域。本章试图表明，在这三个不同的结构下农村居民的所得状况和社会分层状况。

一、广东省农村社会分层状况：历时性的描述

（一）计划经济年代中国农村社会分层：背景陈述

重温主导传统中国（公元前221—1911年）的农村社会分层结构将有助于我们对当下的理解。在传统中国时期，中国农村的经济

以自给自足的农业经济为主，其时的农村可以分为两个群体：在社会底层的是数目众多的农民，处于他们之上的是士绅，包括地方士绅和官员，后者是身处农村外的政府的代言人（Chou，1966；Fei，1946；Michael，1955；Weber，1968；Xiao，1960；Zhang，1955）。

新中国成立之后，中国农村社会发生了极大的改变，一系列的对中国农村的政治研究表明，国家是如何摧毁传统的农村社会并重建新的由党和政府系统所控制的社会经济结构（Parish & Whyte，1978；Schurmann，1968；Yang，1959）。因此，国家中心主义一度在对计划经济年代的中国社会分层研究中盛行：国家爱发展出一个工作组织系统来控制大部分的资源及其分配。在农村区域，1958 年创建了高级农业生产合作社（即公社），一个公社又管辖几个大队，而每个大队又相应管辖一定数量的生产队。公社系统有三个主要的特征：（1）农村区域的土地由集体所有，而每个农户则被分配一小块农田，作为自留地。在自留地上，农户可以经营自己的家庭农业生产。（2）户籍登记系统建立起来，旨在严格控制人口的流动：农村居民没有他（她）所在的农村的大队干部的准许和介绍信则无法外出。（3）生产、交换和分配是由公社根据上级政府的政策和命令所控制的。其他的在传统的集市所经营的商业活动同样为国家及其代理人所严格控制（Hinton，1984；Shue，1980；Whyte，1985；张乐天，1998）。

在公社体系的制约下，资源分配拥有两个特点：第一，国家与农民之间的利益分配根据“国家先行，然后到集体，最后是个人”的原则进行。合作社的成员能够分享到生产总值的 68.5%，而其余的部分则有 6.5% 是税收，25% 是由集体所支配。集体的花费包括生产成本、管理费用、资本积累和福利开支（Jean C. Oi，1989，p. 17；Yang，1959，p. 225）。税是由国家直接从农业生产队所抽取的，而国家同样也间接地从农村社会中获取利益，通过诸如强制种植低利润的基本粮食作物、控制粮食市场的价格等方法（Jean C. Oi，1989；Shue，1980；张乐天，1998）。

第二，村内的粮食分配则根据两个原则：基本口粮和工分口

粮。前者是分配给集体组织中的所有成员的，而后者则依据工分登记系统进行分配。每年集体都召开工分评定大会，生产队的每个劳动力都会经由这次评定大会而被评得一个基本的工分基准，这就是所谓的“公开评定”，这个基本的工分基准是根据劳动力的身体强度、技能和工作效率等因素共同决定的。一个人的基本工分基准、工作时间和任务的性质的乘积就是一个人获得的所有工分。根据该工分系统，村内的资源分配通常取决于三个因素：一是个人在农村生产组中的地位。一方面，农村干部，包括大队干部、生产队的负责人、出纳和书记员等由国家发放工资，但是也被要求参加集体劳动。然而，他们仍然有在生产队活动中获取好处的优势，各种理由之一：他们是农业活动的带头人并有权分配资源和提供更舒服的工分更高的工作机会（Kraus，1981）。二是劳动力的数量和质量。一个受过教育的劳动力，或者一个有技术的劳动力，可以获得更高的工分基准，并因此可以得到更多的工分（张乐天，1998）。另外，一个拥有较多成年劳动力的家庭显然可以得到更多的工分。三是身份体系。土地改革将农村人口划分为不同的身份体系类别：地主、富农、上中农、中农、下中农、贫农。这个分类同时也规定了谁将获得优待而谁会丧失这些待遇。地主、富农是差的身份类别，他们在许多方面都待遇较差，例如他们更难获得接受高等教育的机会，还有就业机会，甚至难以找到配偶（Unger，1984）。

然而，许多研究者指出身份分层体系的功能比较有限。首先，该体系主要是在1956年之前起作用，也即是社会主义过渡时期（Karus，1981；Unger，1984）。其次“坏阶级分子”的人数比较少，一般在一个大队也只有几个这样的人（张乐天，1998：149）。最后，身份体系也不是严格限定的，“身份的界线可松可紧，取决于好身份的农户的需要（Unger，1984：133）”。

对计划经济时代的农村社会分层的较近期的研究质疑国家在个人生活中的垄断性影响。他们更多地留意农村干部——即国家在地方社会中的代理人——和普通农民之间的互动关系，集中关注两个群体之间的庇护关系（Patron-client relationship）。他们仍然强调通

过国家科层体系来分配资源这一机制的重要性，但同时也指出农民也积极地运用许多方法来谋取他们的利益。在对 1955 年到 1986 年的粮食体系的研究中，戴幕珍（Oi）强调“庇护关系”应该成为理解农村政治的钥匙，因为它描述了非精英群体是如何通过各种各样的途径来影响政策的执行和推进他们自身的利益。在她的“庇护主义（Clientelism）”模型中，权力是通过对机会、财物和各种其他资源的分配来实施的。精英控制着这些资源，而非精英则依赖这些资源（Jean C. Oi，1985，p. 240）。

总体来说，对计划经济时代中国农村的社会分层研究可分为两个模型——国家中心主义模型和庇护主义模型——这两个模型又是通过两个阶段的学者的研究所体现的。前者强调国家对农民的垄断性的影响力，而后者强调国家代理人和农民之间的关系。在这些研究中，计划经济时代的社会分层可以被概述为：国家及其地方代理人控制所有的资源并根据工分体系或者委托代理关系将它们分配给农民。

（二）广东的市场改革历程和资源配置的变化

以下将讲述从 1978 年来广东农村的市场改革过程。笔者会首先就广东的市场改革过程给出一个整体性的图景，这个过程由两个阶段组成，而每个阶段也都有不同的事件作为标志。接着，作者描述市场改革过程如何产生珠三角和山区区域之间的区域差异。在末尾，作者将会划分广东农村市场改革的三个阶段和类型。同时描述每一阶段的制度特征。

1. 广东市场改革的起源。

1976 年，“文化大革命”的结束给予中国一个转变的机遇。从“文化大革命”和“大跃进”中学习到的教训使大部分的党政领导人认识到中国强烈地需要一个新的发展方向。党政领导人一开始并没有就这个新的方向达成统一的意见。但是邓小平的实验性的观点即“走一步，看一看”，在 1978 年占主导地位。（Vogel，1989，p. 76～77）当邓小平想要为改革选择一个进行实验的地点时，广东省所拥有的三个独特的特征成为实验地点的绝佳选择：（1）广东位于中国的东南角，距离北京很远，在广东进行的实验不会剧烈影响国家的基本政治和经济结构。（2）广东毗邻香港和澳门，这两个地方是改革初期中国和外在世界的主要联系。这种邻近也使广东更容易去试验国外的技术和管理技能。（3）广东的国有企业数目相对较少，因此，实验一旦失效，也不会对国家的重工业体系和国家收入产生过分的影响。

2. 市场改革：阶段和区域差异。

广东的市场改革过程由两个阶段组成：第一阶段，是1978—1987年，这个时期发生了两个显著的变化：家庭联产承包责任制开始，个体家庭经济逐渐繁荣，这也是泽林尼（Szelenyi）所谓的小商品经济的发展阶段（Szelenyi & Kostello, 1996）。

第二阶段以农村工业化、商品市场、资本市场和劳动力市场的共同发展作为标志。广东首先从香港，然后从世界各国中吸引了大量的外商直接投资，商品市场的迅速发展创造了大量的工作机会，从而导致了劳动力市场的发展，全国其他省份农村的剩余劳动力涌进珠三角地区。同时，广东省内山区区域的农村居民也同样进入了珠三角区域。在这个阶段，省内的区域差异开始出现[①]——特别是，珠三角地区和山区区域之间的发展差距开始加剧。市场改革的三个类型新合作主义经济、郊区经济和地方经济开始呈现。

（1）第一阶段：小商品市场的繁荣。

正如泽林尼和科斯特罗（Eric Kostello）所指出的，"市场改革通常以小商品市场的发展开始：生产者被允许出售他们的产品和服务，价格开始被供需关系调节"（Szelenyi & Kostello, 1996, p. 108），这一描述可以看作广东市场改革的开始，一个典型的特征是农产品的多元化和企业化、个体家庭经济的迅速发展。

①家庭农业的繁荣。

当"文化大革命"的狂潮刚刚消退时，广东农村居民的生活

① 在改革开放前，珠三角和广东山区区域之间也具有一定的差别，但并不大。

相当贫困。有11个县和98899个生产队（占了全省生产队总数的33.2%），农民年均收入低于50元（广东省地方志编纂委员会，2004：283）。去集体化和市场机制在1978年的重启给农民提供了一个追求家庭生产自主的机遇。他们也就此进行了努力，这些努力可以被划分为以下几个步骤：

1978年夏天，广东农村大约有1‰的生产队采用了一个新的分配制度，“三定一奖”——定工资、定产出、定成本，超额实现任务有奖励。在一些生产队，农村干部允许这一新制度的产生。而在另外的一些生产队，当农村干部不允许这一制度通过时，农民采取了众多的可以被称为“非官方的谈判策略”① 来说服这些干部。虽然这个新的分配政策一开始时，并没有得到官方文件的正式认定，但后来，广东省政府开始鼓励这一措施并向其他的生产队推广。

然而，农民并没有满足于“三定一奖”政策。因为，依据这一政策，农村的收入仍然是由干部所分配的，而不是由农民自己本身支配。因此，名为“大包干”的另外一个政策被创造出来。根据“大包干”政策，农民和集体签订合约，以获得耕作一定量土地的权利。根据这一合约，农民需要上交国家和农村集体一定量的收成，即所谓的“给够国家的，交够集体的，剩下的全是自己的”。在1983年，国务院出台了一个文件②，正式确认家庭承包农业的所有尝试。这些尝试被命名为“家庭联产承包责任制”。此制度的实施极大地增加了农业的单位产出。

例如，在广东，虽然1984年的粮食耕作面积比1978年减少了17.5%，单产量却比1978年增加了20.7%（Chau，1998，p.89），粮食作物和副业的多样性同样在增加，一些生产力比较低的农地转用于农副业生产，例如种植甘蔗、水果、蔬菜和花卉。家畜饲养和养殖同样变得十分受欢迎。

---

① 要了解更多关于这些策略的描述，请参见Zhou，Kate Xiao. 1996. *How the farmers changed China：power of the people.* Boulder，Colo.：Westvni iew Press. P. 53～60.

② 《当前农村经济改革的若干问题》，1983年1月2日。

随着家庭联产承包责任制的逐步推行，专业户制度同样也逐渐成为生产承包合同的内容。专业户的定义差异较大，因地方差异而不同，但总的来说，有三个特征：第一，他们集中生产一种或某几种相关的产品（例如：养鱼和养鸭）。第二，产品的商业化程度高，在市场上出售的要达到一定的比例。第三，营业生产收入是家庭收入的主体部门（Powell，1992，p. 51）。

②个体家庭经济。

1978年中国共产党第十一届中央委员会第三次全体会议（以下简称“中共十一届三中全会”）之后，中央政府放松了对自营经济的控制，即所谓的“劳动者可以从事个体工商业”①。中央政府试图通过这个政策来鼓励农村的剩余劳动力寻找收入来源。因此，许多个人或家庭经济在广东农村涌现，包括家庭手工制作，短期的建筑工人工作（瓦匠、泥水匠）等；又或者是修理者，如修理自行车、家庭设备、拖拉机等；或者开拖拉机拉载货物和开客车搭载乘客，或者开设零售店、餐馆、招待所，从事批发生意等（见图2-1）。

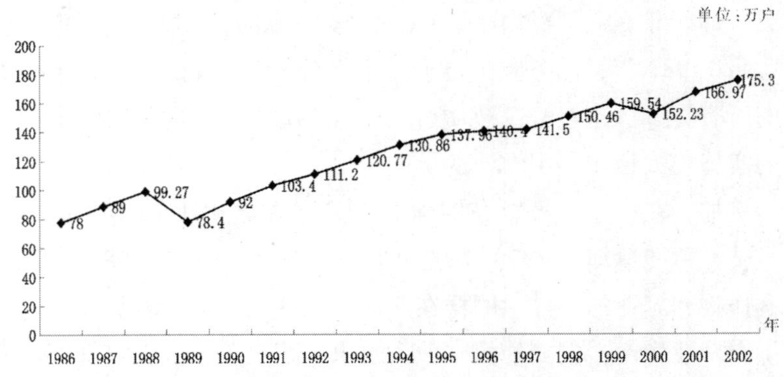

图2-1　个体家庭经济的数量

① 1984年，国务院出台了名为《关于农村工商业的若干规定》的文件，正式表示支持个体家庭经济。

资料来源：广东省工商行政管理局、广东省社会科学院、广东省私营企业协会编：《广东私营企业发展蓝皮书》，广东经济出版社2003年版，第61~84页。

（2）第二阶段：农村工业的发展。

到20世纪80年代中期，农业发展达到了一个新的水平。农副业的多样化和专业化也同样发展迅速。但自此之后，农副业的发展相对缓慢。相反，农村工业在广东的市场改革过程中发挥越来越重要的作用。

①商品、资本、劳动力市场。

20世纪80年代中期，国家将改革的重心从农村向城市转移，其核心任务是国有企业的改革。然而，在广东，国有企业并不是改革的领航者。相反，国有企业的重要性急剧下降，国有企业在工业生产总值中的比重从1980年占63%，下降到1990年的29%，再到1994年的18%。而且，大多数国有企业坐落在广东的大中城市。例如广州、湛江、江门、中山等，对农村区域的影响也比较有限，农村工业化，包括村镇企业和私营企业，成为农村区域改革的新的焦点。

广东受益于灵活和自主的经济规划、外来投入和税率调整政策（Cheng，2000b；Jean C Oi，1992；Jean Chun Oi，1999）。1978年中共十一届三中全会上，广东省委书记习仲勋提议中央政府给予广东省更多的自主权力，以发展经济。1979年，中央政府接受了上述建议并提出一些特殊和灵活的政策来加速广东和福建的地方经济发展[①]，这些政策包括六个部分："计划体制，根据国家的方针政策，以省为主制定；在对外经济贸易、物价、劳动工资、企业管理方面，扩大地方权限；利用外资，除了一些特大的项目外，可由省审批；财政和外汇收入实行定额包干、一定5年不变的方法，即财政收入以1979年为基数，从1980年开始，每年上交国家10亿元，

① 国务院1979年文件：《大力发展对外贸易增加外汇收入若干问题的规定》。

其余由省支配，外汇收入以1978年为基数，超基数部分，国家与省实行三七分成；物资的调配及商业活动适当利用市场调节，扩大地方管理物价的权限；试办深圳、珠海、汕头三个经济特区。这些规定，实质上已改变了中国长期以来在计划经济体制上的高度集中统一，财政体制上的统收统支，外贸体制上的统进统出，商业流通体制上的统购统销，物资管理体制上的统管统配，以及在经济体制的各个方面高度集中统一的状况，为改革开放开辟了道路。”（广东省地方志编纂委员会，2004：271）

在其他省份仍然受限于已有的统购统销政策的时候，这些特殊的政策极大地加快了广东农村工业化的发展（Kueh & Ash，1996；Vogel，1989）。广东与香港和澳门的毗邻关系也加快了广东的发展（Cheng，2000b；Lin，1997）。在20世纪80年代，广东需要资本、技术和生产设施以发展经济，而香港也想要将其工业进行转移以获得更便宜的劳动力和更低廉的土地成本及租金成本，广东和香港之间的合作促进了广东资本市场的迅速发展。

20世纪90年代，广东从香港吸收了大量的直接投资。而且，香港在广东投资的成功也促使其他国家的外商直接投资流入广东，这些国家和地区包括美国、欧盟、日本和中国台湾（Cheng，2000a，p. 87）。其时，中国的资金占据了流向欠发达国家的所有外商直接投资中的1/3（Zeng，2000）。作为吸引国外投资的试验性省份，广东已成为利用外商直接投资的重要区域（见表2－1）。

表2－1　外商直接投资在全国和广东的分布　（单位：百万美元）

年份	全国	广东	%
1986	1874.89	722.68	38.5
1987	2313.53	602.99	26.1
1988	3193.68	957.86	30
1989	3392.57	1156.44	34.1
1990	3487.11	1460.00	41.9

续上表

年份	全国	广东	%
1991	4366.34	1822.86	41.7
1992	11075.1	3551.5	32.1
1993	27514.9	7498.04	27.3
1994	33766.5	9397.08	27.8
1995	37520.5	10180.3	27.1
1996	41725.5	11623.6	27.9

资料来源：Zeng, K. 2000. "Retrospect and Prospects of Foreign Direct Investment Inflow: The Case of Guangdong Province." p. 103 ~ 128 in *Guangdong in the twenty-first century: stagnation or second take-off*? Edited by Y. S. Cheng. Hong Kong: City University of Hong Kong Press, p. 104.

资本市场的发展促进了小商品市场迅速、长远地发展，从而引致了农村工业的发展。1998 年，在广东，721600 个乡镇企业创造了 7374 亿元的生产总值，雇佣人员数目达 9874000 人，占据了广东省整体雇佣人数的 26.1%（广东统计年鉴 1999：309）。

总体而言，广东农村绝大多数的企业分为 4 类：镇级企业、村级企业、私营企业和合资企业（见表 2－2）①。

① 村镇企业在 20 世纪 50 年代的"大跃进"时期出现，60 年代由当时所谓的"五小工业"（钢铁、化肥、农机、水泥和能源—煤和电）进一步推动。其实正发动工业化运动，全国人民均不同程度地参与到这个运动中来。人们贡献自己有价值的物件和资金去建立工厂。在农村区域，这些工厂是属于集体产权，即由镇或者村所拥有。然而，这些工厂中的大部分都效益欠佳并迅速倒闭。到 1978 年，全国村镇企业数目达到 85700 家。雇员为 1800000 万人，总收入为 305.5 亿元。参见 Perkins, D. 1977. *Rural Small-Scale Industry in the People's Republic of China*. California: California University; Press, Riskin, C. 1971. "Small Industry and the Chinsese Model of Development." *China Quarterly* 46: 245 ~73; Riskin, C. 1978. "China's Rural Industries: Self-reliant Systems or Independent Kingdoms." *China Quarterly* 73: 77 ~ 98; Sigurdson, J. 1977. *Rural Industrialization in China*. Harvard: Harvard University Press; Wong, C. R. 1983. *Rural Industrialization in China: Development of the Five Small Industries*: University Microfilms International.

表2－2　　广东农村区域不同类型的企业　　（单位：万）

产权所属	镇级企业	村级企业	联合企业	私营企业	总体
建成数	27.4	106.3	66.3	1257.5	1457.5
（%）	1.9	7.3	4.5	86.3	100
雇员数目	2180.5	3279.6	705.1	4000.9	10166.1
（%）	21.4	32.3	6.9	39.4	100
总利润（人民币：亿元）	1317	105	243	949	3559
（%）	37	29.5	6.8	26.7	100
总产值（人民币：亿元）	137.4	99.6	25.1	90.4	352.6
（%）	39	28.2	7.1	25.6	100

资料来源：《广东统计年鉴》，中国统计出版社1995年版。

然而，其中的多数企业的产权制度并没有严格的设定。一方面，镇干部在各类型企业仍然有着重要的吸引力。另一方面，农村的私营企业和村镇企业有着非常紧密的联系。事实上，许多私营企业尽管登记成为镇级企业或者村级企业，但其目的是为了享受一定的优惠政策：交少一些税费，降低政治风险，逃避对私营企业的严格的规条，并利于从地方银行中获取贷款。因此，许多研究用“村镇企业”来统一概括上述的各类企业。

资本市场和商品市场的结合也需要劳动力市场的迅速发展。它将广东省较贫困地区的农业剩余劳动力吸引到珠江三角洲地区，它也为中国一些其他省份的流动工人提供了许多的工作机会，例如湖南、四川、江西和广西等。

②市场改革三类型/阶段的形成。

如前所指，资本市场、商品市场和劳动力市场的发展在广东并不是均等分配的。根据官方划分方式，广东可以被划分为四个经济区域：珠江三角洲区域、山区区域、西翼（广东的西部沿海区域）和东翼（广东的东部区域）。然而，从农村区域市场改革的程度来

看，广东可以被划分为三个区域：珠江三角洲区域，包括省会广州，经济特区深圳、珠海和号称“四小虎”的南海、中山、顺德、东莞；山区区域，包括51个县，接近一半的人口，超过一半的区域（广东省地方志编纂委员会，2004：192）；在上述两类区域之间是珠江三角洲的边缘地区，包括省内西翼和东翼区域城市的城郊农村区域。

这三个区域之间的不平衡在改革的初期并不如此显著。改革开放早期，广东的农业发展是全省共同的，尽管珠三角区域在农业发展上有两大优势：珠三角区域土地比山区区域更肥沃，更适合农作物耕种；珠三角离香港和澳门更加接近，这使珠三角的商业农业的发展比该省其他区域更加成功。

表2－3　　珠三角 GDP 占全省的比例　　（单位:%）

年份	珠三角 GDP 占全省的比重	
	GDP	出口额
1980	47.7	28.4
1985	52.6	55.2
1990	55.9	76.7
1995	68.0	81.5
2000	76.49	92.2
2001	78.6	95.2

资料来源：城市和区域研究中心：《香港和珠江三角洲之间的经济互动研究》（2000），第1页和第34页；《广东统计年鉴》（2000），第538页，第626页；《中国统计年鉴》（2002），第586页，第599页。

但是，伴随着市场改革过程，上述的区域差异逐步明显。大量的外商直接投资投放于珠三角区域，正如表2－3所指出的，在2001年，90%的外商直接投资投放于珠三角区域，全国各地和广东省其他区域的劳动力涌进珠三角。正如表2－4所指，珠三角吸引了1845万的外事务工人员，其中有60.5万来自于广东的山区区域，而有1240万来自于其他省份。作为外商投资的结果，大多数的农村工业企业也坐落于这个区域。例如，在1997年，珠三角的工业产出占据了全省工业总产值的79%（Lau，2000，p. 84）。也因此，珠三角地区的个人收入也比其他每个区域高。市场改革程度上的差异也导致了这三个地区的制度设置上的差别。

A. 新合作经济。

在珠三角地区，农村工业化的形式是多样化的，在一些城市，例如东莞，多数的村镇企业是所谓的“三来一补”企业。在顺德，农村工业化的主导力量是大量的镇属企业，然而，在南海①，盛行的是所谓的“六个轮子一起转”的方式，意味着六个层级的企业：县属企业、镇属企业、区域企业、村属企业、社属企业、私营企业都发展迅速；而在广州的一些农村区域，服务业起到的作用比工业更加重要。然而，不管经济发展的模式如何，在这些区域的农村居民的收益模式是相同的：第一，集体资产因为持续的市场改革过程而迅速增加，因而也增加了农村居民所能分享到的集体收益；第二，当地的发展增加了家庭私营经济的机遇；第三，这些区域的农村居民也比山区区域的农民更容易找到一份工作。在这些收益中，或多或少，集体经济收益成为该区域农村居民收入的一个重要特征。笔者因此将珠三角的农村区域的经济形态归为“新合作经济”。

B. 地方经济体。

在广东的大部分山区，当地的经济呈现出一幅和新合作经济体完全不同的图景。笔者称这些山区区域的农村经济为“地方经济”，因为，在这些区域的经济仍然以农民导向的产业为主，收入仍然比较低。

---

① 佛山下辖的一个县级市。

表 2－4　　广东省第五次人口普查总人口与
1999 年年末户籍中人口比较　（单位：万人）

区域	城市	第五次人口普查（2000 年）	1999 年登记在册人口	增加/减少
珠江三角洲	广州	994.3	685	309.3
	深圳	700.84	119.95	580.99
	东莞	644.57	150.82	493.75
	佛山	533.79	329.24	204.55
	中山	236.35	132	104.35
	珠海	123.56	71.4	52.16
	江门	395.03	378.84	15.15
	惠州	321.63	271.82	49.81
经济特区	汕头	467.11	448.94	18.17
	总数	——	——	1845
其他城市	韶关	——	——	－31.59
	阳江	——	——	－30.83
	清远	——	——	－62.91
	河源	——	——	－88.11
	湛江	——	——	－49.85
	潮州	——	——	－2.3
	梅州	——	——	－95.93
	茂名	——	——	－94.76
	揭阳	——	——	－45.13
	汕尾	——	——	－23.95
	肇庆	——	——	－44.13
	云浮	——	——	－35.56
	总数	——	——	－605

资料来源：广东省政府发展研究中心杨芹溪、冼频：《广东小城镇建设与农村劳动力转移研究》（2001 年 12 月）（内部资料），转引自崔传义的《中国农民流动观察》，山西经济出版社 2004 年版。

注：广东各市第五次人口普查（时间为 2000 年 11 月 1 日）总人口，是包括在广东打工的外来农民工的，而 1999 年年末户籍总人口是不包括外来农民工的，两者之差，基本是外来人口的数量（漏登记的人数与一年中本地新增人口数相抵，可忽略不计）。以此计算，深圳、东莞、广州、佛山、中山等市是吸纳外来人口最多的地区，珠三角共吸纳外来人员 1845

万人，而粤东、粤西和北部山区人口流出605万人，外省流入1240万人。

C. 郊区经济体。

在珠三角区域和山区区域两种农村经济阶段的中间状态是珠三角地区的周边区域，东西两翼的区域城市的郊区农村。笔者将该类经济称为“郊区经济”，一个典型的特点是这些区域与大、中城市邻近。这使农副业的商业化和专业化的发展成为可能。

3. 收入来源的增加和分配。

在集体经济时期（1956—1978年），受到计划经济的制约，自然资源是广东农村居民收入差异的决定性因素。现金收入主要是来自自留地上作物的销售。非农经济活动和到城里务农工等机会受到了严格的控制。因此，个体家庭的经济活动和非农工作收入并没有对农村居民的收入形成大的差异。

在广东所进行的市场改革迅速地改变了这种情形，伴随着个体农业的重新恢复，农村和城市经济的迅速发展，农村居民所能获得的收入来源迅速增加。

（1）粮食作物。

正如在之前章节所提及的那样，广东的农村居民直接从家庭农业的复兴中获益。一方面，由粮食作物而来的收益增加了，虽然稻谷的价格在1998年之前仍然受国家调节影响。粮食作物的平均产出增长迅速。这种变化在中国的大部分农村都可以体现，大部分的中国农村居民也因此受益。普通农民和干部面对这一类型收入来源时的机会是一致的，因为其进入成本比较低，政治上的制约少。在广东，人们可以观察到粮食作物产出的普遍增长。

然而，虽然珠三角在农业发展上有两个大的优势：土地肥沃与邻近港澳，但是其市场改革过程却伴随着粮食作物的退出，粮食作物对农民收入来源的贡献呈现出明显的倒U曲线。下面的讨论将会解释为什么。

（2）农副业。

粮食作物的繁荣和改革早期地方农村市场的发展为农副业的发

展提供了机遇，这极大地增加了农民的现金收入来源。农副业对农民收入的贡献也和粮食作物一样呈现出相同的逻辑：农副业的产出一开始是为配合地方市场的需要。同样，这一收入来源也是普遍性的，大部分农村居民从中受益。然而，农副业的进一步发展却因市场改革程度的不同而产生差异，农副业产品是否能够在更大的市场（区域或世界市场）出售成为一个关键因素。在广东，农副业也逐渐从珠三角农村地区撤退，而在珠三角周边地区、区域性大城市的城市郊区发展起来，其主要原因是其与城市的临近和较好的农业条件。然而，山区区域的情况都不一样：由于缺乏与外界市场的充分联系，农副产品的发展比较有限。

（3）个体家庭经济。

如前所述，个体家庭经济增加较快，在改革的早期（1978—1985年），这些个体家庭经济活动也几乎遍布所有的广东农村地区，这是因为较低的进入成本和对外开放政策所引发的巨大的市场需求。因此，不同区域的市场改革程度导致了个体家庭经济发展机会的程度不同——市场改革程度越高，机会越多。在珠三角地区，商品和劳动力市场的繁荣给农村居民更多的机会去从事个体家庭经济，如房屋出租、服务业等。而对珠三角周边地区和山区区域而言，这些收入来源就相对较少。

（4）外出务工。

有两个因素决定农村居民外出务工成为农村居民的收入来源。一是家庭联产承包责任制后农业生产效率提升而产生的大量农村剩余劳动力；二是市场改革的不均等使部分发展较快的区域吸引了市场改革程度较低的区域的剩余劳动力。在广东，珠三角地区的市场改革产生了对大量廉价劳动力的需求，外出到珠三角地区务工是20世纪80年代末广东山区区域农村居民的主要收入来源之一。值得一提的是，山区区域的农村干部在外出务工这一收入来源方面处于劣势，因为他们无法离开他们的工作单位外出谋职。

（5）外出做生意。

外出做生意和外出务工二者的分布逻辑同样。发展较快的区域

吸引了众多来自发展缓慢地区的人们从事个体生意。这些人群来到大城市或大城市的城中村，他们的生意各种各样，包括回收破烂、开餐馆一直到经营大的工厂。像外出务工一样，外出做生意成为广东山区农村居民的重要的收入来源。对于珠三角区域的农村居民而言，该类收入来源相对没那么重要。山区农村的干部在该类收入来源上也是处于劣势的。

（6）农村工业。

农村工业活动在广东的发展并不一致，正如前面所提及的那样，超过80%的村镇企业坐落在珠三角。然而，山区区域的农村居民也同样从农村工业发展中受益，因为珠三角地区的农村工业化提供给山区区域农村居民工作机会。当然，珠三角的农村工业化更能够使当地的农村居民受益。首先，这些村镇企业的成功带来了丰厚的集体收益。在他们的发展过程中，需要利用集体的资产、土地和农民的资金，农民也因此成为集体经济的股东。其次，农村工业的发展增加了个体家庭经济的发展机会，例如出租自己的住房获利、开小店、跑运输等等。

二、改革开放后广东农村社会分层状况对比

（一）新合作经济

计划经济时代，在公社体系建立之后，树立新组织为合作型的社区，在这些合作型社区中，集体拥有产权和分配资源的权力是其中的主要特征。市场改革开始之后，集体农业迅速被家庭农业所代替。然而，家庭农业的复兴并不必然导致农村社会集体主义色彩的消失，像市场转型理论所假设的那样，一方面，集体作为一个行政管理单位，作为一个政治控制的机构，仍然保持着其结构及影响力。另一方面，在许多农村区域，村行政机构自然或多或少地拥有一些集体生产，如除了宅基地之外的耕地的所有权自然归属农村三级集体所有，同时，也还有一些其他的资产并没有分到家庭用户中

去（例如一些鱼塘、村业等不易分割的集体财产）。

中国农村的改革带来了多样的结果，新合作经济是其中之一。正如其名所指，这一类型的经济最显著的特点是其合作制度，一方面，农户通过一种新的合作制变成了新的合作：农户将他们的部分资金、土地使用权限和其他的一些资产作为集体经济企业的原始资金；另一方面，个体家庭自然可以经营他们自己的家庭经济，包括进行农业耕作和其他的个体家庭经济，在珠三角地区的大部分农村区域，20 世纪 80 年代末期，当市场渗透为地方经济的发展提供机会时，基本上按照这一模式发展了他们的集体经济，这里将凡镇[①]作为该类经济的一个典型案例，它位于珠三角地区的中部，在广州市中心区的边缘。

1. 凡镇简介。

凡镇，作为新合作经济的代表，坐落于广州市天河区，所辖区域 46. 27 平方公里，在 2004 年，全镇人口 5 万人，有 7 个行政村。20 世纪 70 年代中期，和广东省许多其他的镇一样，凡镇的农民也同样处于贫困之中，其个人年平均收入水平也就在 100 元左右，[②]在改革早期，伴随着家庭农业的复兴，农民主要从农业和他们的副业中获取收益，然而，因为凡镇毗邻广州市中心，副业对凡镇农村居民的重要性体现得更加重要，这些副业包括蔬菜种植、牲畜养殖、养鱼等等（被访者编号：Fan200403）。因此，在改革早期，凡镇可以被认为是郊区经济。

然而，随着珠三角地区市场渗透过程的发展，从香港以及其他国家和地区而来的资金涌进广州及其郊区区域，相伴随的是商品市场和劳动力市场的繁荣，包括镇办、村办、联户和个体在内的五种企业都得到了较大的发展（见表 2 –5）。凡镇的市场渗透过程极大地改善了农村居民的生活。1994 年，凡镇的工业总产值达到了

① 本书中所及的镇的名称为匿名。

② 天河区地方志编纂委员会：《广州市天河区地方志》，广东人民出版社 1998 年版，第 121 页。

1288542000元，农业总产值达到了105 800元，农村居民的个人年平均收入达到7345元，劳动力平均年收入约为11375元，[①] 从天河区的数据可以看出，天河区农村居民的年均收入一直显著增加(见表2－6)。

表2－5　20世纪80年代凡镇的商品市场发展

年份	村镇企业雇员数目	总产值（万元）	净收入（万元）
1985	5873	3920. 18	370. 14
1986	6866	5700. 97	536. 04
1987	9192	8663. 64	711. 68
1988	10332	12273. 42	1221. 49
1989	12676	19857	1880
1990	14744	19174	3014

资料来源：天河区地方志编纂委员会：《广州市天河区地方志》，广东人民出版社1998年版，第222页。

表2－6　天河区农村居民个人收入（1985—2000年）

年份	人均年收入（元）	劳动力年均收入（元）
1985	1240	2217
1986	1448	4305
1987	2185	4645
1988	3134	5220
1989	3430	5909
1990	3437	4435
1991	3542	7248

① 天河区地方志编纂委员会：《广州市天河区地方志》，广东人民出版社1998年版，第121页。

续上表

年份	人均年收入（元）	劳动力年均收入（元）
1992	5833	8349
1993	6573	10587
1994	9042	13538
1995	9831	14840
1996	10584	15788
1997	11967	19794
1998	13040	22388
1999	13605	24284
2000	14481	24781

资料来源：第五次人口普查办公室：《天河区人口报告》，经济科学出版社 2002 年版，第 289 页。

2. 新合作经济的形成。

急剧的市场渗透过程通过以下的几个途径影响凡镇：首先，广州市中心的市场渗透过程增加了对土地的需求：凡镇坐落在广州市中心的东郊，也因此成为土地征收的对象。根据国家的制度，政府和他们的代理人在征收农村土地时必须支付土地补偿金。凡镇的土地补偿金被分成了三个部分：一部分是补偿给失去土地使用权的农民的费用，称为“青苗费”。另外两部分则由自然村和行政村集体所有，当越来越多的土地被征收用作经济发展用途之后，补偿资金也累积到了较大量，如何去分享集体拥有的这部分土地补偿金成为所有村民关注的问题。然而，没有土地，农民也失去了原来的生产资料，如何利用这些补偿费来安排农民将来的生活也成为一个重点关注的问题。这些问题非常需要建立一个新的制度来处理。

其次，珠三角地区在 20 世纪 80 年代中期的市场渗透同样也为凡镇提供了许多商业机遇，然而，这些商业机遇需要个体农户之间的合作。例如，越来越多的生意人想要租赁凡镇的土地来修建厂房，进行工业生产，然而，要利用大面积的土地来修建仓库和厂房

需要众多牵涉其中的农户的同意，而且，村庄也需要初步的投资来建设较好的设施以吸引外来投资，建设这些设施的初期投入只能来源于个体的农户合资或集体资金。

在这种情况下，重新合作显然是解决上述问题的一个可行选择。经历了长时间的集体农业，农民对合作经济并不陌生。新合作制度最先是1987年在天河区邓村开始的，而在20世纪90年代后期在其他6个行政村推广，区政府给予这些合作制度官方的认可，出台了《关于促进和提高农村服务合作制》文件。1991年，天河区的22个行政村196个自然村采取了合作经济的制度。①

新合作经济取得了较大的成功，作者没有找到凡镇的经济成果的统计性数据，但是天河区2000年的经济统计数据表明个人年均收入为14481元，是20世纪70年代收入的140倍。

3. 新合作经济中的农民生活。

本部分内容不仅描述凡镇农村居民的收入来源详细的状况，也介绍他们的日常生活，通过这些描述，我们能够判断凡镇农村居民的真实情感。

（1）农民的收入来源。

在凡镇的市场渗透为村民提供了许多收入来源，一方面，他们能够从迅速发展的集体经济中分享到收益，另一方面，市场渗透为凡镇的农民带来了许多经济机会，因此，凡镇农民的收入来源可以分为五个主要的类别：集体经济的股东收益、房屋出租、私营经济收益、工资收入、农副业。

①集体经济的股东收益。合作经济的收益在凡镇农民的收入来源中扮演非常重要的角色。最重要的是股东分红，龙村的一位妇女告诉作者她家股东分红的详细信息：

① Zheng Bin, Fu Qinbing, Su Zhongxun, 1996, *Chao qi Tianhe*: *Guangzhou Shi Tianhe qu nong cun gu fen he zuo zhi gai ge shi jian tou shi* (Tides in Tianhe: an perpective of the reform of Rural Economic Stock Cooperation in Tianhe District, Guangzhou City), Hong Kong: Hong Kong News Press.

> 入股是这样的，我们入股是每个村民都有的，往年就200多块一股。比如我有19股，他们也有差不多10股，10多股，合起来，连带儿子的，老公的，4个人就有49股，200多块一股，加上其他分的，就有300多块，300多块乘以49，一年就有1万多块，我们一年就有1.7万多块。比如今年搞的菜市场，那里村民也可以集资（访问编号：Fan200408）。

除了股东分红之外，凡镇的农民还拥有一些其他类别的补贴。例如，在龙村，每个劳动力，如果他的工作并不是由村行政架构分派的，他（她）就可以获得每月150元的就业补贴（作者将会在下面详细讨论），当然，一个家庭的股东分红和福利分享取决于村集体经济的收益，每一股份的分红在不同的行政村分别从30元到100元不等，一个家庭所有的股东分红同样取决于家庭成员的数目、家庭成员的劳动年龄、家庭成员为村集体经济所投入的资金量。在和龙村的村委会主任交谈的过程中，作者获知他们村的集体经济分红能达到6000元每人/年，另一个被访者也告诉作者，凡镇最富的村民股东平均收益能达到30000元每人/年。在江村，集体经济的发展仍然处于初步的发展阶段，股份分红少于龙村。

龙村和江村的集体经济分红，生动地展现了市场渗透对农民生活机遇的影响。龙村靠近广州市中心，农村土地补偿金更高，集体经济发展得较好，农民的经济机遇也更多；但是江村拥有发展潜力，因为他们仍然保留着为将来发展准备的土地资源。

②房屋出租。第二个重要的收入来源是房屋出租，凡镇的市场渗透吸引了大量的外来人口，他们的到来促进了房屋出租生意的发展。在凡镇，房屋出租的价格在6~12元每平方米左右，一些农民建造新的房子出租，而另一些在自己的房子上加建楼层用以出租。

> 我的有6层，自己住5、6层，1到4楼租给人家，每层都有2套，一套有30多平方米，有厨房。整套出租，月租200块左右。条件都挺好的，有厨房，有厕所，有热水器。一楼就

是铺位（访问记录：200408）。

农民除了出租自己的住房，同时也有一些其他机会参与别的租赁生意，例如，在龙村，村经济发展公司建造一个集市用以出租，一些农民可以参与该项目的投资以分享项目的利润。有部分人购买一到两个摊位进行出租。在龙村，有2000户农户，但有2600套（座）房子，有700多间（套）已被出租出去。

③工资收入。市场渗透同样为凡镇的农民提供了许多工作机会，他们中许多人从事服务业，包括服务员、司机、保安等。而且，集体经济机构也为村里的年轻人提供一些工作机遇，包括保安、清洁和驾驶等。

（农民都从事哪些职业?）一些老人家还在地里干点农活，一些年轻人开摩托车载客。当然，那些可以在外面找到工作的人会到外面去找工作。（那他们都找些什么工作?）有一些在工厂里工作，有些做打字员、售货员，有的就替自己亲戚和朋友打工（访问记录：Fan200413）。

村集体为村里年青人所提供的较为常见的工作是让他们在村里做保安，当然是在该年轻人无法在外找到工作的情况下。

④私营经济（自营生意）。伴随着城市中心的扩散，凡镇的许多区域都已被整合成为城市中心的一部分。这种整合为凡镇的农村居民提供了许多商业机会，除了租赁生意之外，还有一些其他的生意机会，例如开餐馆、发廊、杂货店、摩托车修理店等。一个成功的生意人告诉作者他的故事。

我是1956年出生的，今年44岁。我从17岁开始就下田干活，在1975年我19岁的时候成为全职的农民。1985年以后我就是假农民了，开始做一些生意——到集市上卖一些农产品，现在我开了这个修理厂。每天早上我6点钟起床，喝完早

茶之后，我就去修理厂。我没有什么固定的工作，大多数情况下我只需要分配工作给我的工人。我雇了30个人，包括江村的村民。我根据他们的贡献来发工资，他们自己就能把事情搞好了，所以我的工作很轻松。我们没有假期。每天都有人来修车，所以我没有周末的。我的工人也一样，有时候他们加班到深夜。现在生意上的竞争很大，我们需要尽可能地做好我们的工作。我对我的生意还是满意的。总体来说，我现在的生活还算可以了。我认为我的生活在江村算是中等。我的房子有大约200平方米。我还有两栋旧楼，有超过10台空调，5台电视机，2台电脑，4辆摩托车和3辆小汽车。我的收入主要来自修理厂和村里的股东分红。股东分红600元每月。当我不忙的时候，我喜欢出去喝茶，和朋友聊天。我不赌不嫖，而是喜欢去旅游。今年我去过北京、厦门、四川、新加坡和马来西亚、泰国等地方。只是在春节的时候，我才和我的家人一起出去旅游。大多数情况下我自己一个人去（访问记录：Fan200426）。

⑤农副业。在一些村，仍然有一些年长的村民在农田进行劳作，经营副业，包括种植蔬菜。例如，在龙村，还有大约1000亩的农地和几百亩的果树林，一些果树林已承包给外来的承包者，可以预期的是，这些土地将会很快因广州城市中心的扩展而被吞并。

（2）凡镇的农村福利。

对比中国其他地方的农村，凡镇的福利是相当好的，作者在龙村进行观察时能强烈感受到这一点。在凡镇，有一个设施设备较先进的医院。文化活动中心是一个3层楼高的建筑，有着漂亮的装修、空调和不错的设施。该活动中心有许多活动室，例如健身室、阅览室等等。在该活动中心，作者看到许多老人正在看电视、打扑克、看报纸或聊天。在村的中间是一个大的广场。广场的主体部分是一个露天剧场，地上摆着很多的石凳，前面是一个大屏幕，每个晚上，在广场都播放电视节目，许多外来工聚集在这里看电影。一

个村干部告诉我，村的设施包括小学、幼儿园、护理院和活动中心。

> 在江村，村民的福利都算是好的。首先，年终时每个人都有股份分红。每个老人每个月都有 50 元养老金。每个节日也都能收到一些礼物。最近在建一栋楼，每 4 口人就可以分得一个套间。我们也计划组织我们的村民一年出去旅游两次（每户一个名额），全部免费。每周有 3 天免费的夜校课程。谁参加这些课程就可以获得一些补贴。不仅如此，村还提供农业技术的推广，成立治安队管理村里的治安（访问记录：Fan200422）。

更详尽的关于凡镇农村居民所能分享的福利如下所述：

①合作医疗体系。在龙村，有一个村卫生中心能够处理一般的疾病，村民每次看病只需要 1 元钱，在该卫生中心，所有的药品对村民是免费的，为了治疗严重的疾病，村民可以去广州市中心的医院治疗。这些医院和村里签了一个合约，每个村民去这些医院看医生，能获得 50 元的补贴。如果一个村民必须在这些医院留医，那他（她）可以从村里获得 50% 的补偿，此外，村集体每年都会安排村民们进行身体检查（访谈记录，Fan200408）。

②教育。凡镇的村民同样可以有一些教育方面的津贴，每位村民只需要支付他们孩子幼儿园教育 50% 的费用，在小学上学的村民的孩子不需要上交任何费用，除了买书本的钱以外，小学学校的建筑成本和其他的补贴是由集体支付的。在江村，村行政架构为村民们提供免费的再教育课程，这些课程每周 3 次，在晚上进行，去参加这些课程的村民还可以获得少量的现金补贴（访谈记录：Fan200422）。

③旅游。在凡镇，许多村民被组织起来去外地旅行。在龙村，这样的旅游组织了许多次，正如一名被访者所说的：

例如，最近我们去了重庆。有时候，村安排老人家出去旅行。我们不需要给钱。当然，如果你路上想要买东西就要自己出钱了。我们去了很多个地方，例如海南岛、云南、三峡等等。那些太老或者有病的老人就给500元补助（访问记录：Fan200408）。

④工作机遇和保险。没有了农地，许多村民失去了农业工作。对那些教育水平比较低的村民而言，找工作十分困难。因此，村级行政架构试图为这些村民创造更多的工作机会，总的来说，这些工作包括清洁、驾驶、保安等，一位村长曾经说：

是的，我们之前考虑过这个。我们自然村有几个工厂，我们总是试图在那里为村里人安排些工作，我们尽我们的所能。但是这些工作的工时太长。女的通常要照顾小孩，大多数要上班的工作不适合她们。今年，我安排了4个人做仓管员和清洁工。我们定了个工资水平，谁感兴趣的就抽签，我们公平选择（访问记录：Fan200409）。

4. 凡镇农村的社会分层结果。

如上所述，伴随着市场渗透在新合作经济的进程，不断增加的收入来源，较好的福利制度，地乡政府的较温和的治理方式，增加了凡镇农村居民的生活机遇，尽管农村干部仍然拥有优势。整合前面所述，作者将凡镇村民划分为以下的几个层次：（1）在最上级的是管理职位上的干部和成功的生意人，由于许多拥有管理职位的干部同样也是成功的生意人，因此，这两个群体在某种程度上重叠，这体现了人力资本已经在政治市场和经济市场扮演越来越重要的角色。（2）处于中间层次的是那些在利益分享上有很好的机会的村民，还有那些能从租赁生意或者其他生意中获得稳定的收入来源的普通村民。（3）在第三层级是那些股份分红比较少，同时也没有工作机遇或者缺乏其他收入来源的人。

在这里，作者并没有将外来务工人员放进分层的结果中进行讨论，因为他们中的大部分都不太可能在凡镇长时间居留。然而，凡镇的外来人员的生活机遇也是值得一提的。凡镇的外来人口主要是来自于广东省的山区区域和其他的南部及西部省份，如湖南、四川、福建、江西、广西、海南。在一些村，目前的外来人口的数目比本地村民的数目要高，他们是凡镇主要的劳动力。他们通过几种方式为凡镇的经济发展作出贡献：租赁村民的房子、为村民和其他外来人口提供服务（例如清洁、房屋建筑、开小店等等）、在工厂和其他的经济机构中承担低收入工作。

（二）郊区经济

广东的市场渗透体现了从沿海地区向山区区域、从城市中心到城郊区域进展的过程。城郊农村所形成的城郊经济是在这个过程中形成的独特的经济结构。此类经济结构的两个特点有利于身处其中的人们：第一，和城市中心在空间上的邻近能够为农副业产品提供更大的市场，也为城郊农村的剩余劳动力提供更多的就业机会；第二，处于城市中心的上级政府主要从城市区域或其他经济发展区域中获取收益，从而更可能为城郊农村提供补贴和资助，而不是急于从后者收取利益，也因此，城郊农村的农民避免了沉重的负担。为了说明上述两点，笔者以李镇作为典型的城郊经济的案例。

1. 李镇简介。

李镇，坐落于广州城市中心70公里之外，属于增城市管辖范围。山区和丘陵占70%，平原地区占30%。距离增城市区大约30公里，距离广州市区约70公里，距离东莞120公里，距深圳130公里，距香港150公里。李镇下辖31个行政村和1个居民委员会，在2002年人口为52728人，其中农村人口48015人，城市人口4713人[①]，是前者的1/10。

相对增城南部的各镇，李镇的市场渗透程度相对较低。图2－

① 数据来源：李镇镇政府2003年度工作报告。

2 表明，在农村建设基金的投入方面，李镇在增城市各镇中是水平是最低的。

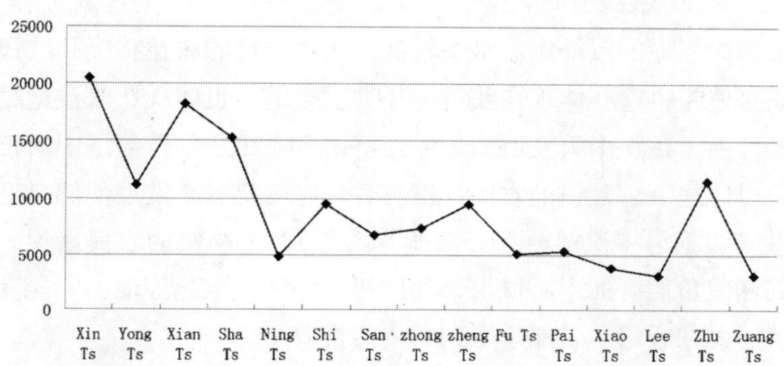

图 2－2　增城市各镇农村区域基金投入状况（万元）

资料来源：增城市政府网站：http://www.zengcheng.gov.cn/tongjiju/firstpage/lssj/lssj.asp

李镇在商品市场的发展方面同样落后于珠三角核心地区的其他镇。李镇早期发展的是制造工业，一开始是石矿和一些简单的加工业。在 1993 年，李镇只有 15 个采石场和 20 个花岗岩制造厂商。全镇的工业总产值为 1.12 亿元，其中 1525 万元是来自镇级企业，而 2630 万元来自于村办企业，5825 万元来自联户企业，2630 万元来自私营企业。[①] 10 年后，即 2003 年，李镇的工业总产值达到了 6.6361 亿元，是 1993 年的 5 倍。然而，和珠三角中心区的其他镇相比，这个增值速度仍相对较小。在 2003 年，李镇的人均年收入是 2398 元，[②] 但当时增城全区的农民人均年收入已经达到 4725 元。[③] 可以看出，李镇 2003 年的农民人均年收入仅为凡镇农村居民 2000 年人均年收入的 1/10。而且，根据作者的观察，除了一个较

① 增城市地方志编纂委员会：《增城县志》，广东人民出版社 1995 年版，第 79 页。

② 数据来源：李镇镇政府 2003 年度工作报告。

③ 数据来源：http://www.zengcheng.gov.cn/tongjiju/firstpage/tjfx/fx28.htm

为大型的企业外，李镇其余的企业的规模均较小。和商品市场发展滞后相伴随的是劳动力市场的滞后。到李镇来从事劳务工作的人数量较低，相反，李镇居民出外务工的人数比例较高。①

2. 李镇农民的所得。

因为当地的市场渗透水平较低，李镇农民的收益状况和凡镇有着明显差距，这既体现在获益途径的质量上，也体现在获益途径的多样性上。在一个欠发展的集体经济中，农民从集体经济中所得甚少，对比之下，凡镇的农民可以有着较好的机遇来发展他们自己的生意（包括房屋租赁、汽车修理等），而对于李镇的农民来说，只有到珠三角地区的中心城市，如广州、深圳、东莞等地去才能获得凡镇居民在家门口就能享受到的生活机遇。

总体而言，李镇农民的获益来源有两个主要的途径：本地获益途径（local earnings sources）和非本地获益途径（Non - local earnings sources）。前者包括各种各样的在本地区域之内的家庭副业，尤其是种菜、果场、畜牧业、家禽饲养或者一些地方性的商业活动，例如在本地开的小杂货店，跑运输，甚至组织小的建筑工程队等等；后者则包括了外出打工和外出从事生意所获得的收益。

（1）农民的本地获益。

城郊经济的一个突出的特点就是承接从城市中心撤出的农业生产，例如畜牧业、渔业、蔬菜种植等等。由于与香港、广州、深圳和东莞在地理上的邻近，并且拥有良好的农业条件，增城的农村社区正在不断地承接从上述城市所撤退的农业生产，并逐渐成为上述城市农产品的主要供给者。例如，2003 年广州和东莞的城郊区域开始禁止养猪，大部分的养猪户向增城农村转移。就农业而言，蔬菜种植曾经是广州城郊的主要作物，但现在，蔬菜种植在增城农村变得越来越重要。李镇，作为增城下属镇的其中之一，同样参与了这个过程。

---

① 数据来源：http：//www. guangztr. edu. cn/gztr/jcjy/ccxxbj. htm

表 2-7　　李镇的农副业收成

农业产出	面积（亩）	平均产出（公斤）	总产出（吨）
主要农作物	48409	320	15503
春天	564	282	159
夏天	22668	310	7020
冬天	25177	331	8324
普通水稻	46410	324	15031
夏天	22560	310	6994
秋天	23850	337	8037
优质稻	25835	326	8412
玉米	210	229	48
番薯	1217	216	263
马铃薯	543	234	127
黄豆	32	281	9
甘蔗	56	5304	297
花生	3540	158	561
花卉	65	—	—
蔬菜	10917	1415	15449

资料来源：增城市政府网页 http：//www. zengcheng. gov. cn/tongjiju/firstpage/lssj/lssj. asp

在李镇，农业作物对整体经济很重要。表 2-7 表明，水稻种植对李镇来说仍然具有重要地位，但是蔬菜种植已经占据了总产量的第二位。而且，水稻的种植面积逐渐降低而蔬菜种植的面积在迅速地增加。

诚然，很长时间以来，副业就是中国农民物质生活的重要补充，尤其是自改革开放以来，几乎所有的农民家庭都从事某种或某几种副业来丰富自己的收入。

最常见的副业是种菜、种植果树、饲养业等。但大多数这些副业的规模都不大，农业商品化的程度也不高。然而，在像李镇这样的城郊经济体中，市场渗透的过程为农副业的专业化和商品化提供了机遇。一些农民家庭通过承包池塘、果场甚至集体的农田而成为专业户，从而提高了李镇的农副产品的商品化程度。在李镇，各种作物的商品化程度均较高：2004 年，水稻的商品化率为 31.41%，蔬菜为 84.19%，而水果为 62.55%。[①]

①水稻。李镇主要的农作物还是水稻（参见表 2－7）。在李镇的一些行政村，仍然有 50% 的耕地被用来种植水稻。然而，农民从水稻中获得的收益甚少。首先，在家庭联产承包制度下，农田是根据人口数量来进行分配的，每个家庭所能分到的农田总量并不高。在广东，人均耕地面积只有 0.44 亩。[②] 其次，水稻种植的成本效益比不高。一位被访者向作者分析他家庭的农业收入：他家里仍有 2.5 亩地，其中 1.5 亩种植水稻，其他的用来种植蔬菜和花生。水稻每年两造。水稻的产量是 400～500 公斤每亩/造，年产量则为 800～1000 公斤左右。以单价 1.2 元每公斤进行计算，水稻的总收成为 960～1200 元，扣除开支，包括农业税 40 元每亩/年，[③] 化肥 380 元每亩/年，种子 60 元每年/亩，农业机械的租赁费用则为 140 元每年每亩（被访者编号 200408）。这个成本收益分析表明，这个农民家庭的在水稻种植上的收入只能有 340～580 元。

因此，从成本收益的原则来分析，农民并没有多大的动机种植水稻，或许，从“道义经济学”（moral economy）的角度出发的解释更为合理：稻米是农民家庭主要的粮食，因此，种植水稻能为农民提供最低的生活保障——即口粮上的保证（Scott，1976）。但即便如此，增城的水稻种植面积在近年来仍然迅速地下降，从 1999 年的 71270000 亩降到 2003 年的 48160000 亩。[④]

②蔬菜种植。蔬菜种植的收益显然大大高于水稻种植，一亩蔬菜的平均产值能达到 9000 元，而纯利也能达到 3500 元每亩/年。

---

① 请参见网页 http：//www. zengcheng. gov. cn/tongjiju/firstpage/tjfx/fx0502. htm

② 《广东农业统计年鉴》（1999）。

③ 这是 2004 年农业费改税之后的农业税额。在以前，农业税的支出更高，大约是 150～200 元每亩每年。从 2005 年开始，国家全面取消农业税。

④ 赖解提：《农林牧副渔的全面发展——农业经济在今年达到一个新的高度》，见 http：//www. zengcheng. gov. cn/tongjiju/firstpage/tjfx

因此，蔬菜种植业在增城农村迅速发展，从2003年到2004年，蔬菜种植面积增加了10.5%，达到527000亩，而产量增加了11.4%，达到974000吨，[①] 总产值则增加了14.9%，达到13.72亿元。除了供给珠三角的3个大城市（即广州、深圳、东莞）和香港之外，农民会在本地的菜市场或者增城的农业市场上销售他们所种植的蔬菜，尽管和大城市有差距，它们仍然是当地农民主要的销售市场。

③水果种植。山地占据了李镇70%的面积，因此水果种植非常常见，主要是荔枝和龙眼。荔枝树一般在树龄为5年左右时开始结果，一棵6~7年树龄的荔枝树大约能产果50公斤甚至更多。化肥和除虫是种植荔枝的主要支出。

④林业。相对其他的副业而言，通过林业来获取收益需要更多的投入。一个种植了350亩快速生长林的专业户向作者描述了他们的收益情况：在350亩的山地上，种植着30000棵树。每天的化肥和除草的开支大约为25元，再过一年，就可以砍树收成，售卖其中的一部分（访谈记录：Lee200402）。

⑤其他的副业。养猪和养鸡在李镇仍然非常常见。一位被访者告诉作者，成功养殖一头猪大致的收益为100元，如表2-8所述。

表2-8　　养猪业的收支情况

成本	有关问题	数量
种猪	250元	250元/头
养殖期限	4.5~5月	
饲料	头三个月，1公斤/天　后两个月，3公斤/天	594元
人力成本	一人约能饲养100头，500元/每人每月	30元
税及其他		50元
售价	一般重115.5公斤	1150元
利润		约100元

① 赖解提：《农林牧副渔的全面发展——农业经济在今年达到一个新的高度》，见http：//www.zengcheng.gov.cn/tongjiju/firstpage/tjfx

资料来源：访谈记录，Lee200412。

⑥本地商业。农民在本地区域的收益同样包括地方个体经济收益，例如开小杂货店、摩托车载客、泥水工人、木匠等。

(2) 外出务工和外出生意收益。

珠三角地区的经济发展不仅为李镇的农产品提供了一个大市场，也为李镇的村民提供了很多的工作机会和做生意的机会。很大一部分的村民到广州、深圳或者东莞去打工或做生意，而另一些人的足迹则遍布全国各地。一位村干部告诉笔者，在2003年“非典”爆发的时候，镇里曾经统计过外出打工和做生意的人员，数据表明不仅仅是珠三角的城市，包括青岛、上海、山西、山东、武汉、湖南和湖北等地也成为村民外出务工和做生意的目的地（访谈记录：Lee200402）。另一个干部告诉笔者，外出务工和外出做生意在李镇村民的生活中变得日益重要：

主要经济来源是出外务工，这里的地方养人都养不好。前几年我提出我的看法，应该在当地因地制宜，搞好经济，搞三高农业，这里是山区镇，开发又不到这里，不搞三高农业都没什么搞的。后来我就提出我的新看法，搞三高农业是死路一条。改革开放以后，人们都买了电器，摩托车，建了楼房，这部分钱没有多少是靠农业挣回来的，都是靠人们出去打工赚回来的。农业只占很少部分，都20年了，还是一个样，还能怎么搞？……后来市委、市政府结合了农村人的意见，对各个村的人进行培训。在这里一个家庭几个人出去都可以有1万多元的收入。在这里搞农业产品是赚不了钱的，像这里种龙眼，有收成就大家都有，没有收成就大家都没有。农业产品时间长，效益低，工本低。像我都种好几年了，如果真是只靠这个收入，就开不了饭了（访问记录：Informant Lee200406）。

正如该名被访者所言，地方镇级政府也意识到外出务工能够提

高农民的收入。作者在李镇进行田野调研的时候，增城市政府为当地农民工专门召开了招聘专场。关于这个招聘会的通知发送到了镇级政府，镇政府则要求村干部将该信息通知村民。镇政府准备了一辆客车，集中搭载想要参加该次招聘会的农民前去。这次招聘会是增城市政府设定的农民劳务输出工程工作的一个部分，政府设立了一个特别基金来支持这个劳务输出工程。在2002年到2003年，市政府共投入560万来促进劳动力市场交易，该基金目的是要改善企业和农村剩余劳动力之间的信息沟通，为农民工提供培训上的资助。2004年，李镇有12793名农民外出务工，大约占据了该镇农村剩余劳动力的90%。

然而，和来自其他欠发达省份，如湖南、四川、江西等地的农民工相比，增城的农民工并不具备强的竞争力，后者更为年轻而且更能吃苦并愿意在工厂里打工。[①] 李镇外出务工的村民通常能找到的工作包括家务劳动、保安、仓库保管员、司机和销售代理等。因此，对李镇的农民来说，尽管外出做生意比外出打工需要更多的投入并且更加困难，但仍然较具有吸引力：汽车修理和汽车配件行业成为李镇农民外出时最主要的生意门道。如同很多其他农民的个体生意经营一样，社会关系在李镇农民外出从事汽修和汽配业的过程中起着重要的作用。例如，在李镇，一位名叫张秉欣的农民，在汽配生意上非常成功，也因此，带动了100多名李镇的农民出外和他一起做生意。现在，在许多城市，包括北京、天津、重庆等地，都有所谓的“增城汽配一条街”，指的是增城人在这些城市的同一个地方，甚至同一个街道开办他们的汽配和汽修业，并形成了一定的规模。[②]

从外出务工和外出经商中获益对于李镇农民的家庭经济而言越来越重要。表2-9表明，从外出务工所得的纯收入占增城农民收

---

① 从其他不发达的省份过来打工的人们更年轻，能接受更低的劳动力报酬。

② 资料来源：http：//www.clz.gov.cn/clz/Art_ 3145.htm and http：//business.sohu.com/2004/06/08/31/article220433169.shtml

入的60%，而在本地的家庭经营，包括各种农副业对农民纯收入的影响正在逐渐下降。

表2－9　增城农村居民纯收入及其构成（1997—2003年）

年份	平均净收入			1. 工资劳动收入			2. 家庭生产纯收入		
	绝对值（元）	变化幅度（%）	构成（%）	绝对值（元）	变化幅度（%）	构成（%）	绝对值（元）	变化幅度（%）	构成（%）
1997	4185.76	5.1	100	569.79	4.7	13.6	3163.76	5.1	75.6
1998	3987.94	－4.7	100	585.81	2.8	14.7	2927.61	－7.5	73.4
1999	4070.09	2.1	100	753.60	28.6	18.5	2843.75	－2.9	69.9
2000	4197.09	3.1	100	1506.92	99.9	35.9	2655.72	－6.6	63.3
2001	4329.40	3.2	100	1757.04	16.6	40.6	2508.77	－5.5	57.9
2002	4508.08	4.1	100	2264.89	28.9	50.2	1921.97	－23.4	42.6
2003	4725.70	4.8	100	2797.83	23.5	59.2	1514.22	－21.2	32.0

资料来源：增城市统计局网页，《从增城农民收入变化看新阶段农民增收问题》，载于 http：//www.zengcheng.gov.cn/tongjiju/firstpage/tjfx/fx28.htm

3. 李镇的农民生活。

李镇村民的生活变得更好，主要有两个原因：首先，李镇的农民负担极大地降低了；其次，与城市中心区域在地理上的邻近能够为李镇村民提供更加多的收入来源。

（1）李镇农民负担的减轻。

如前面所述，李镇和上级政府之间独特的利益分享机制抑制了李镇向农村社会汲取经济剩余的动机。因此，当中央政府开始采取确切的行动来减轻农民负担时，上述的利益分享机制能够促使镇级政府遵循中央政府的步骤，从而使所辖地区农民的负担能够真正减轻。减轻农民负担的途径有许多，包括费改税改革、学费减免和“五通工程”等。

①费改税改革。虽然费改税改革在笔者进行调研的时候已经在

中国农村全面实施，但是其效果却并不见得一致。对于像李镇这样的郊区经济体，费改税的效果明显优于本书中提到的其他两类。一方面，对于像凡镇这样的经济已充分发展的农村，费改税制度并没有带来多大的影响，因为对凡镇的农民来说，农业税的量不大，已经不能算作负担，而且农业税多数由村集体经济支付，并不需要农民亲自掏腰包，因此，费改税政策对他们来说带来的直接效果并不大。另一方面，在一些经济状况还较差的农村区域，严重缺乏资金的镇级政府可能会阻止或扭曲费改税政策在当地的实施。对于李镇来说，正如前面所述，相比从上级政府拨付的转移资金和帮扶项目，从地方收取的农业税和其他的地方性收费的额度很低，费改税并不能对其主要收入产生影响，因此，费改税在李镇实施得比较彻底：

> 农业税是肯定要交的，现在农业税减轻了，以前要500～600斤谷，现在就是50～60斤谷，现在这个是减轻了很多，比以前减轻了70%～80%，以前交100多块钱一亩（访问记录：Lee200415）。

②学费减免。除了各种税费，农民负担也包括不断变贵的子女教育支出。伴随着费改税政策，中央政府出台了所谓的“一费制”措施试图减轻农民子女上学的费用负担。农民子女教育支出居高不下的主要原因之一也在于地方政府尤其是镇级政府或基层教育部门（学校、县教育局等）将教育作为一个重要的收入来源，从而创造出各种各样的收费名目。通过“一费制”，中央政府要求省级政府为地方农村教育设定一个固定的费用，以取代那些花样众多、层出不穷的教育费用，从而使农民子女的教育费用简单化和可控。广州市政府在2002年实施了“一费制”。[①] 在李镇，我们可以看到该政

① 资料来源：http：//www.gdhed.edu.cn/msgshow.php？bk=sys_bd_misc&newsid=ac698948f8996ac63c4937407b06713f

策的实施效果：

> 中央和省政府出台规定来限制小学和中学的学费。在这些规定出台之前，中学学费大约是 1300 元每个学期（寄宿就要 2000 元）。现在每个学期开支是 700 元（寄宿的是 700 元）（访问记录：Lee200415）。
>
> 就小学来看，现在的费用大约是 200 ~ 300 元每学期。有一半的费用被取消掉了。在前期，就要很多钱，没人去查它，教师要交一些，学校又要交一些（访问记录：Lee200416）。

③“五通工程”。相比费孝通先生当年在云南所进行的民族志研究，笔者在广东农村所进行的研究要轻松得多，主要是因为现在可利用的设施已经很好。在调研时，笔者借了一辆摩托车，在各村之间穿行，寻找那些愿意和笔者交谈的农民或村干部。李镇的道路建设得相当好，每条村的主干道都铺设了水泥。这些是“五通工程”的功劳。所谓“五通”，指的是通路、通电、通自来水、通电话、通有线电视，“五通工程”就是要让每条行政村都要将上述的五项内容接通。

改善农村区域的基本设施是中央政府第十个“五年计划”中的一个规划，但是直到最近几年，尤其是 2002 年，伴随着费改税改革，中央政府将这项工作列为一项重要的任务。但是，五通工程目标的实现有赖于地方政府对其的态度和相应政策。2003 年，广州市宣布要实施“五通工程”。2004 年，广州市政府为此投入了 7000 万元，增城市政府相应的投入了超过 500 万元。[①] 在现在的李镇，每个行政村都建设了水泥路，而且这些水泥路都和通往广州的主干道相连接。当笔者 2004 年 1 月在当地从事调研的时候，通自来水的工程正在进行中，为了完成这些工程，村集体需要支付一定

① 资料来源：http：//www. gztv. com/channel/news/node_ 16/2004/03/15/10794095758113. shtml

的成本。但是，李镇多数的村不需要自己的村民另行集资来建设这些道路。例如，在水村，村主任告诉笔者，他们是如何为上述所言的道路建设集资的：

> 比如这条水泥路，政府给 30 万，其余的 10 多万要求我们自己解决。为了完成任务，我们几个干部就商量，不能摊派给村民，假如收得多是不行的。现在讲“三个代表”，讲减轻农民负担，我们是不能这样收钱的。于是我们就想了另外一个办法，就是动员外出做生意成功的人集资修路。还有自来水也弄好了。因为做干部的，村民既然信任你支持你，那每年至少要帮村民做好三件事。因为权力是村民给你的。假如上面交代的任务，你是要去和村民沟通的，有的村民的思想比较固执，法律意识比较差的，我们就要花多一点精力（访问记录：Lee200421）。

④劳务输出。正如前面所讨论的那样，地方政府，包括广州市政府和增城市政府都意识到像李镇这样的一些经济欠发达的镇，向大城市输出农村的剩余劳动力是提升农民人均收入的重要途径。因此，包括广州市政府和增城市政府在内都为此设立了专项预算。①这笔预算通常被用于两个事项：第一，免费的培训课程。在 2004 年初，增城市政府下发了文件，根据文件，在之后的 3 年内，增城市政府将为当地农民提供免费或半免费的培训课程，争取培训人数达到 10000 人。第二，对录用当地农民的企业进行补贴。如果一个机构将一个当地农民培训至中级技术职称的水平并考取中级职业职称证书（例如中级技工等），将会获得 500 ~ 1000 元的补贴。

⑤招聘会。增城区政府每年在增城召开两次专门针对当地农民的招聘会。增城下属的 16 个镇都被要求建立农村劳务办公室，帮

① 在 2004 年，广州市政府批了 1100 万元预算，而增城区则支出了 560 万元用于劳动力输出。参见 http：//www. investchina. com. cn/chinese/zhuanti/jybg/1006286. htm

助农村的劳动力寻找工作。

在李镇，其他减轻农民负担的方式包括前文所述的各种帮扶项目、残疾人补助项目等，正如一位村民所言：

> 对残疾人广州市都算得这样了，每月生活费都有些，一个残疾人建了40～50平方米的水泥屋，广州对残疾人都比较关心了，这些人做不了，这是应该的，他们什么都要靠人（访问记录：Lee200415）。

（2）农民家庭的收入差异。

论述到此，读者可以获得关于李镇农民生活的较为清晰的结构：对村干部而言，他们能够获得工资收入和一些其他的因为管理集体资产而带来的管理优势，而且他们还可以在当地从事自己的家庭农业和生意。但是，农民收入则取决于所拥有的资金、人力资本和家庭所在的生命周期。

首先，那些到大城市去并从事个体生意的人，更可能从所经营的生意中获益，他们往往会比留在李镇当地从事农副业的村民甚至村干部获得更大的收益。

其次，具有较为充足资金的农民家庭，能够从事一些专业化和商业化程度较高的农副业，他们同样能够赚到比村干部更多的收入，尽管村干部的管辖权力仍然对他们有影响。

最后，外出务工的收入成为李镇农民主要的收入来源，因此，家庭中劳动力的数量的多少对农民家庭的收入也有重要影响。农民家庭的收入在很大程度上取决于家庭的生命周期，成年劳动力的数量越多，该家庭从外出务工中获得的收益就越高。相对困难的农民家庭是那些孩子正在读书，或者是那些有病残成员的家庭。

（三）地方经济

“地方经济体”一词，这里所指的是在广东省内市场渗透程度最低的镇所属区域，这些镇多数位于广东省的西部和北部山区。坐

落于广东西部山区的张镇被挑选成为这一类经济体的代表性区域，较低的市场渗透程度限制了农民从地方经济中获取收入，外出务工和做生意成为农民生活的主要支持。

1. 张镇简介。

张镇坐落于广东省西部山区。该镇面积179.3平方公里，大部分的区域是丘陵。2004年的人口大约为7万人。该镇管辖一个居民委员会和30个行政村，而后者下面共有322个自然村。该镇到县城的距离是60公里，而到省会城市广州的距离则为500多公里。一直以来，张镇就是当地的农业大镇，尤其是在改革开放的早期阶段更是如此。1978年改革开放之后，像广东省内许多地方一样，该镇的农业生产迅速恢复。历经20多年的经济改革，张镇的农民生活明显得到改善，一位被访者，钱村的村主任，表述了一下信息：

> 现在农民的生活水平都有了较大的提高，几乎90%的农民都有吃有住了。就是那些不能出去打工的，赚钱能力不强的仍然面临较低的生活水平。当然，比以前要好很多了（访问编号：Chan200406）。

然而，将张镇与凡镇和李镇进行对比便可发现，张镇在商品市场和劳动力市场上的发展仍然相对有限。农业仍然是张镇经济的主体，农业结构的组成如下：38000亩耕地，其中种植蚕桑20000亩，种植水稻10000亩，香蕉8000亩。此外，果树的种植同样是张镇农业经济的重要组成部分，在该镇有两个大型的果树栽种和果品加工企业，分别拥有50000亩和40000亩龙眼树。而普通农民所拥有的龙眼树在2003年达到100000亩（访谈记录：Chan200402）。但和李镇一样，张镇同样拥有良好的农业生产条件。然而，张镇却无法享受李镇所拥有的优势——与经济中心和市场中心的邻近，这一优势为李镇的农民提供了农产品的消费市场。至于张镇，与经济中心的空间距离和经济距离则为该镇的农业产品的销售带来了难度。

张镇的工业发展滞后，和李镇相比尚且不如，和凡镇相比则更为如此。根据笔者的观察，镇上唯一盈利的企业是两个小型的制砖厂。在2003年，除了两个果品加工企业之外，张镇所有的企业就只有3个木场、3个工艺品加工企业（只要是制造玻璃和彩色灯泡）和3个采石场（访谈记录：Chan200402）。

从外地到张镇来打工的人很少，相反，张镇是珠三角大中城市外来劳动力的主要来源地，作为一个山区镇，这个情况和广东省内大多数山区镇相似。所辖县的统计年鉴表明：在2004年，该县农民出外（多数的目的地是珠三角的城市）务工和经商的人数达到22.7万，占据了该县劳动力人口的40.3%。①

2. 张镇农民的所得与所失。

这个部分将会详细描述张镇农民的所得与所失。在凡镇和李镇，生活际遇的好与差主要取决于他们能从市场上获得多少。然而，在张镇，农民所得是一个方面，另外一个方面，农民可能会失去什么同样对农民的整体生活有着重要的影响。

（1）张镇农民的所得。

张镇农民的所得结构和李镇较为相似，主要由两个方面组成：家庭生产和外出务工或经商收入。

①家庭生产。张镇的主要农作物是水稻，副产品则包括种植水果、养蚕、养鱼。像李镇一样，张镇同样有着较好的农业生产的自然条件，然而，李镇与大城市的邻近为它的农业作物提供了巨大的消费市场。而张镇距离省级经济中心较远，这大大地限制了张镇农业产品的专业化和商品化。第一，种植水稻所能获利甚少：

> 你不会算吗？我告诉你一个农民耕一亩地能赚多少。成本包括村提留费、镇统筹费、化肥、种子。将这些成本计算进来，农民根本赚不了钱（访问编号：Chan200404）。

---

① 陈春平：《劳务收入成为化州农民收入新的增长点》，《茂名日报》2005年4月26日。

第二，一名拥有两个养猪场的专业户告诉作者农产品的专业化和商业化的重要性。

> 平均来看，每个人有5分田。人们没办法靠田地生活的。将税计进去，收入就更少了。所以，农民一定要做一点副业来增加收入。然而，如果规模很小，副业也起不了什么作用。养蚕、养鱼也一样，如果只有几亩塘，也没有什么用。如果能有那么20~30亩鱼塘，有这么一个规模，才能搞好自己的家庭（访问记录：Chan200405）。

②外出务工或经商。因为农产品的专业化和商品化程度均比较低，农业生产甚至无法满足一个家庭的日常开支。因此，广东省山区的许多镇，外出务工或者经商成为农民家庭收入的主要支柱。在张镇所在的县，外出务工所带来的经济收入每年增长14.8%，而个人年均收入的增长率只有7.2%。从外出劳务中获得的收入占家庭总收入的份额从1990年的28.2%上升到2004年的46.1%，而家庭在本地的经营收入占据家庭总收入的比重则从82.6%下降到46.7%。珠三角的城市，例如广州、深圳、东莞，成为张镇年轻农民外出务工的主要目的地，他们的工作包括工厂中的流水线上的作业、修理、建筑劳务等等。相比从其他省份到广东来打工的年轻人而言，他们所拥有的优势是会讲广东话，他们中的一些人能够在一些报酬较好的服务行业找到工作——例如，在餐馆做侍者或者在饭店里做厨师，或者是酒吧、理发店里的服务人员。然而，对于他们来说，能在城市开办一个小生意可能更有吸引力，这些生意包括：开杂货店、市场摊档，开出租车或者用摩托车载客，在城市道路旁边摆摊，甚至收破烂等。

> 当我初中三年级的时候，我和班上的一个同学打架被学校开除。在那时候，我不想去当打工仔，为那400~600元的工

资奔波。一些老乡在珠海做生意，我去那里帮他们。一年后，我发现了一个生意——为惠州的饭店送菜。现在，我在深圳开了一间工厂，生产灯泡。我住的那里还有很多老乡，他们有的开餐馆，有的在市场上卖猪肉，或者开厂。有些人赚了很多钱，有些人则没有。但总的来说还是比在家里当农民要好的（访问记录：Chan200404）。

（2）张镇农民所失。

当讨论张镇农民的生活际遇的时候，需要考虑所得与所失两个方面。在费改税改革开始实行之前，张镇农民的负担主要包括下述几种：

①常规的税收和地方税费。这包括镇统筹和村提留——每人21元，教育附加费30元每人，农业税80元每人。一个退休的镇干部这样表述：

在费改税之前，一个有4~5口人的家庭需要一辆拖拉机拉谷去交农业税……你可以想这有多少！一个农民家庭需要上交600元每亩每年，就是一半的稻谷了。再加上种子、除草和施肥的成本，土地的收益就仅仅只够吃饭了（访问记录：Chan200401）。

②各种各样的罚款。地方镇级政府的行政行为和罚款紧密联系。例如，各种政策的违反者（如违反公共安全有关的条例法规、计划生育政策、殡葬改革的有关政策等）都将被罚款。例如，第一次违反计划生育政策的罚款超过10000元，而第二次违反则会被罚款20000元以上。

③其他。当大型果品加工企业以低价承包了大量的农村山地时，农民失去了很大一部分的自然生产资料，但从中获益甚少；当农村合作基金被肆意支取时，农民可能失去了整年的积蓄；当各种各样的罚款名目繁多时，农民同样面临着压力。

2002 年，费改税改革在张镇农村实行，税收和地方性费用大幅减少，只有农业税是必需的，而地方性费用和其他的税（如农业特产税）等被取消了。[①] 费改税改革对张镇农民的生活状况有所改善，正如一名农民所述：从 1978 年改革开放到现在，最有帮助的政策就是费改税了（访问记录：Chan200405）。前面所述的退休镇干部同样说：

> 费改税之后，就没有再多什么各种税费了。至于农业税，就比较轻松了，每人每年每亩只需要交 27 元（访问记录：Chan200401）。

费改税改革取消了镇和村的统筹和提留、教育附加费和农业特产税，减轻了张镇农民的负担。然而，它并没有能够阻止地方镇级政府通过一些其他途径从农民手中获取利益。例如，对违反计划生育政策和违反殡葬改革政策的罚款仍然继续，儿女的教育费用仍然较高。

3. 概述和讨论：地方经济作为一种制度安排。

以上讨论了地方经济体的代表——张镇。总体而言，其拥有以下的一些制度性的特征：

首先，和市场中心的距离较远，市场渗透程度低，吸引外资和其他的商机困难。因此，农产品的专业化和商业化发展有限。家庭生产的成果仅能满足农民对食物的需求。农民的另一个选择就是到珠三角的大城市打工或做生意，而这两种方式逐渐成为张镇农民家庭主要的收入来源。只有那些在外做生意并获得成功的村民的收入能优于村干部家庭。

其次，地方政府财政紧张，农民负担较沉重。市场渗透程度较低，镇级政府无法从地方获得足够多的税收。更高层级的地方政

① 在 2005 年初，广东全面取消了农业税，本书的访谈数据均在 2004 年以前采集的，敬请留意。

府，如县级甚至地级市政府同样财政紧张，因此，他们对农村社会的转移支付和补贴较少。不仅如此，他们还要分享从中央和省级政府向农村基层的转移支付或各种补贴。在这种情况下，对于镇级政府来说，从农村社会中得来的自营收入（Self - retained revenue）成为主要的收入来源。张镇的研究数据表明了这一点：为了增加收入，除了正常的收入即行政费用、税费之外，财政紧张的镇级政府同样试图通过各种方法来增加他们的收益，而这些方法给张镇的农民带来了很大的负担。

结　语

本章主要描述了三个内容：首先是广东省改革开放前的社会分层结构；其次是改革开放后，广东农村所能获得的资源的变化和分配这些资源的一些基本原则；再次，根据所获得资源的结构和分配状况，将广东农村经济结构分成三类，并讨论这三类的社会分层状况的区别。

改革开放前农村资源分配的两个特点促使以它们为研究对象的早期研究集中关注干部和村民在社会分层上的差距：可获得资源的单一性和分配资源渠道的单一性。改革开放彻底地改变了这一局面，研究表明，广东的改革是一个从沿海区域（珠江三角洲）到内陆区域（山区区域）的渗透的过程，伴随着小商品市场、资金市场、商品市场和劳动力市场的发展，也伴随着农村居民收入来源质量和数量上的提高。伴随着改革开放过程，农民的收入来源从仅仅只有粮食作物这一单一途径，逐渐走向农业、副业、个体家庭经济和农村工业的发展，再进入粮食作物、副业、个体家庭经济、集体经济分享、外出务工和外出经商等一系列的收入来源。与此同时，分配这些资源的渠道更加多样化。资源的多样化和分配渠道的多样化使得广东农村社会分层状况也呈现出多样的结构和形态。

第一，珠三角的农村经历了最高的市场渗透程度，并发展成为新合作主义经济，农民的收入来源包括集体收入的分享、工资收

入、个体生意、农副业和各种各样的福利待遇。农村干部的收入来源则包括工资收入、集体经济分红、个体生意、一定程度的特权和一些可能的“灰色”收入。仅仅那些拥有较大规模的个体生意的村民能够获得比农村干部更高的收益。

第二，在珠三角的边缘地区或者是区域性大城市的郊区，也即本书所称为郊区经济体的区域，其市场渗透程度在全省处于中间阶段，农民的收入来源包括粮食作物、商业农业（种蔬菜、果树、林木等）、地方性的生意、外出劳务和外出经商。村干部的优势体现在工资收入、对集体经济所得的管理优势和镇级政府的良好的关系上。村干部在获得非本地经济收入方面处于劣势，例如外出务工和外出经商，因为他们不能离开在本村的职位到外面的城市去就业经商。一些经营大规模的农业或副业的专业户或者那些能够外出到别的城市成为成功生意人的村民能获得比村干部更高的收益。

第三，广东山区农村的市场渗透水平在全省最低，本书将其称为地方经济体。家庭生产——包括粮食作物、农副业和个体家庭经济——带来的收益不高。外出务工或经商成为当地农民家庭收入的主要支柱。村干部的优势包括工资收入、在集体资财上的管理优势和郊区经济体的干部相比，他们同样也在非本地的资源获得上处于劣势。那些出外经商并取得成功的村民能够获得比村干部更高的收益。

第三章
改革开放30年广东城市社会分层与社会流动

中国起始自1978年的改革，有两种不同的视角：一个是经济高速成长的工业化和现代化视角；另外一个是私有体制从无到有再到不断壮大的社会主义转型视角。在1990年苏联解体、东欧剧变之前，国内学者主要采用现代化视角来分析国内的社会转型；东欧剧变之后，新的形势迫使学者们更多地从市场转型角度分析中国的社会转型。持平而论，在实践研究中，忽视其中任何一个视角，或者以一个视角代替全部视角，都会导致研究中出现问题。梁玉成（2006，2007）的研究揭示不同转型对于社会分层和社会不平等的影响是不一样的。

一、现代化转型、市场化转型与地位获得

（一）现代化转型对社会地位获得模式的影响

经济转型将导致三个对劳力市场结构的影响，从而影响社会流动：（1）经济变迁导致社会中的组织特征（种类、行业分布、数量、大小）发生变迁；（2）工人职业构成发生变迁；（3）工人的劳动力经验、教育发生变迁。具体到工业化变迁对劳动力市场的影

响：工业扩张增加内部劳动力市场流动；资本的集中化、工业组织的大企业化增加内部劳动力市场流动（DiPrete，1993）。

工业化过程中，高地位工作的增加率高于其他职业，低技术工作职业减少（Pampel，1977）。社会变迁使得社会流动的外部条件发生变化。Lipset & Etlerberg（1959）的研究发现高工业化国家有高的绝对流动率，同样工业水平的国家有同样的绝对流动率。Featherman，Jones，Hauser（1975）的FJH假设认为工业化国家间虽然绝对流动率显著不同，职业结构机会不同，但相对流动率为常数。

Slomczynski（1984，1987，1988）的研究认为工业社会虽然观测到的流动不一致，但其循环流动（circulation mobility）是一致的。背景是：均为市场经济；核心家庭为主；工业化使得其流动模式是一致的，拥有类似的职业声望排序和类似的职业结构。Treiman（1975，1981）提出下列三个工业化因素对地位获得产生影响的跨时空假设：一个社会越工业化，父亲职业（家庭背景指标）对儿子职业直接影响越小；一个社会越工业化，儿子教育对其职业的影响越大；一个社会越工业化，父亲职业对儿子教育影响越小。由这三个假设可以看出，工业化理论在研究地位获得过程中对于经济增长等工业化因素的强调。

Pampel（1977）对社会职业流动的外部社会条件变迁进行了研究，通过宏观社会指标之间的自我变化以及相互关系，来研究美国职业结构的变迁（1947—1974年）。发现随着工业化的过程，高地位工作的增加率高于其他职业，低技术工作职业减少。Hout（1988）研究代际流动，发现美国1972—1985年间，代际流动下降。原因在于大学生的数量上升，这使代际之间的继承性减小，即越多的大学生，越小的代际的影响。工业化的结构流动增加，使得向上流动超过向下流动。对于有学士以上学位的，初始地位与目标地位的联系变小，但对没有受过大学教育的，联系则加强。

（二）后工业化对社会地位获得模式的影响

第三产业在美国的兴起，导致了社会不平等加剧。对于新的产业导致的社会变迁，学者们均从产业变迁导致的劳动力市场变迁进行有关解释，只是一部分学者从变迁对劳动力市场供给的影响进行分析，一部分学者从变迁对劳动力市场需求的影响进行分析（Morris，1994）。基于劳动力市场供给的理论称为工作技能匹配理论，该理论认为新产业的兴起将低技术工人迅速抛弃，从而导致社会不平等增加，未来随着教育的改善，可望得到缓解（Morris，1994）。基于劳动力市场需求的理论称为极化（polarization）理论，新行业使工作出现了极化的增加，即在顶端的高工资、高安全感，多流动机会的工作增加；同时在底部的低技能、临时性、半职的、低工资、低安全感的工作也增加；中间的职位也在分化。新行业的兴起使得工作结构的不同部分有不同的增长，从而使得不平等加剧（Morris，1994）。

Daniel Bell 在《后工业社会的来临》一书中提出后工业社会的概念，其特征包括是：在经济方面从产品生产经济转变为服务性经济，其产业结构是第三产业；在职业分布上，各类专业人员、技术人员和科学家阶层处于主导地位；社会秩序的中轴原理：理论知识处于中心地位，专业与技术人员处于主导地位，这是后工业社会在职业分布方面的特征。Bell（1976）提出后工业社会中，服务行业将成为主导行业，技术专家因为掌握了知识和信息而成为具有控制特权的阶层。新的权威形成和新的技术应用将导致工人的减少。工资的增加导致消费的增加，即导致服务行业的增加；新的技术的应用也将导致生产效率的增加，即工人数量的减少。随着科技的进步，传统工人阶级的数量在不断减少，新的生产只需要人数不多的高度熟练的工人，而大多数的工人只能从事非创造性的、低熟练程度的、不稳定的劳动。

大多数后工业化理论都认为教育的重要性不断加强。后工业社会的机会结构和教育之间呈现越来越高的关联。安德森（Esping

Andersen）承认后工业社会发生了以下的变化：第一，社会的经济重心由产品制造业转向服务行业，剩余价值的来源从一、二产业转向各经济服务领域，如商业、银行业、信息业等等；第二，传统的大规模生产模式被“后福特”生产模式（post - fordist）所取代，灵活而个性的消费需求成为生产取向；第三，从事服务行业的白领阶层成为社会的主导阶层。但是，Esping Andersen 并不认为这就是后工业社会的全部。他认为现代社会关系既不可以还原为传统工业社会的阶级模式，也不是服务社会模式，而是社会经济逻辑的另外一种模式。

安德森（Esping Andersen）对马克思主义和韦伯主义的社会阶层理论都持批评态度。他主要认为阶级关系被制度所调整，如福利国家、工资的集体谈判、教育系统、企业等。在他看来，现代阶级关系既不可以简化为传统工业社会模式（福特主义，Fordism），也不是服务社会模式，而是一种混合的经济和社会逻辑。他的一个主要理论是今日的劳动力分工“已经产生一种新的分层维度”（Esping Andersen，1993）。根据基础的阶级维度，他批评单一维度的标准，如自治权力、人力资本、新阶级的“信任”属性等。安德森给出一个新的分类，在他看来，经理和专家/专业人员的区别仍然存在，而没有失去。他还反对将服务行业的技术工人和制造业技术工人合并，他同样也反对将这两个行业的非技术人员的合并（Esping Andersen，1993）。他认为后工业社会与传统工业生活是不同的，尤其是女性广泛散布于服务经济的各个部门，与男性相比有不同的机会结构，减少了对丈夫和家庭的依赖。安德森认为新的性别角色关系将出现。

（三）市场转型对社会地位获得模式的影响

Nee 的市场转型理论预言，市场转型将导致拥有政治资本的党员身份的回报下降，取而代之的是拥有人力资本的直接生产者。然而，非常多的研究均发现市场转型过程中，党员的收入回报高于非党员（Akos Rona - Tas；Andrew Walder；Jean Oi；Yanjie Bian &

John Logan; William Parish & Ethan Mechilson)。

Nee在2001年的综述性研究中，收集了18篇市场转型领域的重要文献，其中政治资本回报部分显示出复杂的情况——总体而言，在农村的研究中党员的政治资本回报下降占优，[①] 而在城市的研究中则党员的政治资本回报没有下降占优。Nee分析道："关键性的检验必须是：核心干部的垄断精英地位是否现在被拥有市场力量的集团所挑战……而在转型的早期，当劳动市场还没有发展起来，新兴的私人经济仍然面对着各种官僚障碍时，政治资本是有可能比通过市场力量或私人产权获得更多的回报……拥有政治资本的人和拥有市场力量的人都可以从市场改革中获益，（到了转型的后期）当市场占一定程度的统治地位和达到一定程度的成熟时，后者在经济利益上的表现才会使得前者黯然失色。"

可以看到在这个问题上Nee的分析中隐含着如下的几个假设：（1）市场转型过程中政治力量与市场力量是相互对立的；（2）面对市场转型造成不利冲击，党员是以体制内"官僚障碍"的方式来谋取权力以应对；（3）党员与非党员的差异仅仅是政治资本的有无。

然而，在这三个假设上，我们恰巧可以看到完全不同的看法。首先是政治力量和市场力量是否一定是对立的这个假设。戴慕珍（Jean Oi，1992；1995；1998；1999）认为地方政府具有公司的许多特征，政府官员们完全像一个董事会成员那样行动，她将这种政府与经济结合的新制度形式，称之为地方法团主义（local state corporatism）；魏昂德（Andrew Walder）发现地方政府比高层政府具有更大的动机和能力来谋求经济发展；还有其他类似的将政治力量和市场力量看作共谋的研究（Lin Nan，1995），这些研究都表明，政治力量和市场力量并不是非此即彼的矛盾对立，Walder（2002）就指出，市场转型过程中一个重要的过程是"公有制下累积的庞

① 当然，这是一种类似学术投票的对比，已经被学者批评。然而作为表达复杂的现象还是可以参考。

大资产系统地转移给私营所有者……收入是以控制权而不是以这些资产的所有权为基础的……这样的一个程序受制于政治操控"，可见，市场转型过程中的种种新的制度安排很可能是政治力量和市场力量二者共谋的结果。边燕杰和约翰·罗根的"权力维续论"的提出，就是建立在对 Nee 这个假设的否认上，提出中国的渐进市场改革过程中，再分配和市场两种机制并存，社会的经济和政治体制同时经历着双重的变迁，这使得在人力资本和企业家回报上升的同时，权力的作用仍然可以维持和继续（Bian &Logan，1996；边燕杰 & 刘勇利，2005）。白威廉和麦宜生（William L. Parish & Ethan Michelson，1996）提出政治市场的观点，提出工人与干部、企业与政府主管部门、地方与中央的权力关系在市场转型过程中将继续影响着经济的运作，从而使得政治资源、政治权力的经济回报不会贬值。

其次，面对市场转型造成的不利于党员的冲击，党员的反应并非仅仅发生在体制内。体制外的反应可以分为两个层面：（1）在国家管制领域和市场的连接层面。《当代中国社会各阶层研究报告》中提出的"十大阶层"划分中，将"国家与社会管理者阶层"划分为最高阶层，原因在于"组织资源是最具有决定性意义的资源，因为党和政府组织控制着整个社会中最重要的和最大量的资源"；刘欣提出的权力精英的再分配权力在制度安排的过程中——"在非国有企业的市场准入上……在银行贷款、土地征用、税收和劳动力使用上"——演变为寻租能力；他们的研究都描述了在权力对市场经济的管制连接过程中，政治精英力图保持其优势的反应和行动过程。（2）纯市场领域。即使是在远离政治领域的市场领域，政治精英也在力图保持其优势：罗纳·塔斯（Rona - Tas）发现，在激进市场转型过程中，再分配权力精英在失去了政治领域的优势而被抛进市场领域时，政治精英将其优势通过两次转换而在市场保有了其再分配时代取得的优势：第一次转换是将拥有的再分配权力转化成社会网络和社会资本，第二次转换是社会资本转换为私有财产，最终，再分配权力精英的优势得以在市场延续。宋时歌提出的“权力转换延迟理论”也认为，在向市场经济转变的过程中，再分配精英能够而且愿意将旧的再分配权力转化为市场经济中的经济权力。周雪光的市场和国家共同演化理论中，则给出了一个再分配精英在政治领域和市场领域复杂的应对机制，他提出随着市场转型的过程，“干部的政治权力更多地来自‘管理者’（比如在国家机关）角色或管理生产过程（比如在国有企业）的国家‘代理人’角色。这些管理者仍然可以从他们的职位权力中营利，部分来自他们与政治权威的联系，部分通过他们对市场上经济交易的参与”。

最后，党员与非党员的差异仅仅是政治资本的有无吗？罗纳·塔斯（Rona－Tas）的权力转换理论认为拥有再分配权力的精英在长期的再分配时代积累了高社会层次的社会网络关系，在市场转型时代，即使失去了再分配权力，但是党员比非党员仍然因为拥有优质的社会资源而维持了其高收入。2000年以来，Gerber的一系列研究发现，党员是从众多非党员中遴选出来的，能够通过这个“遴选过程”被选择成为党员的个体，不仅仅只是政治上忠诚，还是“社会成员中在关键岗位工作的，并最富有创造能力和天分的个体（Gerber，2000）”。所以Gerber认为，党员背后是一系列可以和不可以被观察到的个体层次的长处，以及党员所拥有的高层次的社会关系网络连接；正是这些使得党员能够在市场转型过程中持续保持其收入优势，而不是党员的政治资本。Gerber通过实证数据也证明，党员超过非党员的收入并不是党员身份的结果，而是选择效应的结果。刘精明提出“政治资本对改革后新生代劳动力工资收益的影响呈现出随进入劳动力市场时间的推后而快速下降的态势”是不严谨的，其内部机制没有明晰。

二、广东城市社会分层与社会流动

（一）现代化社会转型与市场化社会转型的测量

现代化和市场化虽然是两个不同的概念，但是如果将收集到的

指标只是简单地叠加来合成，往往会存在较强的相关性。所以我们按照这样的步骤来做：找到社会和经济发展的与现代化有关的指标，以及和市场化有关的指标，然后进行正交因子分析，以形成现代化因子和市场化因子。这样，现代化因子和市场化因子虽然都是同时性的变量，但是由于是正交因子，所以他们之间的相关会非常小。我们找了14个测量社会经济结构发展的变量，按照时期进行收集。然后我们使用主成分和极大化旋转，得到2个因子，具有80%的代表性。

因子分析由 Pearon（1901）首先使用，以后经 Hotelling（1933）、Rao（1964）、Morrison（1976），Mardia，Kent（1979）发展而成熟起来。因子分析的目的是把一些错综复杂的变量指标提炼为少数几个综合因子的一种多变量统计分析方法。因子分析的基本思想是根据各个指标间的相关性大小将变量分组，使得同组内变量之间相关性较高，不同组的变量之间相关性较低。每组变量代表一个公共因子，并使其尽量多地保留了原始变量的信息，且彼此线性无关。每一个主要因子表示各个指标间相互依赖的一种经济关系。因子分析的核心是对若干指标进行因子分析并提取公共因子，再以每个因子的方差贡献率作为权数与该因子的得分乘积的和构造综合得分函数。因子分析的简要数学过程是：

设估计样本由 n 年构成，选取的社会发展指标为 k 个。

（1）对原始社会发展指标 XK 进行标准化处理。因为所选的原始社会发展指标的量纲不完全一致，所以需要进行标准化处理，即将各种不同度量的指标转化为同度量的指标，使各指标具有可比性。

（2）计算原始数据的相关系数矩阵 R（$k \times k$ 阶）。

（3）求 R 的特征根 λ_1，λ_2，…，及长度为 1 的相互正交的特征向量 b_1，b_2，…。

（4）由特征值大于1所对应的、长度为1的特征向量来计算公共因子的负载，并对该负载矩阵进行正交化旋转，求出旋转后的公共因子 F1，F2，…。

（5）以各个因子的方差贡献率占旋转后这些因子总方差的比重作为权重求和，得出各公司的综合得分：

$$F=（\alpha_1 \times F_1+\alpha_2 \times F_2+\cdots+a_i Fi）/（\alpha_1+\alpha_2+\cdots+a_i）$$

其中，α_i 代表各个公共因子的方差贡献率；Fi 代表公共因子。

本书选择了12个指标进行因子分析，首先进行无量纲化处理，也就是将数据进行标准化处理，使各个指标服从均数为0，标准差为1，以消除量纲的影响。根据特征根大于1的原则，本书选择了2个因子，其累计方差贡献率为88.867%，特征根如表所示。

表3－1　　因子分析摘要

类　　别	因子1　现代化程度因子	因子2　市场化程度因子
特征根	9.12223	1.541093
方差贡献率（%）	76.01859	12.84244
累计方差贡献率（%）	76.01859	88.86103

因子的贡献率表示该因子反映原指标的信息量，累计贡献率表示相应几个因子累计反映原指标的信息量。从表3－2可以看到，2个公共因子的累计贡献率达到88.867%，即2个公共因子可以反映原指标88.867%的信息量。旋转方法是方差最大正交旋转法。

表3－2　　因子负荷情况

指　　标	极大化旋转后的因子负荷	
	因子1 现代化程度因子	因子2 市场化程度因子
国有经济职工人数比	－0.8857	0.1420
第三产业人数比	0.8730	0.3585
高等学校毕业生总数	0.8611	0.4439
国家财政预算收入占GDP比重（%）	－0.8099	－0.2640
人均国内生产总值	0.7799	0.6100

续上表

指　　标	极大化旋转后的因子负荷	
	因子 1 现代化程度因子	因子 2 市场化程度因子
重工业总产值	0.7687	0.6094
轻工业总产值	0.7595	0.6259
城市失业率	-0.1376	0.9508
国有单位社会消费品零售总额占全部的比例	-0.4178	-0.7921
国有工业占工业总产值比例	-0.5408	-0.7445
其他经济工资总额比全部	0.6803	0.6884
私有经济职工人数比	0.644364	0.684962

根据运行结果，KMO（Kaiser-Meyer-Olkin）和球形 Bartlett 检验情况如下表所示。

表 3-3　　KMO 和球形 Bartlett 检验

Kaiser-Meyer-Olkin	0.817
球形 Bartlett 检验	1750.679 **

** 表示在 0.01 水平上双尾显著。

KMO 给出了抽样充足度的检验，是用来比较相关系数数值和偏相关系数是否适中的指标，其值越接近 1，表明对这些变量进行因子分析的效果越好，本书的 KMO 值为 0.817，说明因子分析的结果是可以接受的。球形 Bartlett 检验的值为 1750.679，并在 0.01 水平上双尾显著，这说明相关系数矩阵不是一个单位矩阵，因此采用因子分析是可行的。

研究对因子得分进行了调整，因为负的得分的意义不清晰，所以进行了平移，使得最小值为 0。我们找到广东省的有关资料，得到广东省 1978 年度到 2003 年度情况，将其带入根据全国资料得到的因子得分计算公式中，得到广东省的因子得分，结果如图。

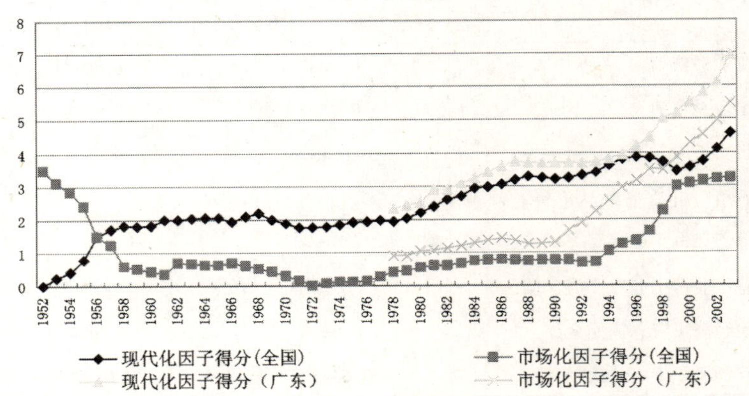

图3－1　全国与广东省现代化发展和市场化发展因子得分的时期分布

我们可以看到，对于全国而言，在20世纪50年代，现代化速度很快。到了80年代，又是一轮迅速的现代化发展；市场化程度在50年代受到抑制，到了80年代，市场化进程重新回复，但是高速发展是在1992年之后。

广东省的情况与全国情况有着高度的相关性，一方面，从发展趋势上而言非常类似；另一方面在发展速度上又存在着显著的差异：在1978年改革开放之初，广东省在现代化和市场化的起点上与全国的差异并不大。广东省市场化进程大大超过全国是在1990年小平同志南方视察之后，而现代化发展水平大大超过全国则是在1996年之后。

从上面的实证数据中，我们得出这样一个结论：广东省的现代化和市场化发展，是与全国的发展呈现出高度的一致性；同时，广东省在整个改革开放30年期间，现代化和市场化发展都一直走在全国的前面。

那么，这样的社会变迁，会给广东省的社会分层与社会流动带来怎样的影响呢？

（二）社会转型对社会流动的影响

有研究认为，始于1978年的中国的社会主义市场经济转型遵循着两条制度主线（Nee，1989；Bian，1993；Walder，1990）：一条主线是经济运作的制度模式从计划向市场的变迁，另一条主线是产权制度从单一的公有制向多种所有制的变迁。这就带来了劳动力部门从国有企事业单位、集体企事业单位为主体的公有制劳动力部门向包括个体、私营以及三资企业等多种所有制劳动力部门扩展。在中国渐进式的市场转型中，不同所有制劳动力部门的结构变迁已经持续了30年，并且仍然处于不断的变化之中。从中国国家统计局出版的《中国统计年鉴2003》和《中国统计年鉴2004》的有关数据中可以看到，国有控股经济占工业总产值的比重在1979年为78.47%，到2003年已经一路下降到37.54%；同期私有劳动力部门却不断扩张，私有经济占工业总产值的比重越来越大，从1978年的不足0.5%，到2003年已达80%以上。[①]《中国统计年鉴》中劳动力在各个不同所有制劳动力部门分布数据同时显示，从1978年到2003年，国有及集体所有劳动力部门的从业人员数量不断下降，而外资企业、私营企业、个体经济等私有性质的劳动力部门的从业人数则不断上升：从1978年至2003年，中国国有单位从业人数下降了30.8%，城镇集体所有制单位从业人数下降了13.7%；同期，在三资、私营以及个体经济的就业人数增加了40%。仔细分析，这个过程大致又可以分为两个阶段，在1990年之前，劳动力部门结构的调整比较温和，主要是国有企事业单位的就业人口比例在逐渐下降，其他各类所有制性质的就业人口比例在缓慢上升；在1990年之后，国有企事业单位和集体企事业单位的就业人口比例大幅度下降，各类私营劳动力部门的就业人口比例相应大幅度上升。

---

① 由于私有劳动力部门与国有劳动力部门之间的分界也变得越来越模糊，所以统计年鉴在计算各种经济类型在工业总产值中所占比重时，有部分为重复计入，因此，各种经济类型在工业总产值中所占比重的加总高于100%。2003年，国有经济占37.54%，集体经济占6.65%，私营经济占80.36%，大致有24%为重复计入。

那么，广东省的情况是怎样的呢？下表是1978年到2003年期间，广东省不同所有制部门从业人员的人数比例变化。

表3-4　广东省不同所有制部门从业人员的人数比例变化（1978—2003年）

年份	从业人员年末人数	城镇国有、集体、其他单位从业人员	城镇私营企业从业人员年末人数	城镇个体劳动者人数
1978	2275.95	515.85	0	2.6
1979	2304.95	535.37	0	2.58
1980	2367.78	563.62	0	10.96
1981	2423.79	587.34	0	10.75
1982	2521.38	608.12	0	11.96
1983	2569.7	612.65	0	18.55
1984	2637.49	631.77	0	24.92
1985	2731.11	660.82	0	31.69
1986	2811.92	686.2	0	33.72
1987	2910.99	720.34	0	42.54
1988	2994.72	747.67	0	59.43
1989	3041.27	762.61	0	58.11
1990	3118.1	785.49	0	67.94
1991	3259.2	827.58	19.58	68.23
1992	3367.21	858.12	26.21	76.37
1993	3433.91	877.16	39.51	103.72
1994	3493.15	879.84	58.22	117.01
1995	3551.2	911.9	76	129.9
1996	3641.3	904.07	89.4	132
1997	3701.9	897.32	105.8	138
1998	3783.87	884.8	126.42	154.94
1999	3796.32	857.07	132.95	169.34
2000	3989.32	759.21	151.73	164.94
2001	4058.63	737.12	182.09	184.94
2002	4134.37	751.23	221.09	214.1
2003	4395.93	781.14	276.7	236.97
2004	4681.89	830.72	311.21	229.44

为了使得分析更加直观，我们给出了1978年到2003年广东省在改革开放期间不同所有制职工的数量演变图。

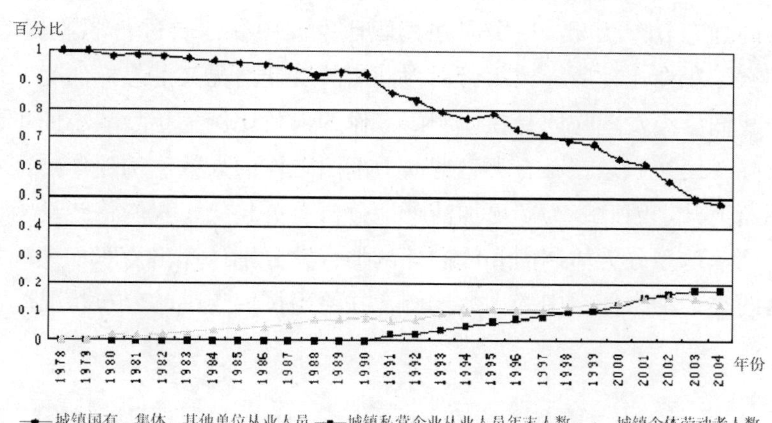

图3－2　广东省不同所有制职工的数量分布图

从上图我们可以看到，广东省的变化和全国的变化是一致的。同样，如果我们将1990年作为劳动力部门转型由慢转快的转折点，根据2003年所收集的CGSS 2003数据的广东省数据的分析，我们发现1950年以后出生的被调查者进入劳动力市场的平均年龄为21.08岁，那么，1990年进入劳动力市场的被调查者在2003年下半年被调查时点的年纪应该大致是在35岁左右。可以说，在广东省市场转型和现代化转型的30年里，不同类型劳动力部门无论是在经济总量中的比重上，还是在从业人员的数量分布上，都发生了重大的结构性变迁，因此这必然会对城市居民的就业和职位流动产生影响，从而进一步影响到分层秩序。

根据2003年所收集的CGSS 2003的数据，我们可以清楚地看到不同年龄阶段的被调查者的初职在各个劳动力部门中的人数比例分布状况：50岁以上的年龄群在国有企业中的从业人数比例在60%左右，而20岁左右的年龄群则仅占20%左右；国有事业、党政机关以及集体企事业等其他三类体制内劳动力部门中的从业人数比例也随着年龄减小而不断下降。而相对应的在私有类型劳动力部门中的从业人数比例则随着被调查者年龄的减小不断上升。

图 3－3 所显示的是被调查者的初职在不同所有制劳动力部门中的静态分布状况。一个人在其职业生涯中往往会进行职业流动，那么，职业流动所导致的劳动力部门的变迁情况又是怎样的呢？由于我们已经发现初职是在体制内工作的人数比例随年龄减小而不断下降，而初职是在私有类型劳动力部门工作的人数比例随年龄减小不断上升。因此，为了更加清晰地分析有关趋势，我们将劳动力部门简单地划分为体制内和体制外两类，并分别计算出初职和现职在这两类劳动力部门中的人数比例，并给出按照年龄的分布状况图。

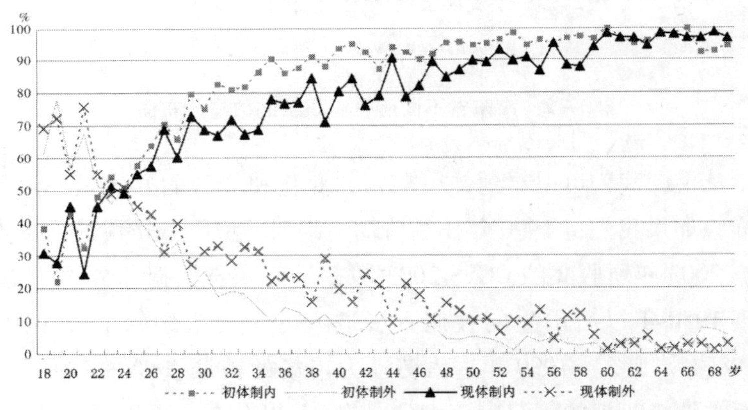

图 3－3　不同年龄被调查者的初职和现职在各个劳动力部门中的人数比例分布状况图

从图 3－3 中我们可以观察到两个方面的信息：首先是在初职的获得方面，从被调查者进入不同所有制劳动力部门的模式上来看，1990 年之前进入劳动力市场，即年龄在 35 岁以上的被调查者初职是在体制内的比例基本稳定在 90% 以上；1990 年之后进入劳动力市场，即年龄是 35 岁到 18 岁的人群，其初职是在体制内的人数比例迅速下降到 30% ~40%。因此，我们可以将 35 岁作为初职

进入不同所有制劳动力部门之模式的变迁分界点（这仅是一个粗略的分类）。其次是在跨不同所有制劳动力部门的代内职业流动方面。调查显示，初职的劳动力部门人数分布与现职的劳动力部门人数分布之间的差异不大，这说明大部分被调查者并没有经历过跨劳动力部门的代内职业流动。另外，从少数经历了跨劳动力部门代内职业流动的被调查者来看，其跨越劳动力部门的主要方向是从体制内的劳动力部门向体制外劳动力部门流动；而且跨劳动力部门的代内职业流动主要发生在30~50岁的被调查者中间。

尽管在1990年前后，即35岁以上和35岁以下的被调查者初职进入不同所有制劳动力部门的模式发生了重大转变，但是跨不同所有制劳动力市场的代内流动模式并没有随之出现重大改变，跨体制的代内流动比例依然很小。

（三）社会转型过程中社会分层的影响因素

在控制了有关变量的情况下，基于CGSS的广东省数据，我们分析了广东省不同出生世代对其职业地位的得分的影响，分析结果见下表：

表3-5　出生世代对初值职业地位的影响

	系数	P值
父亲的社会经济地位	0.0336303	0.053
性别（女性=0）	5.615	0.013
出生世代（1950前出生的群体=0）		
cohor1950	2.594595	0.015
cohor1955	2.921053	0.107
cohor1960	6.72093	0.038
cohor1965	11.02564	0.063
cohor1970	15.53846	0.089
cohor1975	18.08571	0.03

续上表

	系数	P值
cohor1980	14. 19048	0. 080
cohor1985	16. 5470	0. 028
政治面貌（非党员 =0）	7. 42177	0. 001
教育年限	3. 852867	0. 000
截距	42. 13541	0. 013
总观察个案	233	
R 平方	0. 3750	

将出生世代转换为参加工作时间，这样我们得到了不同时期初职的社会经济地位得分分布图。

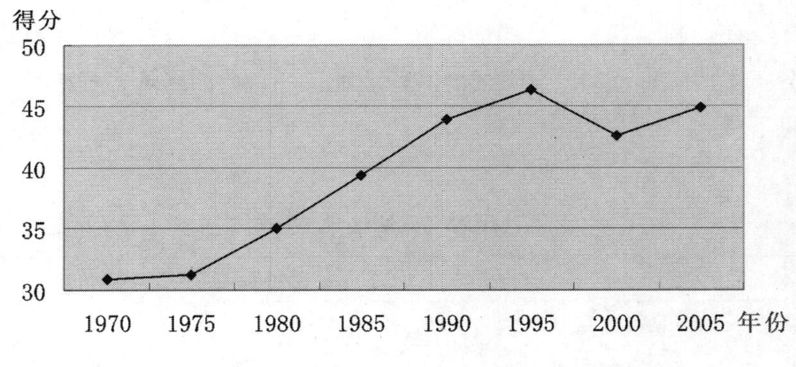

图 3－4　不同时期初职社会经济地位得分分布图

以上初职的社会得分的世代效应显示，从 1978 年到 2003 年这 25 年间，随着广东省现代化和市场化发展，人们的初职的社会地位不断稳步上升，这显示出社会职业结构的不断改善，工业化和市场化创造出大量新的就业岗位，并且这些就业岗位比原来的就业岗位具有更高的收入和更高的社会地位。

同时，我们也发现在广东省的城市居民中初职的社会地位的影响因素中，政治面貌依然影响初职的社会地位；教育程度的提高，也影响初职的社会地位；父亲的社会地位，继承性的影响也存在。这表示旧有的继承性的分层影响因素和现代化社会中的注重绩效的分层影响模式同时并存，广东省还处于一个混合型的分层影响机制下。

结 语

社会阶层的结构形态是指社会各阶层在社会结构中的分布形态，它描述的是社会各阶层在社会结构中所处的位置。一般认为，现代社会或者工业化社会的阶层结构形态应是一种两头小中间大的橄榄形等级结构，它有庞大的社会中间层。这种社会阶层结构形态是在经济社会发展中自然形成的，是最稳定、最有利于社会持续有序地向前发展的。与现代社会阶层结构相反的是传统社会阶层结构：即顶尖底宽的金字塔结构。在这种阶层结构形态里，极少数人居于社会的上层，而绝大部分人则处于社会的下层，整个社会呈现两极分化。这种社会阶层结构可能会引发社会动荡和社会危机，从而导致社会发展进程的中断。

大量关于社会分层结构形态的研究表明，一个和谐稳定的现代化社会，社会阶层结构通常应该呈现出中间大两头小的橄榄形状态。即特别穷的不是很多，特别富的也占少数，大部分为中等收入人群。

前面的分析已经揭示，现代化和市场化的发展，已经使得广东省的职业地位结构出现了很大的改进，大量新的、具有高社会地位的职业出现，而这些职业地位是通过代际流动由年轻人获得。这样的话，当我们比较不同世代广东省城市居民的社会分层结构形态的时候，就可以发现新的社会分层结构形态的发展趋势。

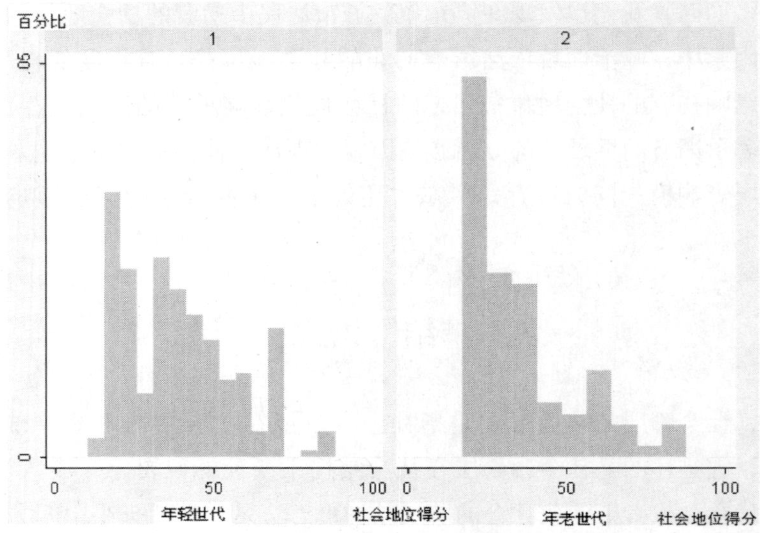

图3-5　年轻世代（50岁以下）和年老世代（50岁以上）的社会地位分布对比图

对比不同世代的社会地位分布形态，我们发现，年老世代的社会地位分布形态呈现出典型的金字塔结构，而年轻世代的社会地位分布已经大大改善，大量新的处于中间状态的职业地位涌现；以发展的眼光来看，一个新的，从金字塔到橄榄形的演变正在形成。

第二篇

生活质量与价值观念的变迁

第四章
改革开放30年广东
居民生活质量变迁

1995年的哥本哈根社会发展世界峰会指出："社会发展的最终目标是改善和提高全体人民的生活质量。人民生活质量的高低是衡量社会进步的价值尺度。改善和提高全体人民的生活质量是社会进步的标志。"改革开放近30年来，我国政府致力于改善人民的生活条件，提高人民的生活质量，今天的现实已经证明了我国在经济和社会发展方面所取得的惊人成就，并正在努力向更高水平的小康社会迈进。但是，我国现阶段小康社会的发展还是不平衡的，我国居民的整体生活质量还存在着诸多问题，在世界上的综合排名也还是不如人意。根据联合国开发计划署2004年最新报告显示，在对全球的177个国家和地区的人类发展水平进行的排序中，中国居民的整体生活质量在世界上的综合排名为第94位。2002年对全球173个国家和地区进行排序时，中国在第96位；2001年对全球162个国家和地区进行排序时，中国在第87位（王建成、戴步效，2005：1）。

广东地处我国南方沿海，自改革开放以来，在经济和社会发展方面取得了举世瞩目的成就，人们的生活质量较之过去有了很大的提高，部分城市在全国生活质量综合排行中也名列前茅。例如，根据北京国际城市发展研究院（IUD）发布的2005年中国城市生活质量排行榜，从综合得分前10位城市看，广东省占据4席（深圳、东莞、珠海、广州），领先优势明显。在2006年的中国城市生活质量排行中，广东省进入综合排名前20位的有6个（深圳、东莞、珠海、广州、中山和佛山），具体排名请见表4-1。广东居民总体生活质量之所以居全国领先地位，是与广东省近几年来经济持续快速发展紧密相关。但是，生活质量是一个涵盖范围非常广的概念，它不仅包括客观层面，还包括主观层面。从下表可以看出，广东省几大城市虽然在综合排名和客观排名上比较靠前，但主观排名却非常让人失望，如广州和东莞的生活质量主观排名竟然分别排在285位和240位，这不能不引起我们的深思。

表4-1　2006年中国城市生活质量综合排名前20位的城市分布

综合排名	城市	客观排名	主观排名	综合排名	城市	客观排名	主观排名
1	深圳	1	19	11	桂林	137	7
2	青岛	41	1	12	珠海	6	11
3	杭州	11	2	13	厦门	10	10
4	宁波	14	3	14	北京	4	27
5	上海	3	9	15	天津	22	12
6	无锡	16	5	16	南京	20	15
7	烟台	59	4	17	广州	5	285
8	苏州	25	6	18	中山	8	41
9	东莞	2	240	19	佛山	7	112
10	大连	48	8	20	绍兴	23	20

资料来源：连玉明主编：《中国城市生活质量报告NO.1》，中国时代经济出版社2006年版，第36页。

那么，到底什么是生活质量呢？影响生活质量的因素有哪些呢？如何评价一个国家和地区的生活质量呢？即评价生活质量的指标体系的主要内容是什么？广东省作为中国改革开放的前沿阵地，

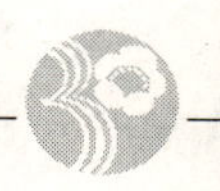

在近30年来，居民的生活质量发生一些怎么样的变化呢？我们该如何才能有效地提高人们的生活质量呢？带着以上这些问题，我们开始了文献资料的回顾整理和调查资料的统计分析过程，力图能够给出令人满意的答案。

一、“生活质量”的历史与内涵

（一）生活质量的研究历史

1. 国外关于生活质量的理论探索。

生活质量的研究兴起于欧美，早期的研究成果也主要集中在欧美发达资本主义国家。据统计，至今发表的“生活质量”的研究文献有3/4来自于美国（潘祖光，1994）。通常认为，“生活质量”（Quality of Life）这一概念最早是由美国经济学新制度学派的主要代表人物加尔布雷思在其1958年所著《富裕社会》中第一次提出的。事实上，对于生活质量的研究可见于更早期的一些学术著作中。早在1933年，美国社会学家威廉奥格博（Ogburn，William）胡佛研究中心就发表了两本《近期美国社会动向》的专著，书中讨论和报告了美国生活的各个方面的发展动向（林南等，1987）。从这一时期开始至20世纪50年代中后期，是生活质量研究的酝酿阶段，20世纪50年代末至60年代是兴起和成熟阶段，20世纪70年代至今是发展阶段。

在20世纪50年代末60年代初，“生活质量”开始成为一个专门的研究领域。1957年美国密歇根大学的古瑞（Gurin）、威若夫（Veroff）、费尔德（Feld）等人在美国首次进行具有重要意义的生活质量调查，主要研究美国民众的精神健康和幸福感。1965年，海德雷·坎吹尔（Hadley Cantril）发表了13国关于生活满意程度和良好生活感觉的比较研究结果。同时，诺曼·布拉德本（Norman Bradburm）也在一项全国民意调查中研究了美国民众的幸福感（林南等，1987）。1960年发表的美国“总统委员会国民计划报告”

和哈佛大学商学院教授鲍尔等人于1966年发表的有关美国社会第二次实施的全国规划的文献中正式提出了“生活质量”这一术语，它作为一种推动力，促使生活质量形成了独立的研究领域（K苏斯耐、GA费舍，1987）。

此后，生活质量的研究在全美各地蓬勃发展起来，并进入了成熟期阶段。一些专门研究生活质量和社会指标的机构建立起来了，它们纷纷将生活质量作为主要的研究方向。美国经济学家罗斯托对生活质量的研究作出了重要贡献，他于1971年提出了追求生活质量是人类社会发展的必然趋势的观点（连玉明，2006：12）。经济学家坎贝尔（A. Campbell）等人建立了一套感觉指标模型来研究美国社会的生活质量，把人们对生活的总体感觉分成完全满意到完全不满意几个等级，重点研究对生活整体的满意度和13个具体领域的满意度（Campbell，1976）。坎贝尔这种从主观方面的指标来测量生活质量的方法成为了美国社会的主流。

20世纪90年代以来，生活质量的研究已经成为社会经济发展的一项重要内容。例如，1990年联合国开发计划署在其发表的《人类发展报告》中，极力强调了提高生活质量对于人类发展的重要意义和研究生活质量的重要性（毛大庆，2003：21）。世界上许多经济发达的城市、地区，还有诸多的研究机构和国际会议也围绕着生活质量这一课题展开研究和讨论。另外，由于生活质量日益成为社会发展的核心指标和人类进步的标志，当前国外生活质量研究还表现出跨学科研究的特点，社会学、经济学、心理学、人口学、医学、统计学、环境科学、哲学等学科都对生活质量问题给予了充分的关注（高峰，2003）。

2. 国内关于生活质量的经验研究。

在中国，早在20世纪20年代后期，一批在美国留学的社会学者回国，如陈达、吴文藻、吴景超、李景汉、孙本章、杨开道等，他们在中国开展许多旨在了解国民生活状况的实地调查。例如，李景汉组织的北平洋车夫生活状况的调查、陶孟和组织的北平生活费用调查、陈翰笙等人组织的农村生活调查。但是上述调查偏重经验

而缺乏理论，并且没有一套反映生活质量的客观社会指标。相对而言，我国生活质量研究起步较晚，真正开始对生活质量进行科学研究的还是近20多年的事。20世纪80年代，由于国外关于生活质量的概念、理论和经验研究开始引入中国，同时由于我国实施改革开放政策后，生产力水平有了大幅度的提高和人们的生活状况得到显著改善，如何评估和提高人们的生活质量逐渐成为了社会关注的焦点，因而学术界也开始重视对社会指标和生活质量的研究。

我国的生活质量研究主要集中在社会学、人口学、经济学等领域，心理学、医学等学科也从不同的角度开展研究，愈来愈多的争论已使其成为跨学科研究的焦点。1985年和1987年，美国社会学家林南教授曾与天津社科院社会学所和上海社科院社会学所合作，分别在天津和上海进行了千户居民生活质量问卷调查，他们通过因素分析和结构模型的分析法，提出建立生活质量结构和指标的研究途径（林南等，1987、1989）。该研究所采用的方法对后来的研究具有十分重要的参考价值，对国内生活质量的研究产生了很大的推动作用。此后，一大批研究机构、课题组和个人都对生活质量问题展开了深入的调查和研究。

综合国内的文献资料，我们发现国内学者关于生活质量的研究大致可以分为四类：一是探讨生活质量的主客观方面及其社会指标体系的理论研究；二是对国内一些大城市进行生活质量调查研究；三是对全国进行综合性的生活质量研究并按照一定的指标对城市生活质量进行排名；四是有关生活质量的文献综述，这里面的雷同性较大。另外，需要指出的是，在查阅有关生活质量研究的国内文献中，一些大城市如北京、上海、天津、武汉、厦门等城市居民的生活质量，都曾有过学者或研究机构对其进行专门调查研究，但遗憾的是，我们并没有发现专门针对广东居民生活质量进行研究的文献资料（在部分全国性的生活质量研究中，有包括对广东各大城市生活质量的评价）。广东地处中国南方沿海，是改革开放的前沿阵地，经济和社会发展水平居全国前列，人们在实现物质丰裕的基础上，迫切需要提高生活的各个层面的质量。因此，对广东省居民生活质量进行深入的调查研究是一件非常有意义的事。

（二）生活质量的内涵

“生活质量”这一概念源于西方，是英文 Quality of Life（QOL）的译名，也有学者把它译为生存质量、生命质量等，它是一个多层面的复合概念，有着非常丰富的内涵。虽然被国际组织和许多国家所接受并得到广泛应用，但在有关研究生活质量的大量文献中，对生活质量概念的界定却存在很大差异。这主要是因为，生活质量既反映人们的物质生活状况，也反映社会和心理特征，是一个内容广泛的概念（赵彦云、李静萍，2000）。它不仅包括生活的物质层面，如生活水平、自然条件、基础设施建设，而且也包括健康状况、精神生活、社会环境等许多层面，不同学科、不同角度对生活质量有着不同的界定方式。另一个主要原因是，各国的社会经济发展水平各异，各研究者的研究视角和价值观选择不统一，因而便会侧重于生活质量的不同层面。可以说，到目前为止，人们对生活质量还没有形成一个公认的概念。

综合国内外学者对生活质量的研究，我们可以从生活质量的主体与客体两个方面来理解生活质量的内涵。一般来说，从生活质量的研究主体这一角度来看，即我们所说的生活质量究竟是谁的生活质量，可以把生活质量分为两个层次：一个是个体的微观层次，一个是社会的宏观层次。从生活质量的研究客体这一角度来看，即所研究的生活质量究竟是关于生活的什么内容的质量，主要有三种类型：客观的生活质量、主观的生活质量和将主、客观两方面结合起来把生活质量看作是生活等级的代名词。

1. 生活质量的主体：个体层面和社会层面。

从个体层面看，生活质量是个体对自己身心健康状况的感觉，对自己生活的满意感和对社会的反馈性行为（林南，卢汉龙，1989）。这一领域主要包括健康、自尊、目标和价值、金钱、工作、玩乐、学习、创造性、爱、朋友、家人、社区等所有个人的物质消费和精神消费。从社会层面来看，生活质量是一个关系到群体、政

府和社会的系统工程，包括了个体在其中活动的社会环境和自然环境（周长城，2001：53）。这种公共层面的领域除了空气、水、城市化、城市经济生产力、就业、价格水平、娱乐与绿色场地、犯罪率之外，还包括社会公正、社会平等、社会保障、社会整合、社会自由等等。目前，许多国际组织、政府、公共政策机构以及学者等所从事的生活质量研究，就是从宏观层面展开的。

个体层面的生活质量与社会层面的生活质量是紧密相关的。个体的生活质量在很大程度上受到社会环境的制约和影响，如城市和农村之间由于存在着很大的收入、环境、制度和基础设施的差别，其生活质量是不可同日而语的；与发达国家相比，由于发展中国家缺乏良好的社会保障制度，因而严重地制约了个体生活质量的提高。个体的生活质量的改善和提高不仅是个体奋斗的结果，而且也是政府和社会共同努力的结果。而社会层面的生活质量的整体提高又有赖于个体素质的提高，如注意公共卫生、节约能源、环境保护、社会公德等方面。

2. 生活质量的客体：主观的、客观的和综合的。

客观的生活质量是从影响人们的物质和精神的客观条件方面来理解的，它不仅包括生活的物质层面，如生活水平、自然和社会的基础设施、经济生产力、就业和价格水平以及法律和秩序等，而且还包括生活的非物质层面，如健康状态、娱乐和休闲的机会、教育、艺术文化等等。它认为生活质量是指生活条件诸方面的综合反映（周长城，2001：55）。客观的生活质量研究以北欧的“斯堪的纳维亚模式”为代表。我国的许多学者也采用这一界定方法。其主要优点在于它能客观地反映和测量，它建立在定量分析而非个人对社会的主观感受的基础之上，所以具有较高的可比性，便于进行跨地域的比较和研究。但其主要局限在于不能准确反映人们对幸福的主观感受，不能反映对人们生活质量有着重要影响的某些方面（周长城，2001：55）。主观的生活质量是从反映人们生活舒适、便利程度的主观感受方面来理解的，即个体对上述主要生活领域的感受和评价，以及他们在实际生活中的反馈（周长城，2001：

55)。这个方面的研究大多是以个人的幸福感、满意度作为研究的中心和出发点。主观的生活质量研究以美国为代表。这种观点认为，社会发展的最终目标并不是生活质量的客观方面，而是人们的主观满意感和幸福感。

有学者认为，主观论者和客观论者都着眼于从自己的角度、层面去研究生活质量，都只是对生活质量的部分探索，两者都存在一定的缺陷。界定生活质量只有从客观与主观两者的结合，才能给出较全面的操作化定义。因此，有许多学者是从生活总体上的好坏来理解生活质量的，认为生活质量是指人们的生活的好坏优劣程度，即将生活质量看作生活等级的代名词（K 苏斯耐、GA 费舍，1987)。这种定义将生活质量必要的物质条件和非物质条件与人们对生活需求的满意度结合起来，克服了单纯强调两者之一的片面性。

3. 本研究对生活质量的界定。

综上所述，生活质量是一个多维度、多层次的概念，同时也是一个不断变化、发展的概念。随着社会的发展，生活质量的内涵和外延也在不断地发生变化，界定生活质量只有把主客观两者相结合、个体层面和社会层面相结合，才能给出较全面的操作化定义。但是，需要特别指出的是，在不同的社会发展阶段和不同的制度环境下，对生活质量内容的侧重是有所不同的，对生活质量的理解和评估不能超越特定的历史文化背景和社会发展阶段。发达资本主义国家普遍侧重于从主观方面来界定生活质量，是因为其经济生产力比较发达，物质产品极为丰裕，社会保障制度更为健全，各项生活基础设施比较完善，因而更注重个体的满意感和幸福感。但是，作为发展中国家的中国在现阶段仍然处于社会主义初级阶段，生产力还不够发达，社会整体发展不均衡，社会财富还远没有达到富裕的程度，社会保障制度和基础设施还不够完善，因而我们应该更加注重从改善人们生活的客观条件方面来提高人们的生活质量。当然，这并不意味着我们对人们主观方面的生活质量的忽视，而是认为人们对生命质量的主观评价应该是建立在一定的客观的物质生活条件

的基础之上。有鉴于此，我们比较赞同陈义平、周长城等人对生活质量的界定，即认为：生活质量是建立在一定的物质条件基础之上，社会提高国民生活的充分程度和国民生活需要的满足程度，以及社会全体成员对自身及其生存环境的感受和评价（陈义平，1993、1999；周长城，2001、2003）。

二、国内外生活质量的指标体系

如同人们对生活质量的内容的看法存在差异一样，人们对测量生活质量的指标体系也没有形成一致的观点。一些研究者甚至认为不可能测算出一套总的指标体系（Johansson，2002；Erickson，1993）。原因在于人们对生活质量这一具有一般性的概念的界定不同以及测量生活质量各项指标所应占的权重的多少看法不一致（Hagerty and Land，2007）。尽管如此，为了对生活质量进行评估，许多从不同学科角度和层面提出的生活质量指标体系纷纷问世。总的来看，国外生活质量指标体系的建立基本上遵循了三种模式（吴姚东，2000；周长城、饶权，2001）。

（一）国际生活质量指标体系建立的三种模式：经济学、社会学和心理学

一是以经济学人为基础的扩展（GDP）账户模式。生活质量指标体系的研究最初发轫于经济学家对 GDP 作为福利指标的修正。这一模式从 GDP 的内核出发，对消费和资本账户作了各种各样的调整。其中比较有影响的指标体系有“经济福利测算”（NEW）（Notdhaus & Tobbin，1972）、“可持续性经济福利指数”（ISEW）（Daly & Cobb，1990）和“真实进步指标”（GPI）（Cobb，Halstead & Rowe，1995）。数据表明，经济发展水平与生活质量不成正相关性。经济指标尤其是 GDP 指标往往会掩盖一些社会生活与城

市发展中存在的问题而无法真正衡量一个生活的价值。为此，用多维度的生活质量指标体系替代单一的GDP指标来测量社会发展程度和人的生活质量，就成为科学发展观指引下引导社会发展的一个极为重要的理念。

二是以社会学人为基础的社会指标模式。西方国家在20世纪60年代和70年代曾出现“社会指标”运动，其内容包括营养、住房、教育、健康和预期寿命、环境质量、犯罪、贫困线政治自由、言论自由等内容。“社会指标”运动产生了一些较有影响的指标体系，如20世纪七八十年代的北欧“生活水平”调查报告、“物质生活质量指标”（PQ LI）（Morris，1979），“社会进步指数”（ISP）（Estes，1974）以及20世纪90年代出现的“人类发展指数”（HDI）（UNDP，1990）。社会指标的研究也发现GDP增长同生活质量之间并不确定的联系。

三是以心理学人为基础的心理模式。心理模式继承了西方学者对福利体验的主观性本质的认识，它侧重于对人们精神活动、心理活动等主观内容的考察。如1957年美国密歇根大学的古瑞（Gurin）、威若夫（Veroff）、费尔德（Feld）等人在美国首次进行的生活质量调查，主要研究美国民众的精神健康和幸福感，具有明显的心理学取向。1976年坎贝尔将生活质量定义为“生活幸福的总体感觉”，等等。这些研究的特点是倾向于开发主观指标，如认为生活质量应包括认知、情感和反馈三个层面，即满意感、幸福感和社会积极性三个方面（吴姚东，2000）。比较有代表性的主观生活质量指数有“主观性福利”（SWB）、“幸福生活预期”（HLE）（Ruut Veenhoven，1990）等等。

除了上述介绍的测量生活质量的指标体系之外，一些国际组织、国家和地区还提出了一些比较有影响的指标体系值得我们借鉴和参考，如世界银行在1998—1999年度的《世界发展报告》中，用7个指标来评估世界各国的生活质量状况（基本生活质量指数），详见表4-2：

表 4－2　　其他国际生活质量指标体系和基本内容

指标类型	指标内容
基本生活质量指数*（世界银行）	人均私人消费增长、儿童营养不良状况、5 岁以下儿童死亡率、出生时预期寿命、成人文盲率、城市人口、城市地区获得环卫设施服务的人口
生命质量测量量表*（WHOQOL）	生理领域、心理领域、独立水平领域、社会关系领域、环境领域、精神/宗教/个人信仰领域
国际生活指数（ILI）**	经济、健康、文化、基础设施、生活花费、自由、环境
亚洲开发银行**	人均 GDP、受教育年限、不同阶段入学率、成人文盲率、每位医生的服务人数
ASHA 指数（美国社会卫生组织）***	就业率、识字率、平均预期寿命、人均国民生产总值增长率、人口出生率、婴儿死亡率
人文发展指数（联合国开发计划署）***	健康水平（以出生时的人均预期寿命为指标）、教育程度（以人均受教育年限为指标）、生活水平（以人均国内生产总值为指标）
城市生活之质量评价标准（英国默瑟人力资源咨询公司）***	经济环境、教育水平、交通系统的效率、社会治安状况以及医疗和休闲娱乐设施
北欧**	教育、就业、住房条件、经济状况、交通与通讯、娱乐、健康、生活环境、社会关系、社会流动、政治参与
中国香港**	健康、教育、工作、社会关系、居住、休闲、经济状况、公共秩序、交通、医疗、就业、娱乐、社会福利
德国**	人口、社会经济地位和主观阶层认同、劳动市场和工作环境、交通、收入与收入分配、物品与服务、供给与消费、住房、公共安全与犯罪、休闲与大众传媒、健康、教育、环境、参与

续上表

指标类型	指标内容
俄罗斯*	人们生存的物质基础、政治条件与法律保护、经济条件、社会精神状态、表现个性的可能性

资料来源：*参见高峰的《生活质量与小康社会》，苏州大学出版社2003年版，第43、44、47页；**参见周长城等著的《中国生活质量：现状与评价》，社会科学文献出版社2003年版，第9页；***参见连玉明主编的《中国城市生活质量报告NO.1》，中国时代经济出版社2006年版，第27页。

（二）我国生活质量指标体系的建构

受国外“社会指标”运动的影响，我国自20世纪80年代以后也开始重视社会指标和生活质量指标研究。国内生活质量指标研究积累的资料主要来自两个方面（高峰，2003：52－53）：

一是来自社会学者对生活质量指标体系的实证研究和理论探索。比较有代表性的有林南、王玲、潘允康和袁国华就天津市调查提出的22项具体指标；林南、卢汉龙（1989）就上海市民生活调查提出的13项具体指标；卢淑华、韦鲁英（1992）在北京、西安、扬州三地调查提出的“总体生活满意度”的13项具体指标；叶南客（1992）对苏南城乡居民生活质量研究提出的22项基本指标；胡荣（1996）用5项指标对厦门市民生活质量的调查；风笑天、易松风对武汉市民的调查；周长城（2001，2003a）在对我国居民生活质量研究中提出了6大指标体系，等等。

二是对社会发展指标，特别是小康指标体系（其中含有生活质量）的研究。生活质量是小康社会的基本标尺，“小康水平”进一步的目标就是提高生活质量，因而国内在建立社会发展指标和小康指标时基本上都涉及生活质量的具体指标。如：1952—1988年社会发展指标，其中包括生活质量12个具体指标（参见殷理由，

1996：109）；按贫富区分的社会发展指标（国际标准），其中包括生活质量的具体指标9个（朱庆芳，1992）；中国大城市社会发展综合评价指标，其中包括生活质量12个具体指标；城市小康社会发展指标（1990—2000年），其中包括生活质量26个具体指标（参见殷理由，1996：311）；2000年全国小康社会指标体系，其中包括生活质量23个具体指标（朱庆芳、吴寒光，2001：39）；1991年国家统计局等部门提出了一个由16个指标组成的小康水平指标体系，其中绝大部分属于生活质量内容。

（三）对国内外生活质量指标体系的评价

国外在社会指标体系与生活质量的研究上领先一步，提出了不同模式的测量生活质量的指标体系。其中有些指标体系简洁明了、易于操作、可比性强，具有一定程度的代表性，很值得我们借鉴。但是，许多指标也已受到批评。例如，世界银行提出的“基本生活质量指数”对“生活质量”和“生活水平”的工作已经偏离到“基本需要”的方向，某种程度上只是对人们最基本需要的考察；联合国开发计划署的人类发展指数（HDI）也引来一些争议，包括选取的变量和应用范围的有限、数量的质量、收入变量处理的方法等等；也有人批评 Morris 的物质生活质量指数（PQLI），认为它所衡量的“生活质量”的范围过于狭窄，没有考虑到社会和心理上的许多因素，诸如安全感、公正、人权等等。更重要的意见是，PQLI 三项指标的加权数相同，且同时收进了预期寿命和婴儿死亡率这两项反映类似现象的指标，而且没有从理论上加以说明（高峰，2003：43）。另外，由于中国的社会发展程度跟西方发达国家之间有着很大的差距，其指标体系未必能够正确反映中国社会的现实情况，因此我们在借鉴国外生活质量指标体系时应该格外小心，在面对国外一些研究机构对中国生活质量在国际上的排名状况时也应慎重对待。

国内生活质量指标体系的研究已经取得了很大的进展，许多学者和研究机构从中国国情出发，选取一些能够较为准确测量生活质量的指标，为我们理解生活质量提供了一个很好的分析框架。但是，由于研究者选取的具体指标、权重都有很大差异，他们各自提出的一套指标和方法，得出的结论往往相差甚远，其评估结果的可信度究竟有多少，还值得探讨。另外，在主、客观指标的选取之间还存在着一定的争议，对于主观指标和客观指标之间的作用机制把握得还不是很好。卢淑华等指出，客观指标是从产生生活质量的"成因"方面来进行操作化的，是生活质量的"投入"；而主观指标是从生活质量的"结果"方面来进行操作化的，是生活质量的"产出"。两者的综合，可以给出较全面的生活质量操作化定义（卢淑华、韦鲁英，1992）。而综观国内的生活质量指标体系，把两者综合起来作出全面的可操作化的还很少。还有一点需要指出的是，在我国统计指标体系中，反映经济尤其是物质生产的指标多，而反映服务业和社会、科技、环境等方面的指标少，统计指标的设置严重滞后于统计需求。一些统计指标的缺失暴露出了统计结果的局限性，一些统计数据还存在浮夸虚报、瞒报漏报现象，导致研究结论可信度的下降。

三、广东居民生活质量指标体系的建构

（一）生活质量指标体系的建构原则

为了便于对广东居民生活质量近30年来的变迁进行科学的、客观的研究和评估，本研究将生活质量限定在生活质量的客观方面。在建构指标体系时主要遵循以下原则：

一是目标性。生活质量的研究主体分为微观层次（个体）和宏观层次（群体），因此，在选择评价指标时要根据不同的研究主体，选择不同的指标。本研究的主体是广东居民近30年来生活质量的变化，是一个宏观层次的主体，因此在选择指标时应采用能够反映一个地区群体生活质量的客观指标为主。

二是可比性。本研究的一个主要任务就是比较广东居民自改革

开放以来生活质量的变化，因此，所选取的指标性质应该是相同的且统计口径要统一，以便进行横向和纵向对比。

三是便利性。本研究所选取的指标基本上全部是从现有的各种统计年鉴中获取的。这一方面保证了统计数据的权威性和可靠性，一方面也节约了研究时间和成本。但是，对于一些对生活质量影响较大的指标，如婴儿死亡率、孕妇死亡率、犯罪率、失业率等，由于找不到历年连续数据，或计算比较复杂，不好进行历年对比，所以没能纳入生活质量指标体系。

四是敏感性。生活质量的指标构成应该随着社会经济的发展而有所变化，从而保证它们能够详实、准确地反映现实生活的变迁。例如20世纪80年代电脑、手机和家庭轿车等一些耐用消费品在当时还并不多见，而现在已经渐渐成为生活必需品，并对提高生活质量产生很大的影响。

需要说明的是，本研究主要选取以反映客观生活质量指标为主，并不是完全忽略主观的生活质量指标的作用。这不仅是由于客观指标便于进行纵向比较，主要还是考虑到我国的国情。我国还处在社会主义初级阶段，广东作为改革开放的前沿，虽然在经济和社会各方面都取得了很大的发展，但与发达国家相比，仍有很大的差距，客观的物质环境对人们生活质量的影响非常大。正如卢淑华等强调的："特别是对于发展中国家，绝不可忽视客观指标和物质基础在生活质量中所发挥的重要作用，这是我们和发达国家在研究生活质量时所要注意的区别"（卢淑华、韦鲁英，1992）。

（二）生活质量指标体系的结构框架

根据以上分析，我们认为，广东居民生活质量指标体系主要包括六个层面的内容：经济发展、社会保障、教育文化、生命健康、生活环境和交通通讯。每一个层面分别包含着不同的指标分类，在每一个指标分类中，分别用几个核心指标来测量，总共27项。具体内容请见下表：

表4－3　生活质量综合评价指标体系

	主要层面（一级指标）	指标分类	核心指标（二级指标）
生活质量	经济发展	收入状况	人均GDP，城镇居民人均可支配收入，农村居民人均纯收入
		消费结构	城镇居民恩格尔系数，农村居民恩格尔系数
	社会保障	养老保险	基本养老保险覆盖率
		失业保险	失业保险覆盖率
		医疗保险	医疗保险覆盖率
	教育文化	教育事业	在校率，教育事业费占财政支出的比例
		文化休闲	每百人公共图书馆藏书量，地区拥有的剧场、影剧院个数
	生命健康	医疗卫生	每万人拥有医生数，每万人拥有医院床位数，卫生经费占财政支出的比例
		健康水平	平均预期寿命
	生活环境	居住质量	城市人均住宅建筑面积，农村人均住房面积，用水普及率，用气普及率
		生态环境	人均公共绿地面积
	交通通讯	交通状况	人均拥有道路面积，每万人拥有公共汽车电车数，城镇居民平均每百户家用汽车拥有量
		通讯状况	电话普及率，每万人拥有移动电话用户数，每万人接入因特网用户数

在经济发展层面，主要包括收入状况和消费结构两类。收入是衡量生活质量水平的最为重要的前提。本研究选用人均国内生产总值（GDP）、城镇居民人均可支配收入和农村居民人均纯收入来作为这一方面的核心指标。人均GDP是一个衡量宏观经济状况的综合指标，具有很强的综合性和便于比较的特点，可以反映全国和各地区经济发展的实力，城镇居民人均可支配收入和农村居民人均纯收入也是考量家庭购买能力的重要方面。在消费结构方面，本研究用恩格尔系数作为核心指标。恩格尔系数是国际上通用的衡量居民生活水平高低的一项重要指标，它是食品支出总额占个人消费支出总额的比重，一般随居民家庭收入和生活水平的提高而下降。

在社会保障层面，本研究从基本养老保险、失业保险和医疗保险三个方面来衡量。社会保障是社会成员生活质量稳定提高的重要保证，也是保持社会稳定、实现社会公平的重要机制。本研究选用基本养老保险覆盖率、失业保险覆盖率和医疗保险覆盖率作为三个核心的指标，它们也是反映社会保障体系完备程度和政府部门投入状况的重要指标。

在教育文化层面，本研究用四个核心指标来衡量，其中反映教育事业发展状况的有在校率和教育事业费占财政支出的比例（数据计算方法见下面叙述）两个指标，反映人们文化休闲状况的指标是每百人公共图书馆藏书量和地区拥有的剧场、影剧院个数。教育是提高生活质量的重要手段，在校率和教育事业费占财政支出的比例是反映一个社会在教育方面提供资源的多寡的重要指标，文化休闲方面的指标是政府部门为居民提供各种社会文化资源及设施状况的重要反映，也是人们生活质量高低的重要因素。

在生命健康层面，本研究用每万人拥有医生数、每万人拥有医院床位数、卫生经费占财政支出的比例和平均预期寿命四个核心指标来反映一个地区的生命健康状况。按照世界卫生组织确定的标准，平均预期寿命是衡量一个国家人民生命健康状况的三大指标之一。这个层面的指标既反映社会经济的进步状况和医疗服务水平，也反映人们生活质量的改善状况。随着人们对生命健康的关注程度越来越高，这方面的内容对生活质量的影响将越来越重要。

在生活环境层面，包括居住质量和生态环境两个系统，前者以城市人均住宅建筑面积、农村人均住房面积、用水普及率、用气普及率四个指标来衡量人们这一层面的生活质量，居住质量是衡量一个国家或地区居民生活水平和质量的重要方面，随着社会的发展，改善居住质量将是人们提升生活质量的最大诉求；后者以人均公共绿地面积来衡量，随着工业化和城市化进程的加快，人们也越来越关心自己身边的生态环境了，生态环境的优劣也成为影响人们生活质量的重要因素。

在交通通讯层面，由交通状况和通讯状况两方面构成。人均拥有道路面积、每万人拥有公共汽车电车数、城镇居民平均每百户家用汽车拥有量是衡量交通状况的核心指标，尤其是近年来随着人们经济收入的不断提高，家庭轿车开始大量进入普通家庭，成为人们出行代步的工具和人们生活质量的重要反映。互联网和移动电话成为城市生活中越来越必不可少的通讯工具，电话普及率、每万人拥有移动电话用户数、每万人接入因特网用户数这三个指标反映的就是通讯方面的生活质量。

以上就是生活质量指标体系的六个层面的主要内容，各个层面及指标的历年变化与构造方法将在下面进行详细的解释。这里有必要指出的是，各个指标之间的时间跨度是不一致的，也无法完全取得一致，如人均GDP、收入、恩格尔系数、住房等指标，可以追溯到1978年或更早些时候的数据，而失业保险、医疗保险、移动电话、互联网、家庭汽车等指标却是近年来出现的，因而只有近期的数据。但这并不影响我们对改革开放以来广东居民生活质量的比较分析。一方面，我们从一些主要指标中纵向比较广东居民生活质量历年的变化情况；另一方面，我们在一些主要指标中将广东省的数据与全国综合数据进行横向的比较分析。这样一来，更能较为全面地反映广东近30年来生活质量的变迁。

四、广东居民生活质量六大层面评析

（一）经济发展

人均GDP（人均国内生产总值）反映的是一定区域内的经济发展水平，是国内生产总值除以年中人口数，它评价的是一个地区的富裕程度。广东作为全国改革开放的前沿阵地，经济发展水平是十分令人瞩目的。1978年，广东的人均GDP是370元，与全国同期水平差不多。从20世纪90年代开始，广东省的人均GDP开始迅猛发展，到1996年，已经达到9139元，超过了1000美元。按照国际经验，人均GDP跨入1000美元的门槛，将是一个重要的发

展起点。到2000年，广东省的人均GDP是12736元，是改革开放之初的30多倍。2000年到2005年，广东省的人均GDP几乎又翻了一倍。2006年的数据显示，广东省的人均GDP已经接近3万元，如果从数字上看，则是1978年的76倍多。

与全国比较来看，广东省的人均GDP一直居全国前列。从20世纪90年代中期开始，广东省的人均GDP以将近全国两倍的速度增长，2003全国人均GDP刚刚超过1000美元，而广东省已经超过了2000美元。2006年，广东省的人均GDP也几乎是全国的两倍，这些数据充分说明了广东经济发展的潜力。具体增长情况参见下图：

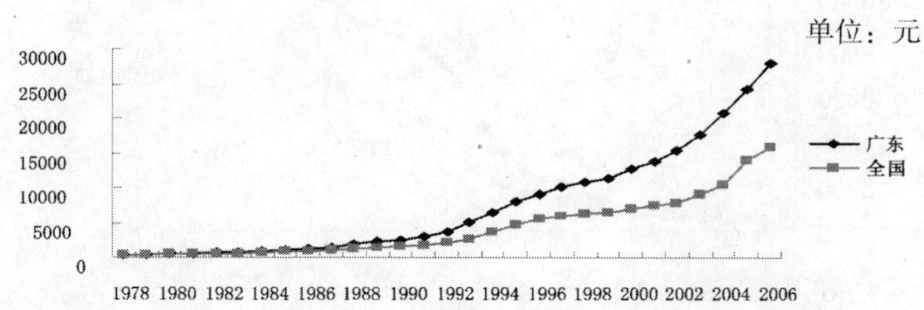

图4－1　广东省与全国的人均GDP比较（1978—2006年）

数据来源：《广东统计年鉴2006》、《中国统计年鉴2006》、《中国统计摘要2007》。

城镇居民人均可支配收入和农村居民人均纯收入是衡量居民生活质量水平的重要因素，也是考量家庭购买能力的重要方面。城镇居民人均可支配收入是指居民家庭全部收入中可用于消费和储蓄的收入，是按家庭全部人口计算的平均每人在支付个人所得税之后，所余下的全部实际现金收入。农民人均纯收入是指农民全年总收入扣除相对应的各项费用性支出后，最终归农民所有的收入。从历年的数据中我们可以看到，不管是城镇居民还是农村居民，自改革开放以来，人均可支配收入和纯收入都有非常大的提高。1978年，广东城镇居民人均可支配收入和农村居民人均纯收入分别是412.13元和193.25元，而到1990年，分别是2303.15元和1043.03元。2000年这一数据分别是9761.57元和3654.48元，

2005年又分别上升到14769.94元和4690.49元，从1978年到2005年，城镇居民人均可支配收入和农村居民人均纯收入分别增长了36倍和24倍。与全国比较中，从历年的数据看，广东省城镇居民人均可支配收入和农村居民人均纯收入都要高出全国很多，从20世纪90年代以来，都保持在1.5倍左右。这表明，广东居民在改革开放的浪潮中获得了较多的实惠，人们的收入都得到了较快速度的增长。

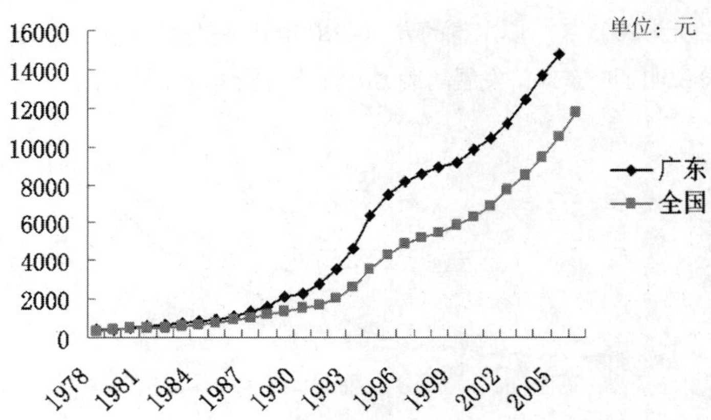

图4-2　广东和全国城镇居民人均可支配收入（1978—2005年）

数据来源：《广东统计年鉴2006》、《中国统计摘要2007》。

注：图中广东省城镇居民人均可支配收入的数据为1978—2005年间。

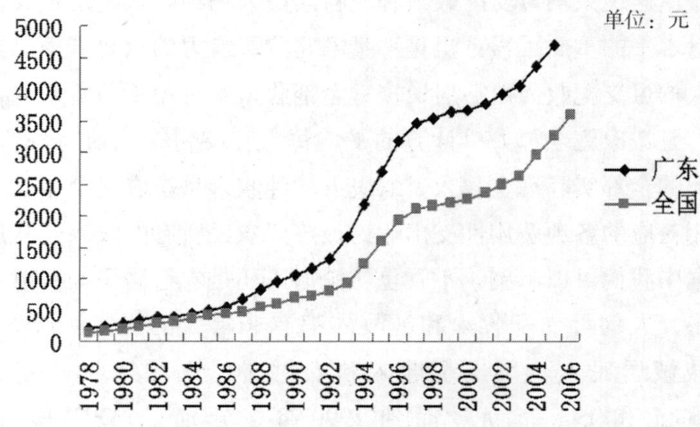

图4-3　广东和全国农村居民人均纯收入（1978—2006年）

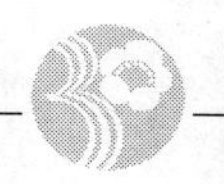

数据来源：《广东统计年鉴2006》、《中国统计摘要2007》。

注：图中广东省农村居民人均纯收入的数据为1978—2005年间。

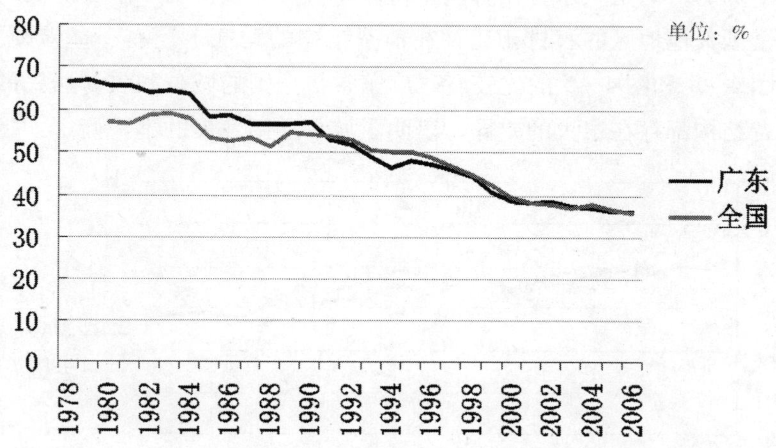

图4－4　广东和全国城镇居民恩格尔系数（1978—2006年）

数据来源：《广东统计年鉴2006》、《中国统计摘要2007》。

注：全国城镇居民恩格尔系数缺1979年数据。

恩格尔系数是居民家庭的食物支出占收入的比例。恩格尔系数越低，意味着人们用在食物上的支出比例越少，人们可以把收入中的更大比例用于其他的消费项目上，人们的生活也就越富裕。根据联合国粮农组织提出的标准，恩格尔系数在59%以上为贫困，50%～59%为温饱，40%～50%为小康，30%～40%为富裕，低于30%为最富裕。由图4－4可见，从1997年到2006年，广东省城镇家庭的恩格尔系数与全国平均水平基本持平。1997年广东省城镇家庭的恩格尔系数为46%，全国为46.4%，根据联合国粮农组织提出的标准，处于小康水平；到了2006年，广东省城镇家庭的恩格尔系数为36.2%，全国为35.8%，处于富裕水平。根据图4－5，2002年时广东省农村家庭的恩格尔系数为47.6%，全国农村家庭的恩格尔系数为46.2%，两者相差不多，都处于小康水平。到了2006年，广东省农村家庭的恩格尔系数为48.6%，稍有上升；全

国农村家庭的恩格尔系数为 43.0%，有所下降。两者仍处于小康水平。从图的曲线可以看出，总的来说全国农村家庭的恩格尔系数是下降的，但是广东省在有些年份却略有回升，说明广东省的农村和全国其他地区的农村相比，在消费结构的均衡上还有一些差距。从图 4－4 和图 4－5 的比较看，广东省与全国的城镇和农村居民的消费结构都存在很大的差异，表明了城乡之间发展的不平衡。

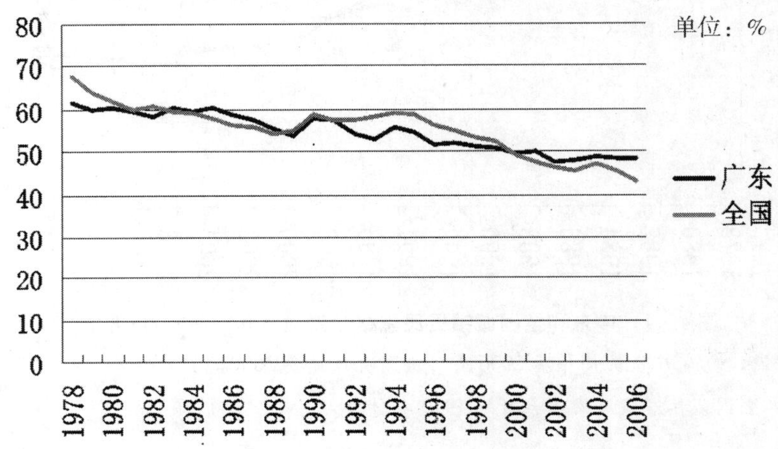

图 4－5　广东和全国农村居民恩格尔系数（1978—2006 年）

资料来源：《广东统计年鉴 2006》、《中国统计摘要 2007》。

（二）社会保障

社会保障水平的提高是一个国家或地区生活质量提高的重要保证。在我国，近年来基本养老保险、失业保险和医疗保险等方面都取得了较大的发展。当然，与发达国家或地区相比，我国的社会保障水平还是有很大的差距，原因是多方面的，其中一方面是我们人口基数庞大，难以完全覆盖，另一方面是跟我国社会保障的历史起点较低有关。广东省的社会保障水平自 20 世纪 90 年代以来已取得了可喜的成绩。我们用覆盖率来考察一个社会究竟有多少人从社会保障机构中得到了切实的保障。社会保障覆盖率越广，表明社会保障水平越高。

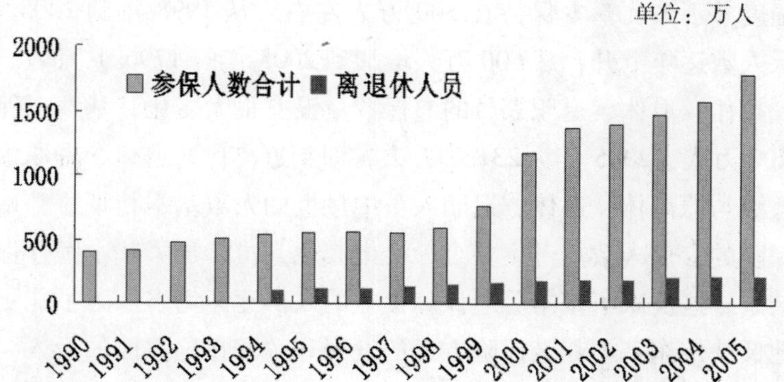

图 4－6　广东基本养老保险参保人数统计（1990—2005 年）

资料来源：《新中国 55 年统计汇编 1949—2004》、《中国劳动和社会保障年鉴 1999》、《中国劳动和社会保障年鉴 2006》、《中国劳动统计年鉴 2006》。

注：离退休人员是 1994—2005 年的数据。

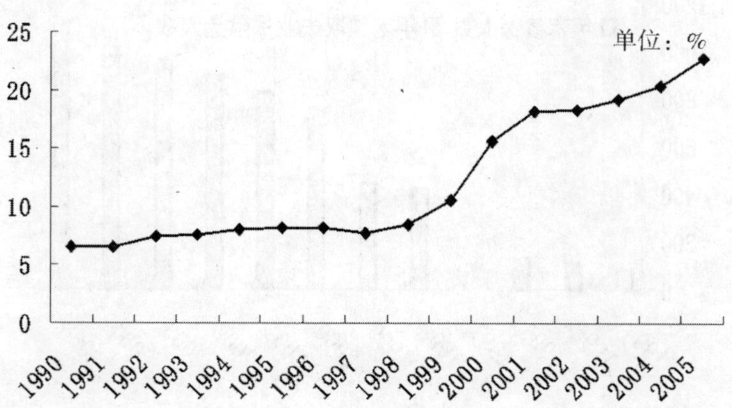

图 4－7　广东基本养老保险覆盖率（1990—2005 年）

资料来源：《新中国 55 年统计汇编 1949—2004》、《中国劳动和社会保障年鉴 1999》、《中国劳动和社会保障年鉴 2006》、《中国劳动统计年鉴 2006》。

注：图 4－6 中离退休人员是 1994—2005 年的数据。

在基本养老保险的参保人数方面，1990年至1997年之间的增长幅度并不大，基本保持在500万人左右。从1998年到2005年，参保人数逐年上升，从600万人增加到2005年的1796.1万人。其中，离休、退休、退职人员的参保数量没有很大变化，基本上保持在200万人，2005年为231.2万人，即新近离休、退休、退职人员的人数与原离休、退休、退职人员中过世的人数基本相抵，基本养老保险的参保人数上升主要是社会中其他人员参加了基本医疗保险的结果，这反映了基本养老保障覆盖的人群逐渐增多。为了能更客观地反映广东基本养老保险方面的发展和政府在这方面的投入，本研究采用了基本养老保险覆盖率这一指标，其计算方法是各年年末总人口除以基本养老参保人数。1990年至2005年，基本养老覆盖率从6.5%上升到22.7%，2000年至2005年之间的上升幅度最快。详见图4-7：

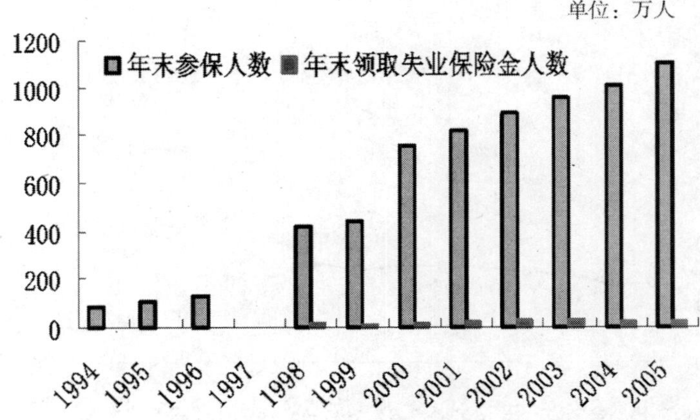

图4-8　广东失业保险参保人数统计（1994—2005年）

资料来源：《新中国55年统计汇编1949—2004》、《中国劳动统计年鉴2005》、《中国劳动统计年鉴2006》。

注：1997年末参保人数缺；图中年末领取失业保险金人数是1998—2005年的数据。

在失业保险的参保人数方面，从1994年到2005年，参保人数也是逐年上升，从89万人增加到1099.1万人。其中，年末领取失业保险金的人数很少，基本上是20万人的水平，2005年为20.4万人。在大量人参保，相对少量人领取保险金的情况下，失业保险金的统筹安排将相对容易。在这里，我们同样是用失业保险覆盖率来衡量广东省在这方面的投入和发展，失业保险覆盖率的值为年参保人数与总人口的比例。从图4－9中可以看出，广东省近年来失业保险覆盖的范围越来越广泛，覆盖率从1994的1.33%上升到2005年的13.9%。其中2000年的增幅最大。

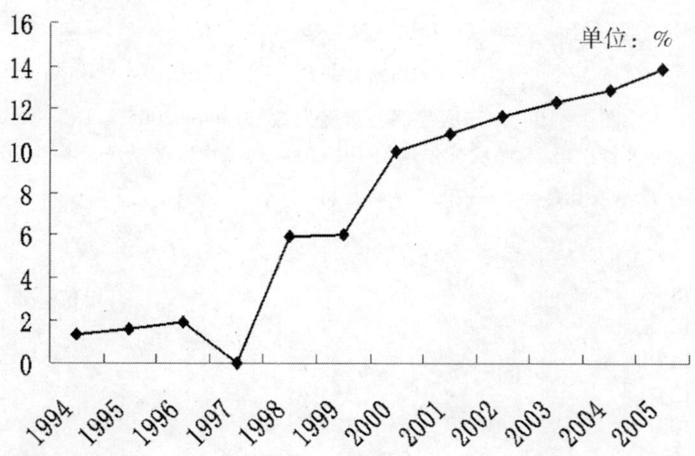

图4－9　广东失业保险覆盖率（1994—2005年）

资料来源：《新中国55年统计汇编1949—2004》、《中国劳动统计年鉴2005》、《中国劳动统计年鉴2006》。

在医疗保险方面，1994年广东省基本医疗保险的参保人数为23万人，从图4－10看，1994年至1998年的增长幅度并不明显。2000年至2005年，广东省的基本医疗保险参保人数的增长规模较为突出，2000年为350.3万人，其中退休人员为41.6万人；2005年基本医疗保险参保人数提高到1235.3万人，其中退休人员占180.3万人。无论是参保人数还是退休人员的参保人数都提高了大约3倍，这些数据充分表明了广东省在医疗保险方面取得的显著成绩。医疗保险覆盖率表示年末参保人数与年末总人口的比例。

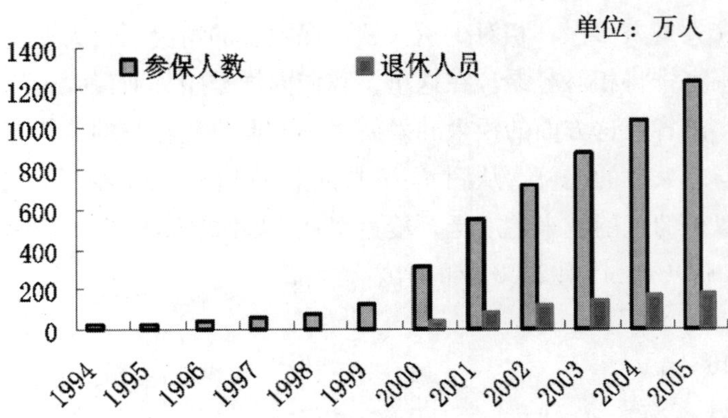

图4-10 广东医疗保险参保人数（1994—2005年）

资料来源：《新中国55年统计汇编1949—2004》、《中国劳动统计年鉴2006》。

注：图中退休人员是2000—2005年的数据。

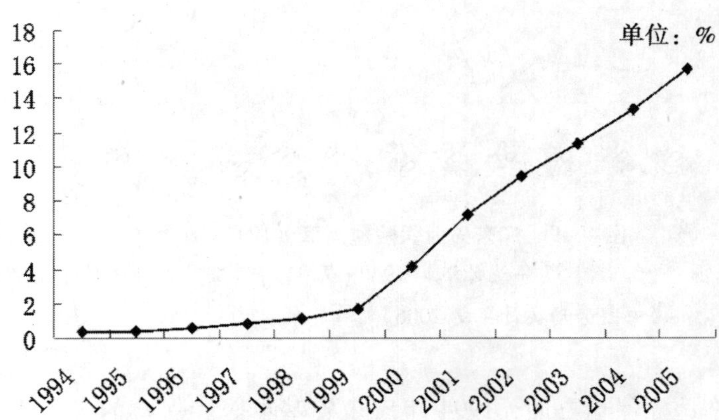

图4-11 广东医疗保险覆盖率（1994—2005年）

资料来源：《新中国55年统计汇编1949—2004》、《中国劳动统计年鉴2006》。

（三）教育文化

生活质量水平不仅与经济发展水平有关，而且与人口的文化教育水平紧密相关。作为改革开放的排头兵，广东省在经济建设方面取得了可喜的成绩，同时在教育文化方面也不甘落后。文化大省建设，是广东在新时期为增强持续发展动力和竞争力的重大抉择。这些年，广东实现了教育的惊人一跃：高等教育入学率达24%（《广东科学发展辞典2002—2007》，2007），2004年广东省各级各类学校在校学生数达到1796.82万人，其中高等学校在校生数为72.69万人、中等职业教育学校在校生数为65.54万人、中等学校技工学校在校生数为28.11万人、普通中学在校生数为580.86万人、小学在校生数为1049.62万人，2005年各级各类学校在校学生数达到1837.21万人，主要年份的在校生总数详见图4－12。我们在反映广东省教育事业的发展状况时，使用了在校生率和教育事业费占

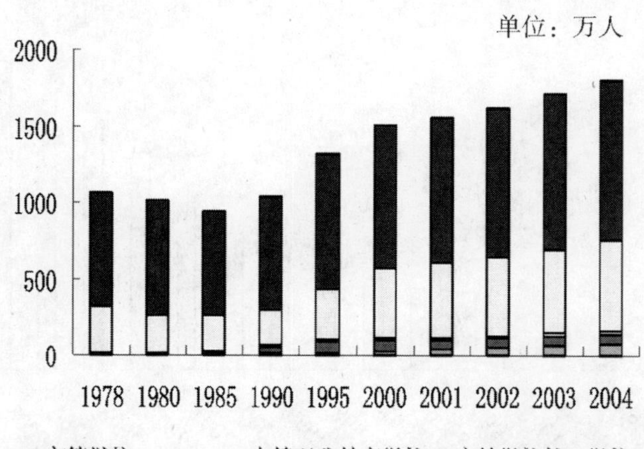

图4－12　广东省主要年份各级各类学校在校学生数

资料来源：《广州统计年鉴2002》、《广州统计年鉴2005》、《广州统计年鉴2006》、《广东统计年鉴1997》、《广东统计年鉴2005》。

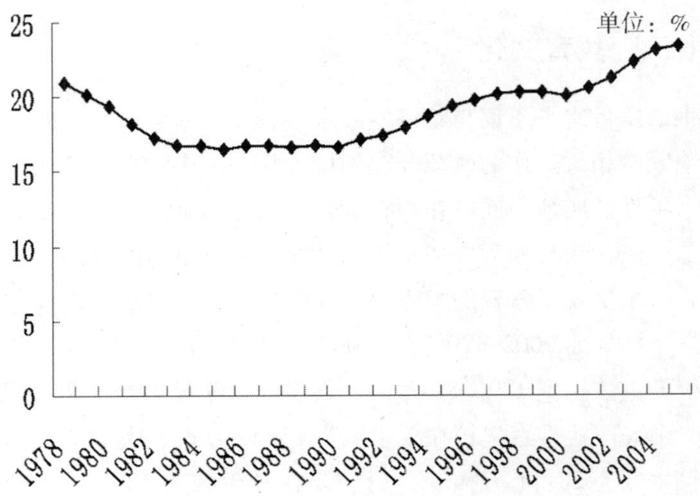

图4－13　广东历年在校生率（1978—2005年）

资料来源：《广州统计年鉴2002》、《广州统计年鉴2005》、《广州统计年鉴2006》、《广东统计年鉴1997》、《广东统计年鉴2005》。

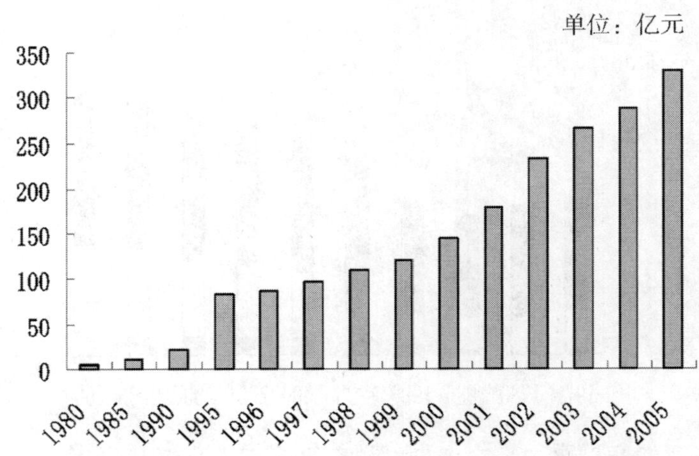

图4－14　广东省历年教育事业费支出（1980—2005年）

资料来源：《中国教育经费统计年鉴1997》、《中国教育经费统计年鉴1998》、《中国教育经费统计年鉴1999》、《中国教育经费统计年鉴2000》、《广东统计年鉴1997》、《广东统计年鉴2006》、《广东农村统计年鉴2004》。

财政支出的比例等几个指标，在校生率是一个综合性的指标，是每年各级各类的在校生的综合反映，体现的是接受教育的人口占总体人口的比例，计算方法为当年各级各类学校在校生总数除以年末总人口数。从图 4－13 中我们可以看到，自 20 世纪 90 年代中期以来，广东省的在校生率一直呈上升趋势，尤其是近几年，随着教育规模的扩大，广东省的在校生率每年以一个百分点的速度递增。

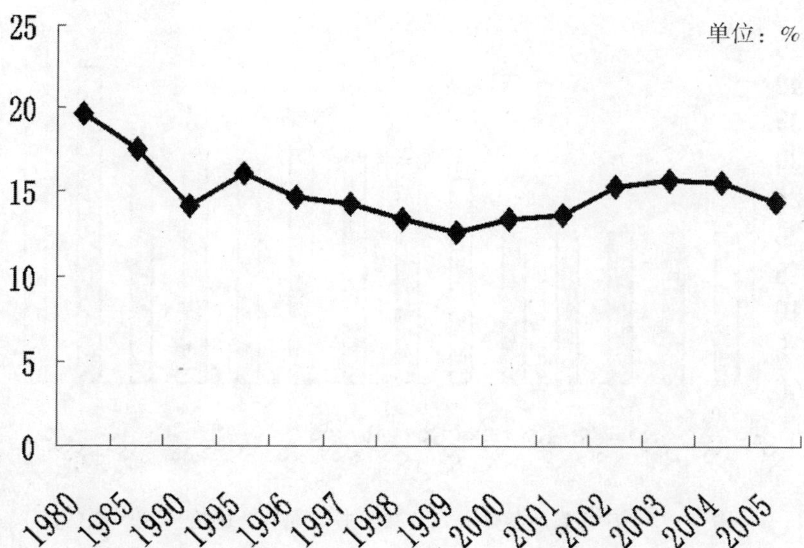

图 4－15　广东省教育事业费占财政支出的比例（1980—2005 年）

资料来源：《中国教育经费统计年鉴 1997》、《中国教育经费统计年鉴 1998》、《中国教育经费统计年鉴 1999》、《中国教育经费统计年鉴 2000》、《广东统计年鉴 1997》、《广东统计年鉴 2006》、《广东农村统计年鉴 2004》。

教育事业费占财政支出的比例是反映政府对教育投入状况的重要指标。从历年的数据来看，广东省的教育事业费支出逐年增加，并且近年来增加的幅度也更大（见图 4－14）。1996 年，广东省的教育事业费仅为88.5亿元，2005年增加至约329.21亿元，增加了将近3倍。广东省教育事业费占财政支出的比例在20世纪80年代呈下降趋势，原因之一可能在于财政支出越来越大，而教育事业费支出却保持不变。20世纪90年代至今，广东省教育事业费占财政支出的比例一直维持在大约14%的水平，2005年为14.4%，见图4－15。

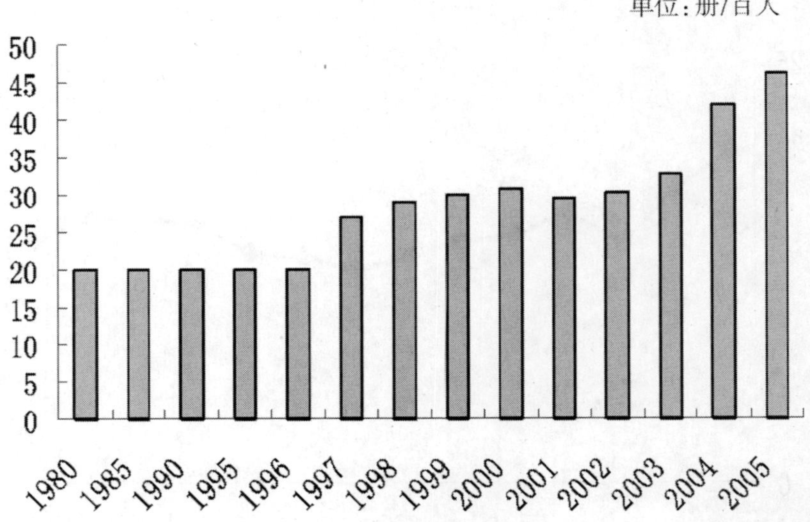

图4－16　广东省历年每百人公共图书馆藏书（1996—2005年）

资料来源：《中国图书馆年鉴2005》、《中国文化文物统计年鉴2000》、《中国文化文物统计年鉴2002》、《中国文化文物统计年鉴2004》、《中国城市统计年鉴2006》、《中国城市统计年鉴2002》、《中国城市统计年鉴2000》、《中国城市统计年鉴1998》、《中国城市统计年鉴1997》。

在文化休闲方面，我们用的是每百人公共图书馆藏书量和剧场、影剧院个数这两个指标来衡量。图书是人类的精神食粮，一个地区每百人公共图书馆藏书量是人们文化生活高低的重要指标，从历年的数据中看，1996年广东省每百人平均公共图书馆藏数量为

20 册，此后逐年增加，2000 年为 31 册，2005 年达 46 册（见图 4－16），这是政府对教育文化投入不断增加的显著结果，也反映了人们越来越重视文化生活，是人们生活质量水平提高的一个重要体现。但是，人们业余文化生活的另外一个重要的场所——剧场、影剧院的数量却在逐年下降，这不能不引起政府部门的重视。因为剧场、影剧院作为公共的文化空间，对于营造一个良好的文化氛围和提升人们的文化修养、促进文化交流将起到十分重要的作用。1997 年，广东省剧场、影剧院为 934 个，2000 年降到 794 个，到 2005 年只剩下 550 个，详见图 4－17。当然，其中的原因并不排除居民家用 VCD、DVD 等电器的广泛使用而减少了公共剧场、影剧院的社会需求量，以及在城市规划中由于商业因素的刺激而对公共文化休闲场所的排挤。

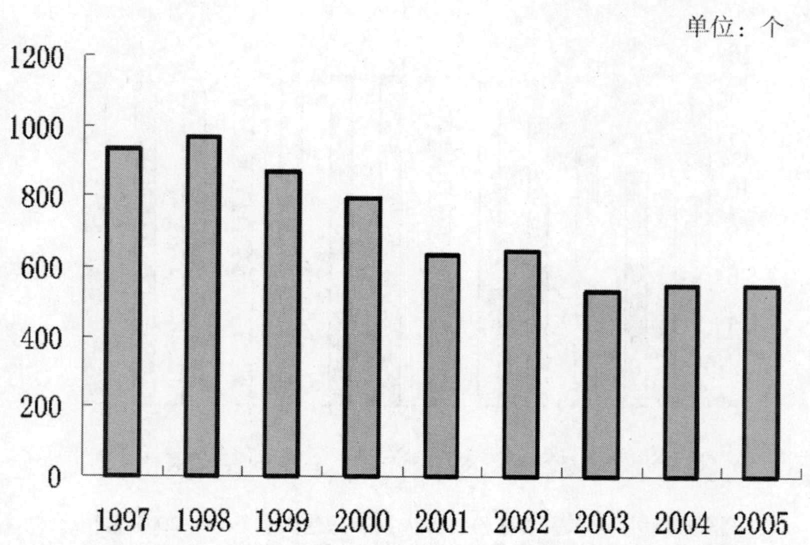

图 4－17　广东省历年剧场、影剧院数（1996—2005 年）

资料来源：《中国图书馆年鉴 2005》、《中国文化文物统计年鉴 2000》、《中国文化文物统计年鉴 2002》、《中国文化文物统计年鉴 2004》、《中国城市统计年鉴 2006》、《中国城市统计年鉴 2002》、《中国城市统计年鉴 2000》、《中国城市统计年鉴 1998》、《中国城市统计年鉴 1997》。

（四）生命健康

生命健康状况是生活质量的集中体现。随着居民生活水平的提高，健康已经成为一个日益受到关注的话题。财富已经不足以成为衡量一个人或一个城市生活质量的标准，生命健康处在一个较高的水平上才能获得良好的生活状态，因健康问题带来的不仅是生理与精神方面的障碍，还有可能造成间接的影响，比如失业和经济困难等等（连玉明，2006：18）。在这个层面，我们用了4个核心指标来衡量居民的生活质量：每万人拥有医生数、每万人拥有医院床位数、卫生经费占财政支出的比例和平均预期寿命，前3个反映的是医疗卫生资源状况，最后一个是居民健康水平的最直接体现。

单位：位/万人

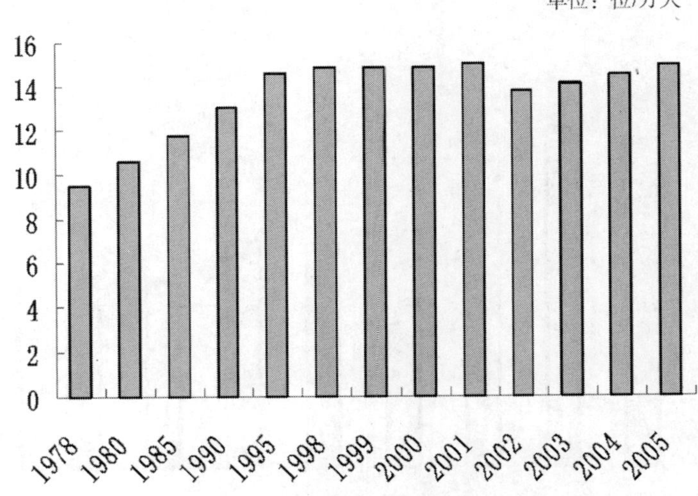

图4－18　广东主要年份每万人拥有医生数（1978—2005年）

资料来源：《广州统计年鉴2006》、《广州统计年鉴2005》、《广州年鉴2004》、《广州统计年鉴2003》、《广东农村统计年鉴2000》。

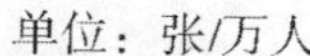

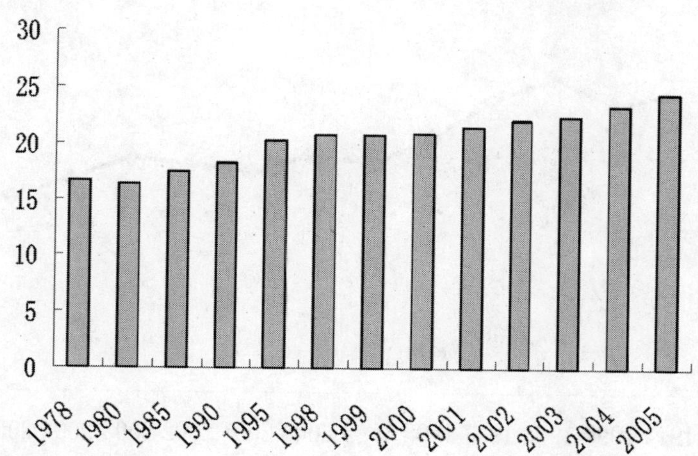

图 4－19　广东主要年份每万人拥有医院床位数（1978—2005 年）

数据来源：《广州统计年鉴 2006》、《广州统计年鉴 2005》、《广州年鉴 2004》、《广州统计年鉴 2003》、《广东农村统计年鉴 2000》。

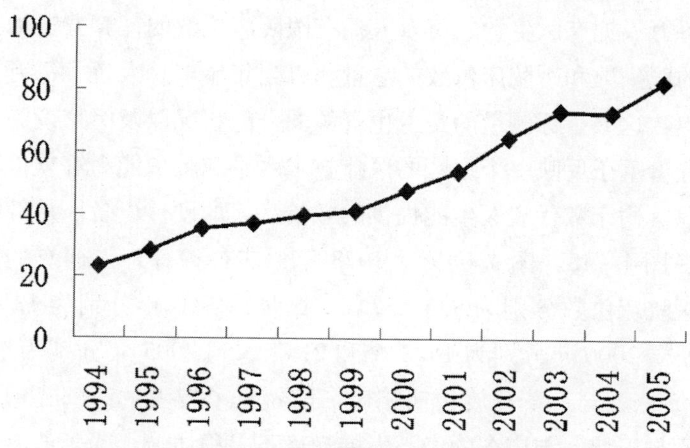

图 4－20　广东省卫生经费支出（1994—2005 年）

资料来源：《广东统计年鉴 1998》、《中国统计摘要 1998》、《广东统计年鉴 2001》、《广东统计年鉴 2005》、《广东统计年鉴 2006》、《中国发展报告 1999》、《中国黄金海岸年鉴 2000》。

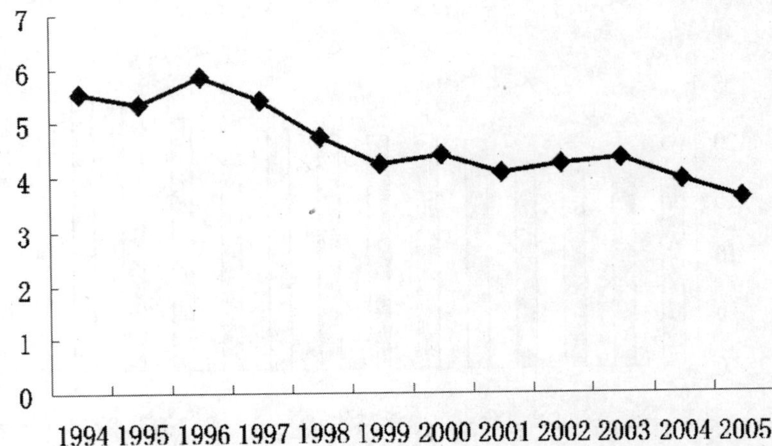

图4－21　广东省卫生经费占财政支出的比例（1994—2005年）

资料来源：《广东统计年鉴1998》、《中国统计摘要1998》、《广东统计年鉴2001》、《广东统计年鉴2005》、《广东统计年鉴2006》、《中国发展报告1999》、《中国黄金海岸年鉴2000》。

每万人拥有医生数、每万人拥有医院床位数的计算方法为当年拥有的医生数和医院床位数的总量除以当年年末总人口。每万人拥有医生数这一指标测量的是卫生资源的分配状况以及医疗设施的水平，并着重于反映一个地区的医疗技术水平和救护能力等软件环境的状况。病床数代表医生能提供的救治病人的硬件设备。从数据中得知（图4－18、图4－19），1978年，广东省每万人拥有的医生数和医院床位数分别为9.5个和16.6张，1990年分别为13个和18.3张，2000年分别为14.8个和21张，到2005年分别为15个和24.5张，与改革开放初期相比，虽然有了较大的改善，但增长速度不是很快，与广东的经济发展速度不是很协调。为了改善居民的医疗水平，使人们的生命健康得到进一步的保障，政府部门在这一方面还是大有可为的。

卫生经费是指政府对医疗卫生事业的投入，包括卫生事业费、

中医事业费、计划生育事业费、药品监督管理费、医学科研经费等等。在这一方面，从图4－20可以看出，广东省的卫生经费逐年上升，1994年为23.15亿元，2000年翻了一倍多，为47.64亿元，2003年至2005年，又从73.54亿元提高到了82.36亿元。但是，从卫生经费占财政支出的比例看，却呈下降趋势，20世纪90年代末期下降得比较快，2000年至2003年比较平稳，但只保持在4%左右，2003年到2005年，卫生经费占财政支出的比例从4.3%下降到3.6%（见图4－22）。这表明，广东省在卫生经费方面的投入总量虽然逐年上升，但与其他方面的政府财政投入的总量相比，却有明显的差距。

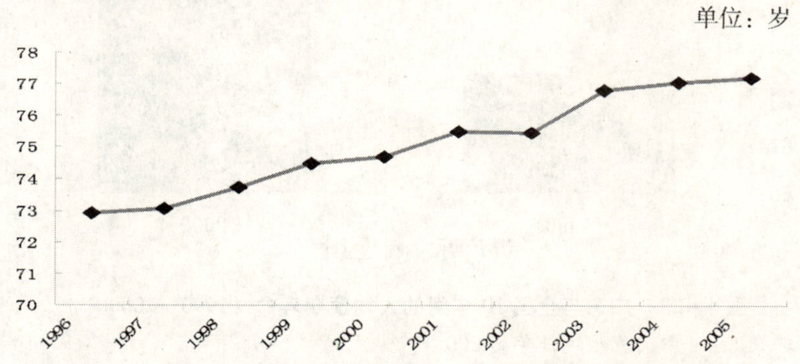

图4－22 广州市居民的平均预期寿命（1996—2005年）

资料来源：《广州统计年鉴2001》、《广州统计年鉴2006》、《中国卫生统计年鉴2005》。

平均预期寿命是死亡水平的综合反映，也是人口健康的重要标志，这是一个综合性较强的指标，既能反映社会、经济的进步状况和医疗水平的发展状况，也是一个反映人们的营养状况的改善和生活质量的提高以及社会生活的安定的敏感指标（连玉明，2006：101）。广东省以广州市为例（见图4－22，注：因无法找到广东省居民历年人均预期寿命，故以广东省的省会城市广州市的数据来代替本指标），人均预期寿命有了明显提高，从1996年的72.92岁提高到2005年的77.21岁，10年间提高了4.29岁，进步是显著的。早在2000年，广州市的人均预期寿命74.69岁就高于全国平均的71.4岁，反映了广东省居民的健康水平较高。1990年至2000年，广东省的人均预期寿命从72.52岁提高到73.27岁，远远高于同期全国的人均预期寿命由68.55岁到71.4岁（见图4－22）。

单位：岁

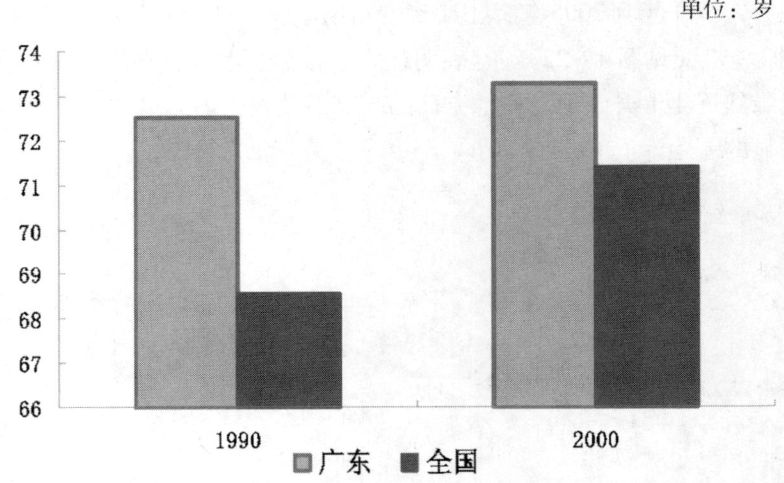

图4－23　广东与全国10年间的人均预期寿命（1990—2000年）
资料来源：《中国卫生统计年鉴2005》。

另外，婴儿死亡率也是衡量健康水平和社会卫生状况的一个重要指标，它是指某地某年未满周岁的婴儿死亡人数与同年活产数的比值。广东省1981年的婴儿死亡率为19.4‰，1990年为15.9‰，而同期全国的婴儿死亡率分别为37.7‰和27.3‰，表明广东省的医疗卫生水平高于全国的平均水平，参见图4－24。由于统计年鉴中只找到有1981年和1990年份的婴儿死亡率数据，不便于计算生活质量综合指数，故没有纳入我们的指标体系中。

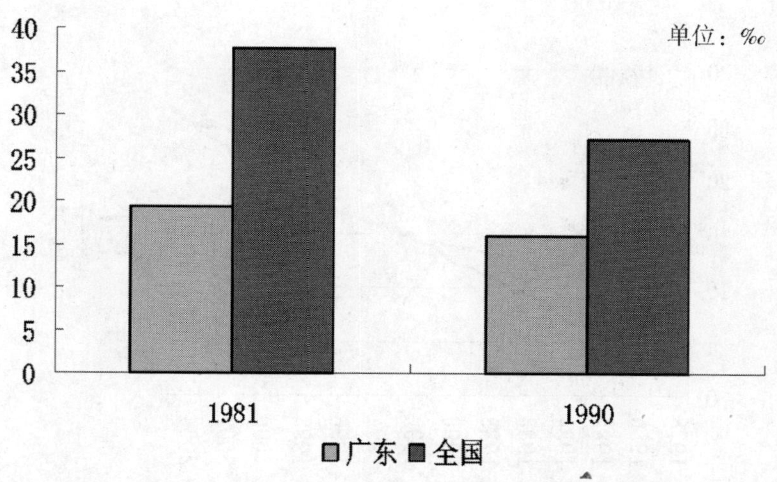

图 4－24　广东省与全国的婴儿死亡率（1981—1990 年）

资料来源：《中国卫生统计年鉴 2005》。

（五）生活环境

生活环境将极大地影响人们的生活质量，它包括居住环境和生态环境等方面。住房是人们的安身立命之所，居住质量的高低是生活质量高低的一个重要反映，人们辛辛苦苦奋斗了几十年就是为了得到一套属于自己的住宅，甚至甘愿一辈子当“房奴”，也要为自己找到一片理想的栖身之地。本研究用来反映居住质量的核心指标是城市人均住宅建筑面积、农村人均住房面积、用水普及率和用气普及率。

图 4－25 和图 4－26 数据显示，广东省城市人均住宅建筑面积和农村人均住房面积呈历年递增趋势，基本上与全国同期水平保持一致。1978 年，广东省城市人均住宅建筑面积和农村人均住房面积分别为 5. 47 平方米和 8. 73 平方米，1990 年分别为 12. 13 平方米和 17. 39 平方米，是改革开放之初的两倍多。2000 年至 2005 年，广东省农村人均住房面积有点回落，整体略低于全国水平。2005 年，广东省城市人均住宅建筑面积和农村人均住房面积又分别增至

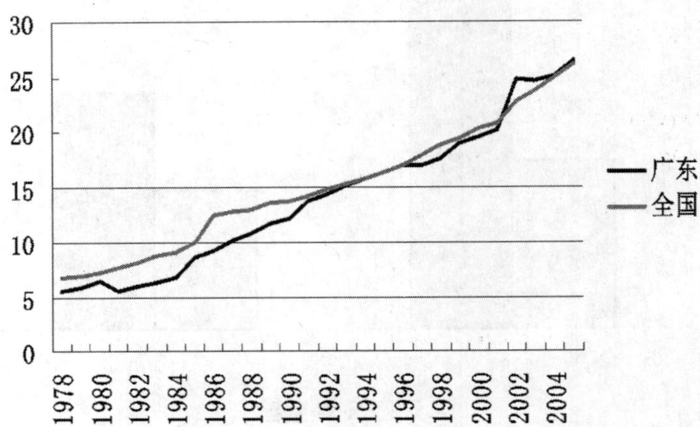

图4-25　广东与全国城市人均住宅建筑面积（1978—2005年）

资料来源：《中国统计摘要2007》、《新中国55年统计汇编1949—2004》、《中国经济贸易年鉴2006》。

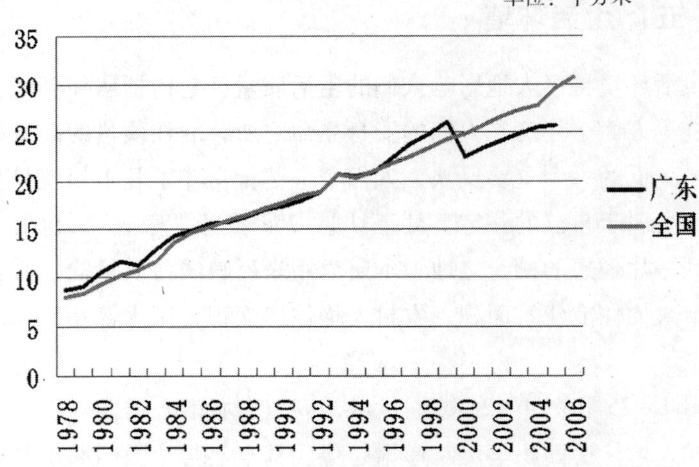

图4-26　广东与全国农村人均住房面积（1978—2006年）

资料来源：《中国统计摘要2007》、《新中国55年统计汇编1949—2004》、《中国经济贸易年鉴2006》。

26.5平方米和25.7平方米，与1978年相比，分别提高了五倍和三

倍之多，反映了人们的居住面积不断增加和生活水平的改善。城市与农村相比，在2005年之前，农村的人均住房面积都要略高于城市人均住宅建筑面积，原因可能在于农村的土地使用面积更广，而城市的有限空间和拥挤的人口以及高昂的住房成本都限制了城市人均住宅建筑面积的扩张。2005年，城市人均住宅建筑面积首次超过农村人均住房面积，这与广东省近年来房地产开发市场的火爆增长有关。

居住质量的提高不光是住房面积的增加，还包括居住条件的改善，即配套设施的日臻完善，生活更加快捷方便。因此，用水普及率和用气普及率两个指标其实就是住房配套设施的反映，也是一个地区现代化程度的重要体现。从图4－27中可知，在20世纪90年代后半期，广东省的城市用水普及率和全国保持一致，都维持在96%左右。2001年之后两者都有所下降，但广东的城市用水普及率比全国平均要高出7个百分点左右。在城市燃气普及率方面，从1996年至今，广东省都要高出全国的好几个百分点，2005年，广东省的城市燃气普及率为95.42%，而全国仅为82.08%。从这两组数据的比较中我们可以看到，作为沿海开放地区的广东，要比全国平均水平的现代化程度更高，人们的生活在一些配套设施上享有更大的便利性。

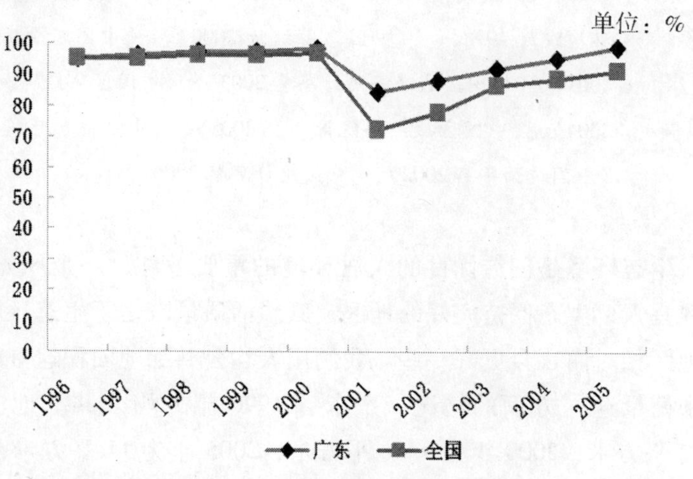

图4－27　广东和全国的城市用水普及率（1996—2005年）

资料来源：《西部大开发指南统计》、《中国城市建设统计年报2002》、《中国环境统计1998》、《中国环境统计2000》、《中国黄金海岸年鉴2001》、《中国区域经济统计年鉴2003》、《中国区域经济统计年鉴2004》、《中国区域经济统计年鉴2005》、《中国统计年鉴1997》、《中国统计年鉴2002》、《中国统计年鉴2006》。

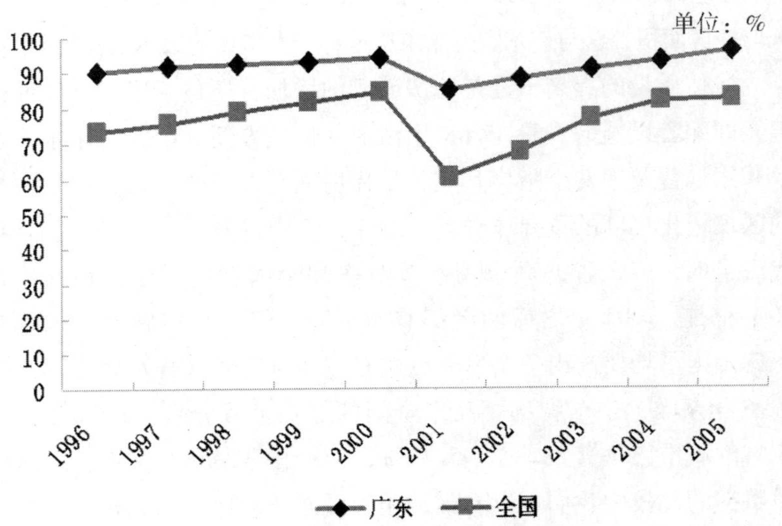

图4－28　广东和全国的城市燃气普及率（1996—2005年）

资料来源：《西部大开发指南统计》、《中国城市建设统计年报2002》、《中国环境统计1998》、《中国环境统计2000》、《中国黄金海岸年鉴2001》、《中国区域经济统计年鉴2003》、《中国区域经济统计年鉴2004》、《中国区域经济统计年鉴2005》、《中国统计年鉴1997》、《中国统计年鉴2002》、《中国统计年鉴2006》。

生态环境是创造优良的人居环境的重要条件，一个风光秀丽、气候宜人、生态保持完好的地区，其生活质量较之于生态环境恶劣的地区相对而言会更好一些。我们用人均公共绿地面积这一核心指标来衡量这一方面的情况。广东省1996年人均公共绿地面积为8.22平方米，2000年为9.86平方米，2005年为11平方米，10年之间有起有落，但总体呈增加趋势。与全国平均水平相比，广东的

人均公共绿地面积在1996年至2005年之间都比全国的平均高出4平方米左右，参见图4－29。数据表明，广东省的城市绿化建设走在全国前列，政府部门为创建良好的宜居环境投入了较大的努力，使人均公共绿地面积有所增加，人居生态环境不断得到改善。

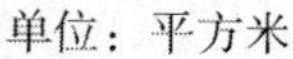

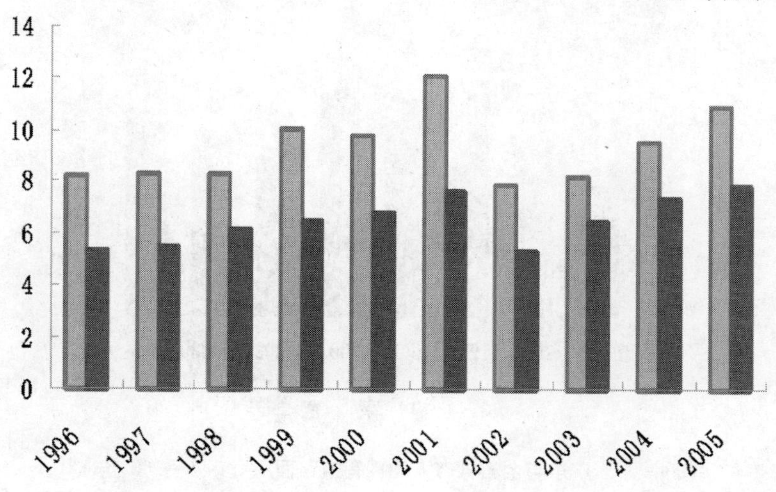

图4－29　广东与全国城市人均公共绿地面积（1996—2005年）

资料来源：《西部大开发指南统计》、《中国城市建设统计年报2002》、《中国环境统计1998》、《中国环境统计2000》、《中国黄金海岸年鉴2001》、《中国区域经济统计年鉴2003》、《中国区域经济统计年鉴2004》、《中国区域经济统计年鉴2005》、《中国统计年鉴1997》、《中国统计年鉴2002》、《中国统计年鉴2006》。

（六）交通通讯

在交通方面，我们用人均拥有道路面积、每万人拥有公共汽电车数和城镇居民平均每百户家用汽车拥有量这3个核心指标来衡量。第一个指标反映的是城市交通管理和道路建设水平，第二个指标反映的是政府部门为解决居民出行而在公共交通方面所做的努力，这直接影响到居民的出行便利程度，第三个指标已成为衡量城镇居民生活质量的一个十分重要的反映。

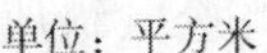
单位：平方米

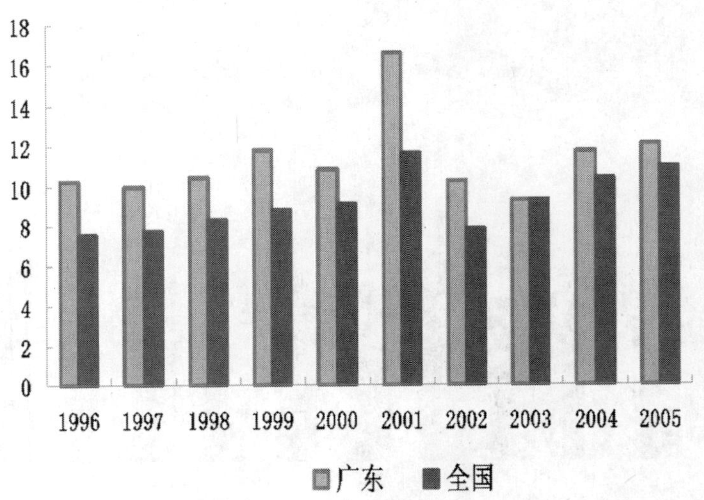

图4－30　广东与全国城市人均拥有道路面积（1996—2005年）

资料来源：《西部大开发指南统计》、《中国城市建设统计年报2002》、《中国环境统计1998》、《中国环境统计2000》、《中国黄金海岸年鉴2001》、《中国区域经济统计年鉴2003》、《中国区域经济统计年鉴2004》、《中国区域经济统计年鉴2005》、《中国统计年鉴1997》、《中国统计年鉴2002》、《中国统计年鉴2006》。

当前，中国城市经济的快速发展以及机动车保有量的激增，使交通基础设施的供给能力与需求之间的矛盾更加突出。人均拥有道路面积是衡量城市道路建设总体水平的指标，反映道路交通管理的基础条件（连玉明，2006：93）。从历年数据中得知，广东省1996年城镇人均拥有道路面积为10.2平方米，2001年为16.6平方米，创历史新高，2005年为12.04平方米，总体上有所增加。与全国相比较，广东省历年的人均拥有道路面积都要高出全国约2平方米

左右，参见图 4 - 30。

发展公共汽车电车是政府切实落实公共交通优先政策、调整城市交通结构、解决城市交通拥挤和交通环境的根本措施。每万人拥有公共汽电车数这一指标是用来考量城市公共交通发展水平和交通结构状况，判断城市交通发展战略是否明确、公共交通优先政策和措施是否落实。图 4 - 31 很清楚地告诉我们广东省和全国历年来公共交通的发展状况，1996 年，广东省每万人拥有公共汽电车数为 6.13 标台，2000 年为 8.37 标台，1999 年至 2005 年一直呈下降趋势，2005 年为 6.45 标台。与全国相比，从 1996 年至 2005 年，广东省的公共汽电车数都要低于全国平均水平，差距是比较明显的。可见，在公共交通方面，广东省还有诸多地方需要改善。当然，其中有一个原因是，广东省尤其是广州和深圳，近年来大力发展地下轨道交通，分流了一部分地面公共交通的需求量。但总的来说，从这几年的情况看，广东省一些大城市的公共交通仍然有待提高。

单位：标台

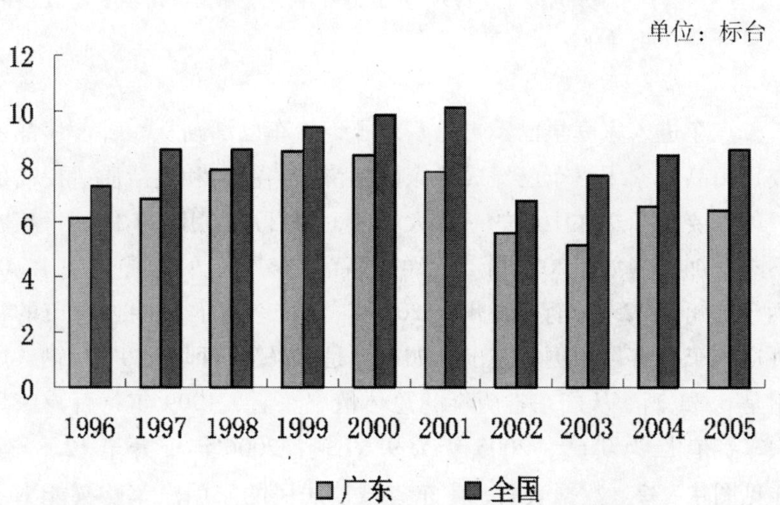

图 4 - 31　广东和全国城镇每万人拥有公共汽电车数（1996—2005 年）

资料来源：《中国区域经济统计年鉴 2005》、《中国区域经济统计年鉴 2006》、《广东统计年鉴》（1999 年至 2006 年）、《中国统计年鉴》（1999—2005 年）。

单位：辆

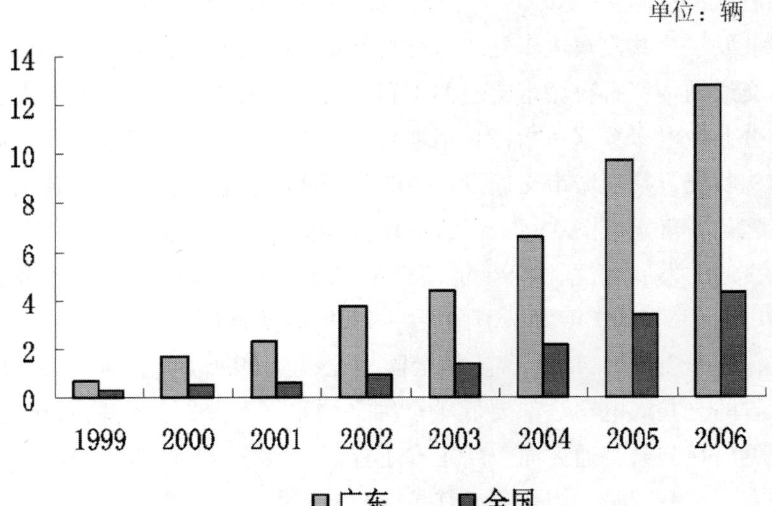

图4－32　广东和全国城镇居民平均每百户家用汽车拥有量（1999—2005年）

资料来源：《中国区域经济统计年鉴2005》、《中国区域经济统计年鉴2006》、《广东统计年鉴》（1999年至2006年）、《中国统计年鉴》（1999—2005年）。

汽车进入家庭早已不再是梦想了，汽车已渐渐从一种奢侈品变成日用品。家用汽车已经成为家庭经济购买能力和生活质量提高的一项重要指标。在中国的一些大城市，每百户家用汽车保有量正在不断增加，例如，2005年北京的每百户家用汽车拥有量是14.06辆，杭州为12.83辆，温州为20辆。而广东省的一些大城市的每百户汽车拥有量则更为突出，如东莞是42辆，深圳是17.9辆，广州是6.33辆。从广东省历年的总体情况来看，1999年每百户家用汽车拥有量为0.69，2005年为9.69辆，2006年上升至12.8辆，详见图4－32。数据表明，广东省城镇居民的家用汽车购买能力不断攀升，且总体增长水平远远高于全国平均水平。

在通讯状况方面，电话、手机和互联网已经成为人们日常生活中不可或缺的通讯手段了，我们用三个核心指标来衡量：电话普及率、每万人拥有移动电话用户数、每万人接入因特网用户数。曾经

“楼上楼下、电灯电话”就被认为是生活现代化的标志，如今，随着科学技术的发展，日新月异的电子通讯设备进一步拉近了人们之间的距离，使人们之间的交流越来越方便。例如，广东省电话在1978年的普及率仅为每百人0.34部，在20世纪八九十年代并没有得到多大的发展，而新世纪伊始，电话普及率开始猛增，2004年已突破每人一部，到达每百人105.86部。从图4－33可知，广东省的电话普及率也远在全国平均水平之上，全国2006年电话普及率才达每百人63.39部，相当于广东2002年左右的水平。

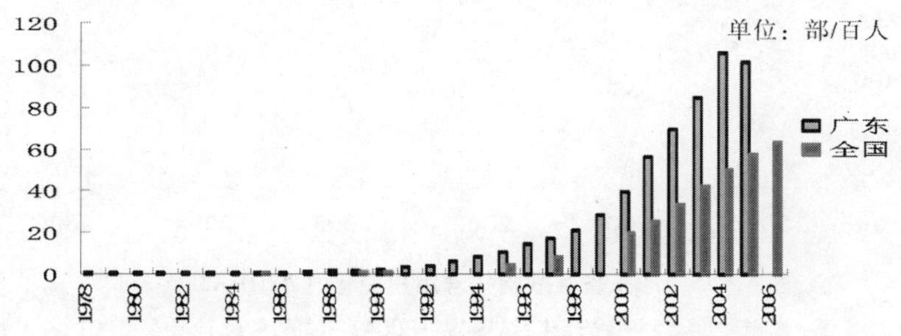

图4－33　广东和全国电话普及率变化（1978—2006年）

资料来源：《新中国55年统计汇编1949—2004》、《广东统计年鉴2003》、《中国统计年鉴2006》、《中国统计摘要2007》。

注：图中全国电话普及率的数据不全。

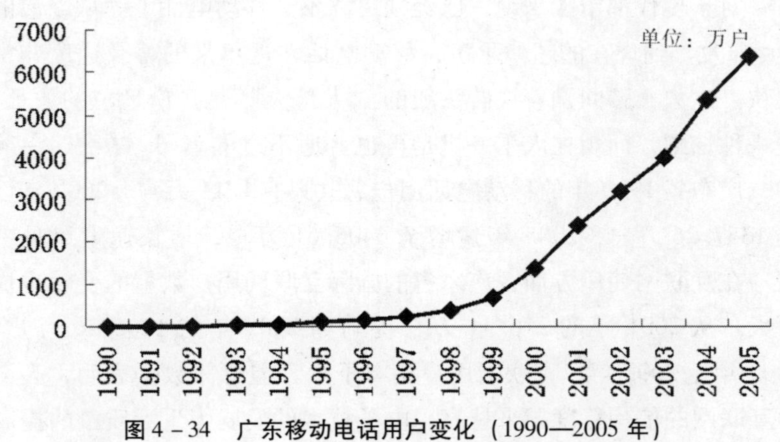

图4－34　广东移动电话用户变化（1990—2005年）

资料来源：《新中国55年统计汇编1949—2004》、《广东统计年鉴2001》、《广东统计年鉴2003》、《广东统计年鉴2004》、《广东统计年鉴2006》、《中国统计年鉴2004》、《中国统计年鉴2005》、《中国统计年鉴2006》。

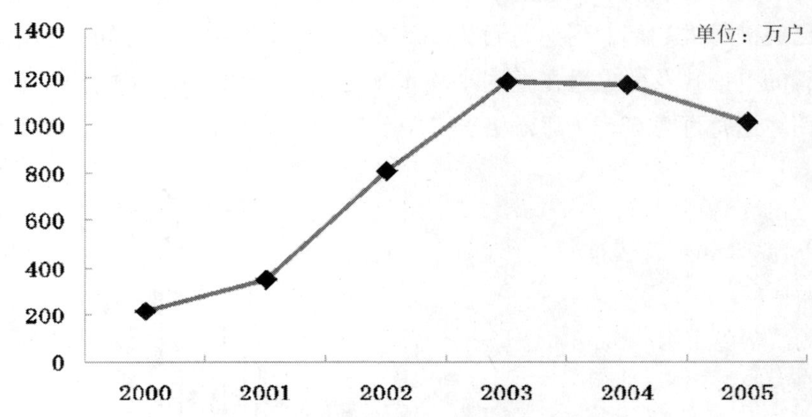

图4－35　广东省互联网拨号用户变化（2001—2005年）

资料来源：《新中国55年统计汇编1949—2004》、《广东统计年鉴2001》、《广东统计年鉴2003》、《广东统计年鉴2004》、《广东统计年鉴2006》、《中国统计年鉴2004》、《中国统计年鉴2005》、《中国统计年鉴2006》。

对于现代都市人来说，已经须臾离不开移动电话了。从以前的“大哥大”到现在的超薄手机，移动电话在近年来的普及速度非常之快。过去，腰间别着块砖头般的“大哥大”是身份地位的象征，是一种炫耀，而现在人手一机是再也普通不过的事了。在图4－34中，广东省1990年的移动电话用户总共只有1.11万户，2000年已达1357.26万户，2005年猛增至6406.61万户，增长速度可见一斑。在互联网使用方面，广东省的国际互联网用户数量的变化也比较大。从2001年的216.41万户提高到2005年的1006.36万户。2003年至2005年，互联网用户稍有下降。但总体数据表明，人们对互联网的依赖程度越来越高。电子技术的发展为生活质量的提高

作出了重大的贡献，这不仅体现在互联网总体用户的不断增加上，更体现在互联网使人们的生活更为便利快捷，可获取的信息量越来越大，对于旅游、购物、休闲和学习等等方面起到了很大的促进作用。

五、广东居民生活质量综合评价

（一）生活质量综合指数的计算

对生活质量进行综合评价，必须对各个指标进行标准化，计算综合指数，然后方能按照统一标准进行综合比较和评价。生活质量各个指标的性质是不同的，简单相加在一起是没有意义的，标准化的目的就是对指标进行无量纲化，统一计算单位。我们采用极值法，将各个指标的原始值标准化为 0～1 之间，这样就便于进行数据的综合和比较了。在计算生活质量综合指数前必须先确定各个指标的权重，即各个指标在指标体系中所占据的轻重程度。目前有 3 种构造指标权重的方法，即客观构权法、主观构权法、主观与客观相结合的构权法。客观构权法主要包括相关系数构权法、多元线性回归法、因素分析法和主成分分析法。主观构权法主要是指由研究者或专家根据自己的主观判断来分配权重（周长城，2003：21）。为了便于比较，本研究采用的是等权重法，属于主观构权法。这是因为，从人的全面发展的角度出发，不应该区分指标的重要程度，而应该将生活的各个方面同等对待，况且我们无法断定指标孰优孰劣，因而最好是使用等权重的方法来衡量，即把生活质量的六个方面看作是同等重要的，这在国内外也有很多先例（参见周长城，2003：22，如：PQLI、HDI、ISP 等）。

在确定各指标的权重之后，就可以计算生活质量综合指数了。计算方法如下：将收集到的历年的原始数据进行标准化，公式为：

$$Z = (X - MinX) / (MaxX - MinX)$$

式中 X 为原始数值，MaxX 为同一指标数据中的最大值，MinX 为同一指标数据中的最小值。从核心指标（二级指标）开始，将指标的标准化值平均，就得到主要层面指标（一级指标）的标准化值，最后计算出一级指标的六个标准化值的平均值，就得到生活质量的综合指数了。有了综合指数后，就可以对历年生活质量进行综合评价了。

我们以 2000 年的经济发展层面为例，来计算一下经济发展的综合指数。首先以上述公式对 2000 年人均 GDP、城镇居民可支配收入、农村居民人均纯收入、城镇居民恩格尔系数和农村居民恩格尔系数进行标准化，结果分别为：0.4463、0.6512、0.7696、0.0837、0.75。那么，2000 年经济发展层面的综合指数就是（0.4463 + 0.6512 + 0.7696 + 0.0837 + 0.75）/5 = 0.5402。同理可得其他几个层面的综合指数，最后把这几个层面的综合指数加和平均，就算出 2000 年生活质量的综合指数了，2000 年的为 0.4564。

（二）广东居民生活质量综合指数与评价

在生活质量指标体系中，通过各年各类统计年鉴，有许多指标的数据我们可以查到 1978—2005 年间，但是，由于各种原因，仍然有些数据无法收集到完整的历年数据。有的是因为制度上原因，比如，在社会保障层面，由于我国的基本养老保险、失业保险和医疗保险等本身的不完善，因此很难找到完全的历年数据；有的是因为经济社会发展水平的原因，比如，在 20 世纪 90 年代中期以前，很少家庭能够拥有私人轿车，在 1999 年以前的统计年鉴中，几乎找不到每百户家用汽车保有量的数据。再如互联网和移动电话，它们是科技发展的产物，是在 20 世纪 90 年代中后期才逐渐普及开来的，在此之前，社会上很少出现这些东西，更不用说能在统计年鉴找到相关数据了；有的是因为统计年鉴本身的问题，例如平均预期寿命这一指标，统计年鉴上一般只有间隔 10 年左右的数据（1981 年、1990 年、2000 年），而没有历年连续数据；还有一个原因是由于受到研究条件的限制，没能把所有的指标数据都收集到手。

由于上述原因，我们在根据上述计算方法对广东省居民历年的生活质量综合指数进行计算的时候，无法算出 1978—2005 年之间

所有年份的综合指数。当然，这并不意味着我们无法对生活质量的历年发展水平进行比较。在本章上一部分，对生活质量各个层面的评析中，我们已经得知，反映广东省居民生活质量各个具体方面的指标内容在过去的30年中大多得到了较好的改善。经济发展层面是影响生活质量的最重要的因素之一，在本研究中，这方面的数据是收集得最完整的一部分。从图4－36中，我们可以看到，经济发展综合指数在1978年至2005年之间一直呈稳步发展趋势，这是广东省近30年来生活水平显著提高的最有力的证明。

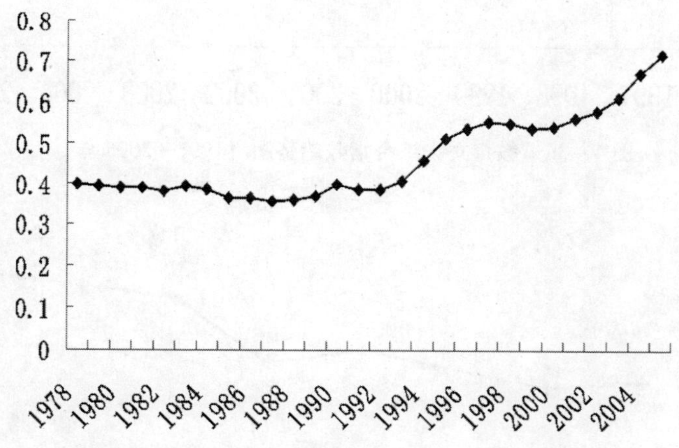

图4－36　经济发展综合指数趋势图（1978—2005年）

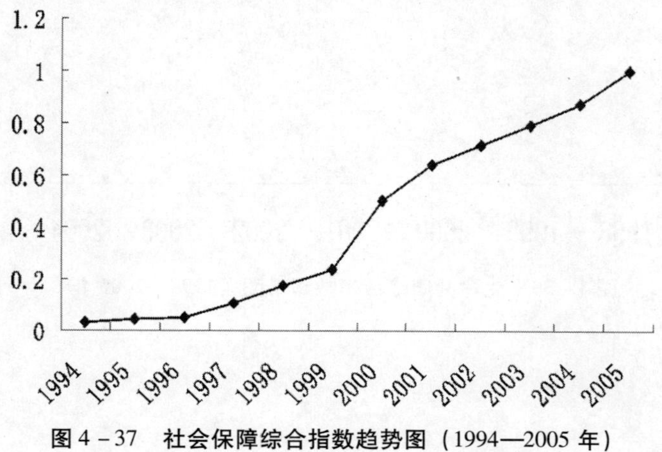

图4－37　社会保障综合指数趋势图（1994—2005年）

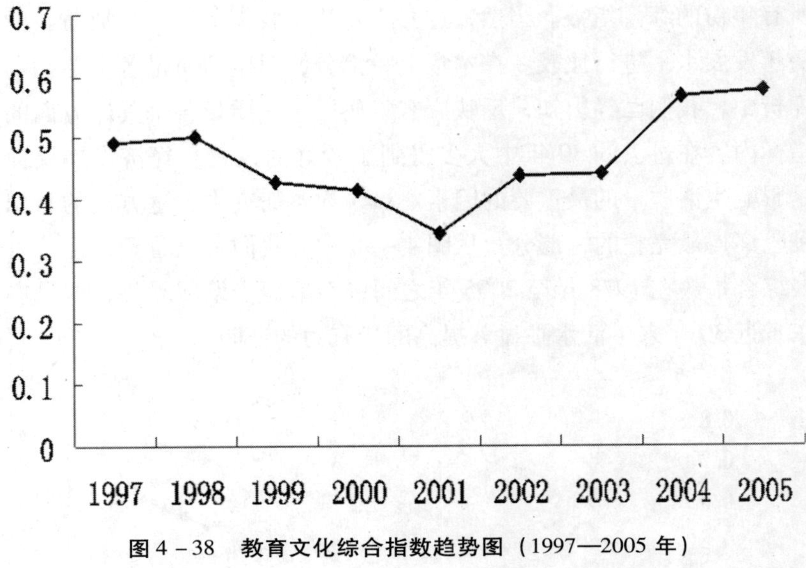

图 4－38　教育文化综合指数趋势图（1997—2005 年）

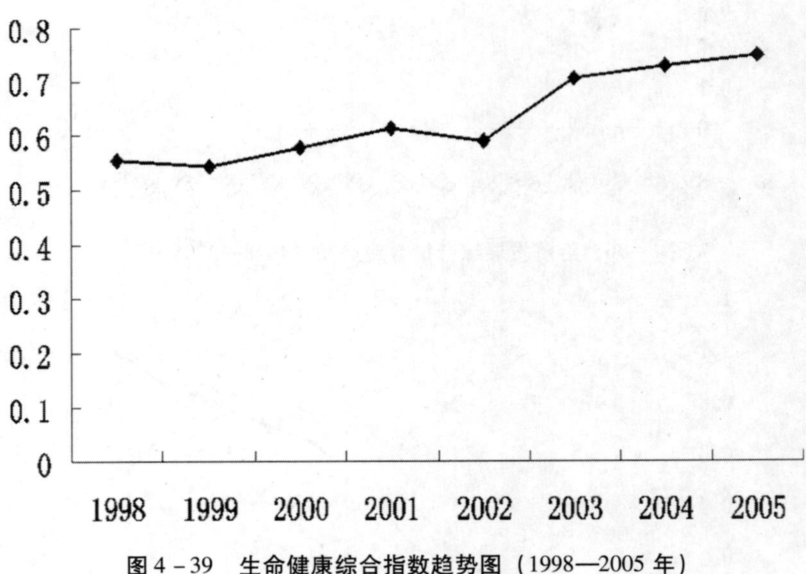

图 4－39　生命健康综合指数趋势图（1998—2005 年）

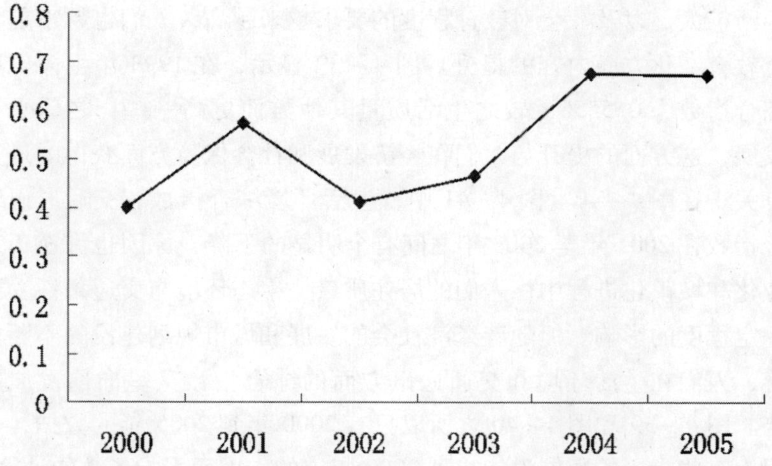

0.8
0.7
0.6
0.5
0.4
0.3
0.2
0.1
0
2000　2001　2002　2003　2004　2005

图 4－40　生活环境综合指数趋势图（2000—2005 年）

0.8
0.7
0.6
0.5
0.4
0.3
0.2
0.1
0
2000　2001　2002　2003　2004　2005

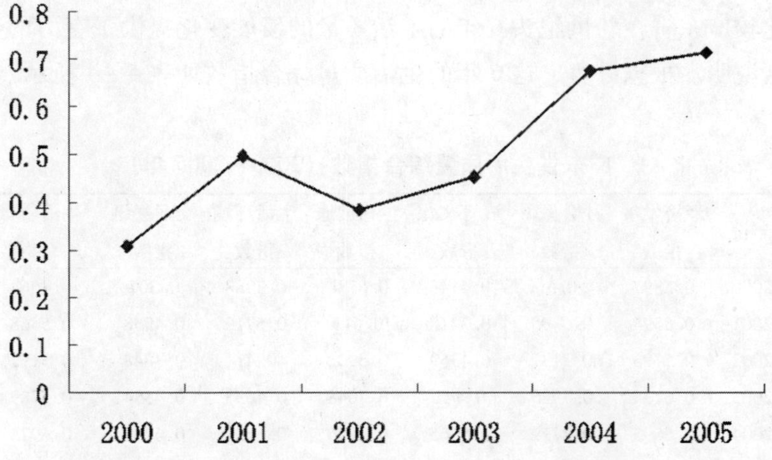

图 4－41　交通通讯综合指数趋势图（2000—2005 年）

图 4－37 表明，广东省的社会保障覆盖率在 1994 年及以前是比较低的，从 1999 年开始有了较快速度的增长，社会上获得社会保障的人群越来越广，人们获益越来越多。图 4－38 中，教育文化综合指数有起有落，总体上还是向前发展的，在有一段时间内之所以呈下降趋势，也许跟人们过分重视经济因素而忽略了教育事业和文化休闲方面的建设有关，2001—2005 年，随着大学教育规模的

不断扩大，以及社会对教育程度的要求越来越高，人们也越来越注意教育文化方面内容的提升。图4-39显示，在1998年生命健康综合指数为0.5556，较之生活质量其他方面更高一些，之后平稳发展，这方面的提升与人们在经济发展和社会保障方面获得的进步有关。在图4-40、图4-41中，生活环境综合指数和交通通讯综合指数在2001年至2003年之间有个明显的下降，原因也许在于工业化和城镇化进程中，人们的居住质量、生态环境与交通条件受到一定程度的影响。但随着经济社会的发展和城市规划建设的不断完善，人们在生活环境和交通通讯方面的综合指数又呈向前发展趋势。图4-39和图4-40之所以只有2000年到2005年的数据，是因为有些指标的数据没能找到2000年前的，因而影响了总的计算。

2000年至2005年之间的数据收集是连续的、完整的，为我们比较广东省在新世纪头6年的生活质量的发展变化提供了有力的数据说明。根据计算，这6年的生活质量综合指数如表4-4所示：

表4-4　广东省生活质量综合指数（2000—2005年）

年份	经济发展指数	社会保障指数	教育文化指数	生命健康指数	生活环境指数	交通通讯指数	生活质量综合指数
2000	0.5397	0.5	0.4143	0.5784	0.3988	0.307	0.4564
2001	0.5594	0.6395	0.3418	0.613	0.5716	0.4958	0.5368
2002	0.5793	0.7137	0.4369	0.5902	0.41	0.3848	0.5192
2003	0.6134	0.7925	0.442	0.7048	0.4655	0.4554	0.5789
2004	0.6693	0.8719	0.5665	0.7256	0.6758	0.6762	0.6975
2005	0.7174	1	0.5748	0.7465	0.6713	0.7159	0.7376

总的来说，表中生活质量综合指数呈历年上升趋势。根据我们对生活质量客观指标的测量，广东省2005年的生活质量总体水平高于过去历年的水平，2002年生活质量综合指数比2001年略低，表明该年生活质量总体水平不如2001年，但2002年生活质量综合指数又较2000年要高一些，说明相对于过去，2002年的生活质量总体水平还是有所提高的。

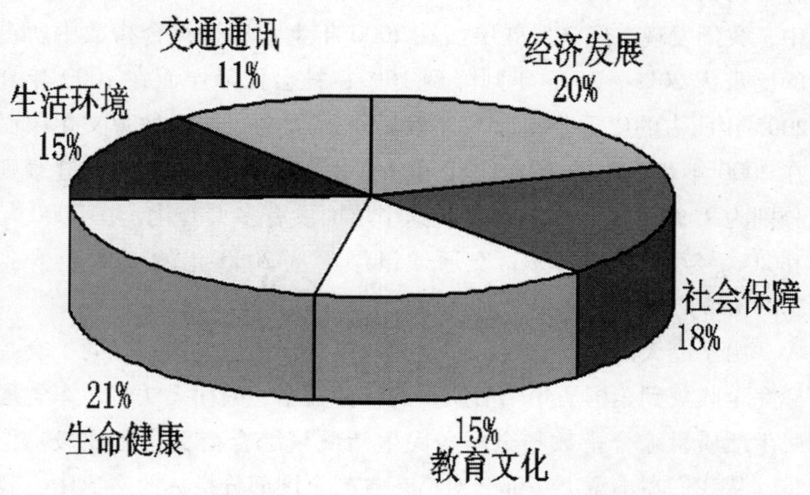

图 4－42　2000 年生活质量各层面所占百分比

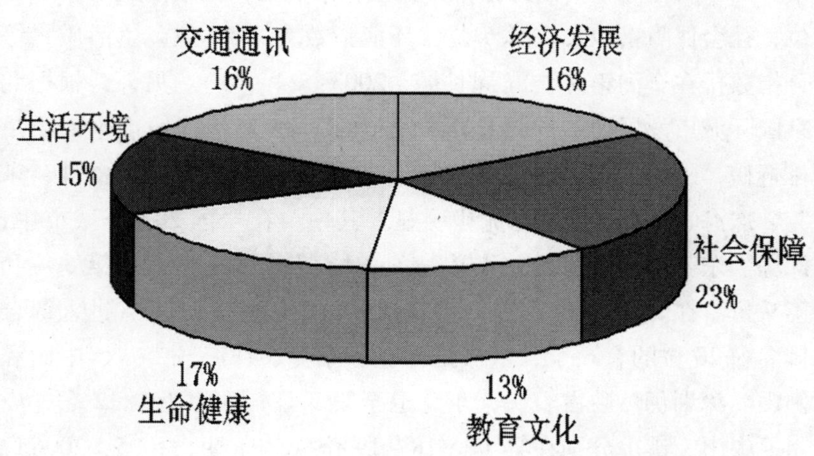

图 4－43　2005 年生活质量各层面所占百分比

在生活质量指标体系中，各个层面的指标内容在各年生活质量综合指数中所占的比重略有不同。从图4－42与图4－43的对比中，我们发现，经济发展层面在2000年生活质量综合指数中所占的比重为20%，2005年则降到16%；社会保障层面在2000年和2005年所占的比重分别为18%和23%，提高很快；教育文化层面在2000年和2005年所占的比重分别是15%和13%；生命健康则分别为21%和17%；生活环境这个层面没有多大变化，在2000年和2005年都是占15%；交通通讯层面从2000年的11%上升到2005年的16%。

由于庞大的数据收集工作量和计算量，我们无法按照同一套指标完全收集到全国历年生活质量的指标数据，因而无法将广东省居民生活质量综合指数与全国居民生活质量综合指数进行比较。但是，从我们在本章上一部分对广东省与全国部分指标的对比中，我们发现，广东省居民生活质量有许多指标都走在全国前列。根据周长城（2001、2003）等人的研究，按照他们提出的生活质量指标体系，广东省的物质保障指数排在全国第3位，教育指数排在全国第4位，居住与生活条件指数排在全国第6位，健康指数排在第19位，社会保障指数排在第6位，环境指数为第20位，生活质量综合指数排在全国第7位（周长城，2003：24～41）。另外，根据北京国际城市发展研究院（IUD）发布的2005年中国城市生活质量排行榜，从综合得分前10位城市看，广东省占据4席（深圳、东莞、珠海、广州），领先优势明显。其中，在全国287个城市中，深圳、东莞分别排在第1和第2位，珠海和广州分别排在第6位和第9位。在2006年的中国城市生活质量排行中，广东省进入综合排名前20位的有6个，依次是深圳、东莞、珠海、广州、中山和佛山。深圳仍然独占鳌头，东莞退至第9位，珠海为第12名，广州、中山、佛山分别在第17、18、19位（连玉明，2005，2006），详情请见表4－1。

六、广东居民生活质量的问题与建议

（一）影响广东居民生活质量的几个问题

从上述对历年统计数据的分析，我们发现，以客观的指标来反映的广东省居民生活质量总体上是向前发展的。当然，我们同样发现了广东省居民生活质量的一些不足之处，以及影响广东省居民生活质量进一步提高的一些障碍。

第一，广东省的人均 GDP、农村居民人均纯收入虽然都逐年上升，并居全国前列，但是，在最近五六年中农村居民的恩格尔系数却比全国要高一些。从农村恩格尔系数来看，农村居民的生活水平虽为小康，但却刚超过温饱线不多。数据表明，虽然农村居民收入增长了很多，可是农民生活的消费结构的改善速度还是低于全国平均水平，消费结构有必要进一步合理化。

第二，在教育文化方面，广东省正在努力建设文化大省，重塑人文精神，创建新岭南文化，近年来对文化建设的投入也逐年增加。但是，教育事业费占财政支出的比例却没有随着经济社会的发展而增加，教育事业费的增加比例与经济发展的速度不协调。另外，适合人们文化休闲的公共场所，如剧院、影剧院等的数量明显减少，从长远的眼光看，这会对居民生活质量的全面提高造成一定的影响。

第三，在医疗卫生方面，广东省卫生事业费的投入虽然增加很快，但其占财政支出的比重却连年下降。“看病难”仍然是当前社会的一个重要问题，而只有人们的生命健康得到强有力的保障，人们的生活质量水平才能提高。广东省的医疗资源和设施水平尚属全国前列，但从每万人拥有的医生数和医院病床位数来看，其增长速度却较为缓慢，远远满足不了社会的需要。

第四，广东省经济发展水平在全国遥遥领先，但是，在居住质量方面，广东省城市人均住宅建筑面积和农村人均住房面积却与全国同期水平基本保持一致，虽然呈历年递增趋势，但没能超过全国水平，这与广东的经济地位是不协调的。当然，原因很大程度上在于广东省居高不下的房价影响了人们居住质量的提高。

第五，大城市的公共交通问题一直为人所诟病，广东省亦不例外。从每万人拥有公共汽电车数这一指标来看，广东省1999年至2005年一直呈下降趋势，且不及全国的平均水平。公共交通是普通老百姓出行所依赖的交通工具，如果公共交通的改善跟不上，就会对居民生活满意度造成负面影响。

（二）提高广东居民生活质量的若干建议

针对上述问题，我们认为，为了提高广东居民生活质量的总体水平，可以从以下几个方面作出努力：

第一，大力发展经济，提高人们的收入水平。虽然经济因素不是唯一的对生活质量起决定性影响的因素，但是没有经济的发展，生活质量的提高就是一句空话。广东的经济发展潜力很大，在全国也是居于领先地位，但是，只有切实提高城镇居民的人均可支配收入和农村居民的人均纯收入，才能真正改善人们的生活质量。

第二，缩小城乡差距，促进农村发展。从一些数据中我们看到，城市居民与农村居民的生活质量还存在着较大的差距，反映城乡差距的基尼系数仍然很大。在消费结构、社会保障、公共交通和通讯等方面，农村的发展水平仍然无法赶上城市，在这几个方面，政府对农村的投入比对城市的投入要少得多，尤其是在社会保障方面，建立覆盖整体农村居民的社会保障体系尤为迫切。广东省农村人口远远大于城镇人口，没有实现农村居民生活质量的提高，就谈不上广东居民整体的生活质量的提高。

第三，积极促进教育文化事业、医疗卫生事业与经济社会的协调发展。随着物质经济的日益增长，人们对教育文化与生命健康的关注程度越来越高。但是广东省政府财政支出对这两方面的投入与经济发展的水平却不协调。因此，应该进一步加大对教育文化与医疗卫生的投入，满足人们的精神需要，保障人们的生命健康，只有

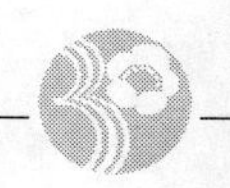

这样才能从整体上提高人们的生活质量。

第四，降低房价，改善居住配套设施，提高人们的居住质量。对国内生活质量研究表明，住房满意度与家庭生活满意度是影响人们生活质量的重要因素。[①] 但是，城市过高的房价，削弱了人们改善居住质量的能力，社会上对房价暴涨是怨声载道，“住房问题是一个政治问题”（张广宁语），如果不能压制房价的上涨，那么提高人们的居住质量就没有多大希望，影响的不仅是人们的生活质量的提高，还会进一步影响到社会的稳定。

第五，大力发展公共交通，实施“公交优先”政策。广东省的城市交通管理水平在全国应该属于前列，地面和地下轨道交通都比较发达。政府已经投入了很大的精力和财力到公交和地铁建设中，但是仍然不能很好地解决城市交通拥挤的问题，在广州、深圳等大城市，高峰期的交通拥堵已经影响了人们正常的上下班。大城市人口流量大，人行轨道和公交轨道被私人汽车侵占了一大部分，造成了公共汽车行驶缓慢，使交通陷于恶性循环。因此，应该首先大力实施“公交优先”的政策，为普通老百姓的出行创造便利的条件，才能有助于提高老百姓的生活质量。

结　语

生活质量直接关系到每个居民的切身利益，生活质量的研究对政府部门和学术界来说都是一个全新的课题。建设和谐社会，提高居民的生活质量是摆在各级政府面前的一个重要任务，对生活质量进行详细的研究，对于居民个人和政府部门的决策都具有十分重要的意义。本研究就是在这个领域内进行了努力的尝试。结题之余，在此介绍一下本研究的特点和不足之处，也许对于今后的继续研究有着启发作用。

---

① 风笑天、易松国：《城市居民家庭生活质量：指标与结构》，《社会学研究》2000 年第 4 期。

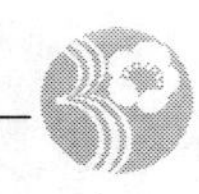

在综合分析评价国内外学者对生活质量的研究文献之后，本研究结合前人的研究成果，根据广东省的具体情况，提出了一套生活质量指标体系。这一套指标体系包含六个层面，各个层面又包含若干个核心指标，整个体系看过去简洁明了、层次分明、内容广泛，能较全面地反映了生活质量的各个方面，这是本研究的第一个特点。生活质量的指标有客观和主观之分，如前所述，本研究一概采用客观的指标来进行测量，所有指标数据均来自国家和地方公布的各年统计年鉴，数据来源具有权威性和可靠性，能够从宏观层面客观如实地反映人们生活水平的整体状况，这是值得一提的另一个特点。本研究的第三个特点是让数据和图表说话，本研究根据真实数据绘制了大量的图表，清晰完整地再现了生活质量各个方面的发展状况。最后，采用极值法来对指标值进行标准化，用等权重法来综合计算各标准化的指标值，既科学又简单。

当然，由于研究条件和研究能力所限，本研究仍然存在着一些不足之处。首先，本研究只对生活质量的客观方面进行了分析评价，但是生活质量的主观方面的状况仍然是生活质量的一个重要的部分，在今后的研究中，最好是将主观方面和客观方面结合起来进行研究。其次，由于数据收集和计算的复杂性，本研究舍弃了一些反映生活质量的重要指标，如婴儿死亡率、犯罪率、老龄化指数等。再次，有些指标数据无法收集到1978—2006年所有年份的数据，影响了总的生活质量综合指数的计算。最后，广东省各个地区之间的发展是不平衡的，但同样是由于数据收集的难度和精力所限，本研究没能找出各个地区的指标数据来进行横向比较分析，因而没能对各个地区生活质量的差距进行评价。同样，本研究把生活质量差距较大的城市和农村结合在一起分析，而没有分别对其进行独立的研究，这也是缺陷所在。

第五章
改革开放30年广东人际关系与社会信任的变迁

一、社会变迁中的信任研究

（一）社会信任概述

信任是个人对于他人以及社会环境的一种心理判断，个体基于这种判断而决定自己的行为，并继而建立与此相应的社会关系。同时，信任也是一种普遍的社会心理环境，对社会的经济、政治等方面产生着重要的影响。由于信任在个人生活和社会整体方面的重要作用与影响，对于信任的研究自然也吸引着各个学科的关注与参与，并获得了丰富的研究积累。有关信任的研究涉及诸多领域，诸如人际关系、生物进化、商品、政治行为、政治体制、社会秩序、城市贫民窟、移民经济组织、经济交易和黑社会等（郑也夫，2003）。

1. 信任的概念。

在语源学中，“信”，本意是指诚实、真实和真诚无欺，“任”则是指使用或任用；在《辞海》中，“信任”被明确界定为“信得过而托付重任”（《辞海》，1982：67）；根据《韦伯斯特英语辞典》的解释，trust 一词是指对人或物的特性、能力、力量和真实性的确实信赖，或者对人的信任。在专业的研究领域，对于信任的研究则有着多种学科的参与，并基于学科核心理念的不同，建立了不同的研究起点和有学科定义；在这些学科中，对于信任的研究比较集中并产生主要影响的是心理学、社会学和经济学。

心理学将信任视为一种心理特点或是状况，比如个人心理肯定的期望、信赖、信心等。罗特尔（Rotter，1997）认为，信任，按照社会心理学的观点，可以理解为个体认同另一个人的言词、承诺及口头或书面的陈述可靠的一种概括化的期望。

社会学则认为一定的心理特征和反应总是在一定的社会情境中产生，对于信任的研究和分析也必须和具体的社会情境及社会条件结合起来考虑。巴伯（Barber，1989）将信任视为一种通过社会交往所习得和确定的预期，并根据预期的基础把信任分为一般信任、能力信任和义务信任三种类型。弗朗西斯·福山认为，“所谓信任是在一个社团之中成员彼此对诚实、合作行为的期待，基础是社团成员拥有的规范，以及个体隶属于那个团体的角色”（福山，1998：35）。

卢曼则将信任定义为一个社会复杂性的简化机制。所以，社会研究信任，注重信任的社会环境以及信任发生过程的社会条件，以及心理信任的社会对象，继而在功能分析上把信任的研究推进到宏观的社会结构。

经济学以一个人对于自我利益最大化的理性计算为基点来研究人类社会现象，对于信任的研究自然也遵循这种学科基础。多伊奇（Deutsch，1958）认为，所谓一个人对某件事的发生具有信任是指：他预期这件事会发生，并且根据这一预期做出相应行动，虽然他明知倘若此事并未如预期出现，此行动所可能带给他的坏处比如果此行动如期出现所可能带来的好处要大。霍斯莫尔（Hosmer，1995）将信任简单归结为当个体面临预期损失大于预期收益不可预料的事件时，所做的一个非理性的选择行为。此外，在交易成本的经济学分析中，信任是经济交易的润滑剂已经是大家的共识。所

以，在经济学看来，信任是一种追求个人利益最大化的心理过程和行为选择。

2. 信任的分类。

巴伯（Barber，1989）从社会文化的角度，按照社会道德秩序、个人的角色能力和义务把信任分为不同的类型，即对自然及道德秩序的预期而形成的一般性信任、对与自己有人际关系及社会角色往来的人能够具有称职表现的预期而形成的技能信任、对他人能彻底承担其被托付的责任并不惜牺牲自身利益的预期而形成的义务信任。

从社会结构的角度，既有整体与个体的划分，也有传统与现代的区分。比如，卢曼将信任分为制度信任和人格信任，制度信任是基于对活动规则和程序的认同，相信制度能规制交往双方的行为，使其在所规定的框架内活动，正是基于制度的普遍性，制度信任也具有普遍性；人格信任是对交往双方话语和行为的一种心理上的认可，以及对它们所引起结果对自身利益的肯定，这种信任主要是基于个人的能力、品格、道德等个人特征，所以这种信任受制于具体的个人，具有特定性。社会学家韦伯把信任划分为特殊主义的信任和普遍主义的信任，特殊主义的信任是指信任的确立是以特殊的血缘、亲戚、朋友、地域等关系为基础，并以道德、意识形态等非制度化的个人关系为保障，这种信任的特点是主体之间有着亲密的关系，并非常了解，因此信任是融于彼此的情感之中的；普遍主义的信任是借助于信用契约或法律准则为基础和保证而形成的，这种信任的产生和维持凭借交往双方对于信用契约的严格遵守，并不依赖于感情，尽管双方的人品、道德因素等个人特征也会对“信任”本身产生某种影响，但这些已不是普遍信任建立的决定因素，其决定因素是双方的履约能力；以特殊主义的信任关系为主体的社会是传统社会，以普遍主义的信任关系为主体的社会是现代社会。

经济学家对于信任的分析，认为信任是个人运用理性趋利避害的结果，信任情景发生条件是一方对另一方的不可控制和时间的滞后性，以及由此带来的信任的风险性，对于风险和收益进行判断的凭借也就成了经济学研究信任的一个核心，于是信任的分类自然也延循这种思路。比如，经济学家威廉姆森（Wiliamson）将信任分为三种：一是计算的信任（Calculative trust），当一个行动者预期在受另一行动者的损害时其收益为正的保证，人们相信行动双方信任的产生或丧失是理性计算的结果，在行动过程中这种对对方的揣度通常通过契约固定下来；二是制度的信任（Institutional trust），是指行动者因考虑制度环境的惩罚而守信的行为，环境制度包括社会正式的法律系统和各种群体中的非正式规范，都可以约束着行动者的行为；三是个人的信任（Personal or pure trust），是指在这样一种条件下，行动者即使在契约不完全、理性有限的条件下仍然相信会被执行，这种行为被称为乌托邦契约。

我国社会学家郑也夫也从社会结构的角度把信任分为人格信任与系统信任，人格信任就是对某个具体任务的信任，亲族、熟人、领地、同乡会、行会中都属于人格信任；系统信任则指匿名者组成的制度系统的信任；由于现代社会人际交往与社会流动的扩大，个体行为的不确定性和社会的风险性在不断扩大，于是就导致在传统社会向现代社会转型的过程中，很多过去依赖于人格信任的事务转向凭借系统信任，而系统信任中控制个体行为不确定性和降低社会风险性的两个制度系统，是货币系统和专家系统。此外，国内有学者依据人际交往的凭借把信任分为三种形式，第一是建立在相互熟悉度或感情联系基础上的人际信任，这种信任是基于了解和掌握对方的信息为前提的，也是信任确立的最原始形式和最基本形式；第二是社会角色联系基础上的角色关系信任，这种角色之间的交往可能是熟悉的，也可能是不熟悉的；第三是存在外在制度规范的市场信任（顾凡、李志红，2002）。

（二）信任的形成与功能

在信任的产生机制方面，西方学者祖克尔（Zucker，1986）系统地阐明了主要的信任产生机制（trust - producing mechanism）（Zucker，1986：53 ~ 111）。一是声誉，即根据对他人过去的行为

和声誉的了解而决定是否给予信任；二是社会相似性，即根据他人与自己在家庭背景、种族、价值观念等方面的相似性多少来决定是否给予信任；三是法制，即基于非个人性的社会规章制度的保证而给予信任。福山（Fukuyama）对信任进行文化解释，认为信任由文化决定，源于宗教、伦理、习俗等文化资源（福山，2001）。吉登斯（Giddens）在现代性的视域中探讨信任的功能与来源，发展出现代性的信任理论，认为信任存在于“被脱域的抽象机制（吉登斯，2002：15～18）。帕特南（Putnam）提出信任与社会资本的相关性，认为两者均源于宗教、传统、习俗（帕特南，2001）。社会学家也普遍认为，社会人际信任与社会资本均来自自愿性社团内部个体之间的互动，是这些中间组织推动了人们之间的合作并促使了信任的形成（Putnam，1993；福山，1998；Colman，1988；科尔曼，1999）。郑也夫也指出信任产生于社会中间组织，比如宗族和自愿组织，“这些与领地或准领地相系结的组织，有着明晰的边界，边界保护了成员间的识别性和频繁的博弈，避免了混乱型冲突，边界内有着相互依赖的双向关系和赖此建立的相互间的义务”（郑也夫，2001）。卢曼（1984）认为：信任关系在带有同一种结构的社会背景中才能找到它喜爱的土壤，这结构的特征是：关系相对持续、相互依赖以及某种不能预料的性质。

在信任的功能方面，最早对信任问题进行专门系统研究的齐美尔指出，“离开了人们之间的一般性信任，社会自身将变成一盘散沙，因为几乎很少有什么关系能够建立在对他人确切的认知之上。如果信任不能像理性证据或个人经验那样强或更强，则很少有什么关系能够支持下来”（齐美尔，2002：178～179）。同样，米尔斯也认为“没有信任，人类社会就根本不会存在……信任是社会生活一个必不可少的先决条件”（米尔思，1995：45）。首先，信任是民主政治的先决条件。民主的运行需要公众的沟通、宽容、参与、讨论、协商，这都离不开公民的相互信任（什托姆普卡，2005：195）。同时，经验研究表明，人际信任有助于民主的运转与长期稳定（沃伦，2004：89～93）。其次，信任有利于激发他人的活力与扩大人际网络。心理学实验发现，赋予他人信任、期望，可以激发其积极性、能动性与创造性并获得他人好感，从而扩大社会网络。再次，信任降低了陌生人之间的恐惧与敌对情绪，增进认同与亲和，培养友爱之心。最后，合作增强社会成员的共同体意识，降低社会交往的交易成本，促进社会合作，使社会安定而有序（韩东才，2006）。因此，布劳（blau）认为社会信任是“稳定社会关系所不可缺少的基本因素”；海默（Heimer）认为社会信任为社会交往主体之间的相互作用提供了期望模式，有助于社会交往关系中的行为者克服“存在于所有社会关系中的不确定性和易变性”；并通过减少社会交往行为者所面临的社会现实的复杂性来维护社会秩序和社会稳定，鲍克（Bok）也认为社会信任作为一种“社会公益”，“如果它被破坏，社会就会混乱和崩溃”（Barber，1989：10～22）。

（三）社会变迁中的信任

信任作为一种嵌入社会结构之中的简化机制，随着社会变迁而自我转变已成为社会学的一条基本原理（Barber，1989；Lieberman，1981；Earle & Vetkovich，1995；山岸，1994）。关于信任的变化，学术界的研究，一是从传统到现代的二元划分为依据，认为社会从传统到现代的变迁也导致信任从特殊信任到普遍信任的转变，这种传统到现代的二元划分，也被划分为农村与城市、身份与契约等；二是经济变迁中信任的变化，主要是经济增长中信任的变化。整个信任的研究以第一种研究为主流。

特殊信任在中国主要表现为人情信任。传统中国是一个人情关系本位的社会，人们基本上生活在一个熟人的圈子里；在农村，由于较少的社会流动，人们彼此相互熟悉；在城市，计划经济的单位依然是个人的主要归宿，于是人际关系的拓展也是以单位为主要的范围，但在人际关系的意义上类似于乡土社会的村落；所以，基于制度和文化之上的信任，对于中国人来说便是一种由亲而信的模式。所谓“亲”，是指一种牢固的人情关系，它以血缘、家族关系

为核心并包括通过拟亲化手段而建立的社会关系。建立在这种人际关系之上的信任，首要的影响因素就是交往双方的私人关系，个人的品德和能力尚在其次，人情关系实际上起了一种信任担保的作用。中国社会中，人情最重要的特点就在于它是一种带有互惠互利特点的人际关系，其中含有潜在但是又无法拒绝的回报义务。个人在人际关系中，如果置人情于不顾，不履行其中所蕴含的义务，他就会在自己的人际关系中失去应有的地位，失去面子，不仅会受本土伦理道德的谴责（因为本土伦理中一个人若知恩不报自然就是忘恩负义），而且可能失去人际关系网络中所包含的社会资源。但是，人类社会从农业社会向工业社会的转变是历史的发展趋势，工业社会建立在更为复杂和精细的分工之上，与制度不断增多相伴随的是人们社会流动的增大，人际关系相应的开始扩大，人与人之间的关系开始弱化，与这种人际关系变化相适应的则是特殊信任向普遍信任的转变，信任表现为对一种适用于普遍主义趋向的社会制度以及社会规范的信任，它是以正式的规则为载体，主要表现为制度信任。在工业社会的人际关系中，人们往往是因为特定的利益而暂时结合的，不具有传统社会的持久性，人们关系之中的信任和冲突，则开始诉之于制度契约。

人类关系从“自然状态”到“社会状态”是社会发展的必然趋势，从身份社会到契约社会也是社会信任转变的必由之路。法学家梅因曾说：“所有进步社会的运动在有一点上是一致的，在运动发展的过程中，其特点是家族依附的逐步消灭以及代之而起的个人义务的增长。……是一个‘从身份到契约的运动’。”（梅因，1996：96～97）。身份社会条件下，人们之间的社会关系固然强烈，但是基于这种社会关系所产生的信任，由于带有强烈的人格化特征，是自发的个体特殊信任，尚不可能成为公共资源。现代性社会建立在复杂的社会分工之上，相互之间的协作更为频繁、迫切和复杂。所以吉登斯认为现代社会具有时空分离及在时空分离基础之上的脱域特质，也正是由于这种特质，社会成员的相互交往方式发生了由“在场”向“缺场”的转变（吉登斯，2000：15～18），伴随

着这种转变，身份社会中信任以强关系为主要基础的特征，也就开始淡化。费孝通先生甚至认为，建立在身份基础上的社会信任“已经成了我们现代社会的阻碍”（费孝通，1998：10）。契约，是双方或多方协议认可并承诺遵守的行动规则，它规定了双方的权利和义务，以及未能履行义务时的惩罚措施，是信任建立的一种法制化手段。由于契约的普遍性、统一性和可预见性，契约便成为建立普遍社会信任的有效基础，契约的特征可以克服时空的脱域机制，通过对风险的限定而减少了信任建立的不确定性及非理性，使信任的建立获得了普遍的基础和客观的标准。减少社会不确定性最好的方法也许是与对方建立稳固的“依恋关系”，但是这种稳固的“依恋关系”也意味着会丧失机会代价，即有可能丧失从陌生关系那里获取更高利益的机会。“因此，在机会代价高的社会情景下，依恋关系变成一种损失而非一种资产”（王飞雪、山岸俊男，1999）。所以，有契约建立的普遍信任超越了特殊信任的人际关系范围，使人们冲破了血缘、地缘的限制，从而使个人、组织、国家之间建立广泛的信任成为可能。建立在契约基础上的普遍信任，排除了人情纠葛和人情垄断，重视契约中的义务与权利，简化了信任建立的过程，降低了信任的风险，从而也就成为现代复杂社会的一个基础。

从农村到城市的变迁方面，不同的社会形态孕育了不同的信任机制。在农村社会，“村”首先是一个自认的人群聚落，之后也被行政化，但是却保留了人类社会传统的特征，具有自己的文化与心理特征。在村里，由于人们累世聚居，“每个小孩子都是在人家眼中看着长大的，在孩子眼里，周围的人也是从小就看习惯的……大家都是熟人，打个招呼就是了，还用得着多说么”（费孝通，1998：2~5）。农村乡土社会中的人际关系，主要是建立在血缘和情感关系的基础之上，并由于社会流动的缓慢性所带来的社会交往的封闭性，这种社会关系也只能推广到有限的地缘关系上，于是包括地缘关系在内的农村社会关系，也就是一种低头不见抬头见的“熟人关系”，在熟人社会中，人们之间信任关系的原始基础是“熟悉和过去的纪录”（郑也夫，2001：108）。“乡土社会里从熟悉

得到信任。这种信任并非没有根据，其实最可靠没有了，因为这是规矩……乡土社会的信任并不是对契约的重视，而是发生于对一种行为的规矩熟悉到不假思索时的可靠性”（费孝通，1998：6）。而在城市，由于社会分工日益发达，人们居住的地理空间急剧增大，产生了生产空间、生活空间和社会空间的分离，人们在生产空间中建立了多样职业关系；同时，人们在生活空间中的关系却由于现代社会流动的增加开始急剧萎缩，不但家庭规模开始变小，核心家庭成为主流，而且社区关系对于居住者来说已经没有利益合作与调解的基础，也不断地淡化，甚至邻居都彼此不认识；也正是因为这种城市社会形态所蕴含的复杂变化，社会学家齐美尔甚至用陌生人来形容城市的生活状态。从乡村中的熟人社会到城市中的陌生人世界，很多学者都进行了经典的比较研究，滕尼斯在《共同体与社会》中，就认为农村和城市的本质区别，在于前者是情感为基础的，后者则以利益为基础。

二、广东社会变迁中的信任

广东省在改革开放 30 年以来，伴随着快速的经济发展，经济结构也在不断变化，尤其是各种私营经济发展迅速。这种经济变化也导致人口职业结构和人们社会生活的变化，自然也影响了人们社会信任的变化。广东省居民社会信任的变化，一种是由于经济制度的变革造成，另一种是随着时间推移的社会变迁影响所致。

（一）经济变革中的社会信任变化

改革开放 30 年的经济变革，主要是经济体制从计划经济向市场经济的转变。由于这种经济变革，广东省城市人口的职业结构中，原属于计划经济体制的人员比例不断降低，而进入市场经济职业的人员则越来越多。计划经济是福利经济，国有企业等计划经济组织的职工不但身份隶属于企业，而且与其相关的各种社会福利也是和企业联系在一起，这种经济中的身份归属使个人对企业等组织产生严重的依赖性，不但降低了职工的社会流动性，而且对于个人的社会生活诸多方面产生了重要的影响。国内有学者甚至认为计划经济中的组织对于个人生活具有极大的封闭性，这种封闭性导致组织中个人的社会交往狭窄、频繁，进而相互非常熟悉，所以计划经济中的组织简直就是城市的村落。而在市场经济中，企业为员工提供的社会资源下降，降低了企业对于个人的社会控制，也降低了人们对于企业的依赖性；于是企业的开放性，就导致了个人职业流动的加快和个人生活的相应变化。因此，计划经济向市场经济的转变，带来了人们社会身份的转变和人们社会生活的相应变化，继而影响到人们的社会信任。

表5－1　　样本的基本状况

变量	变量值	人数	百分比（%）
城市	韶关	254	12.3
	广州	421	20.4
	湛江	256	12.4
	深圳	314	15.3
	东莞	256	12.4
	汕头	298	14.5
	梅州	260	12.6
性别	女	1135	55.2
	男	922	44.8
受教育状况	小学及小学以下	214	10.4
	初中	559	27.1
	高中	778	37.8
	中专/技校	170	8.3
	职业中学	21	1.0
	大专（三年）	200	9.7
	大学本科	114	5.5
	研究生以上	3	1
工作单位性质	国家机关、事业单位、群众团体	291	14.3
	国有或集体企业	509	25.0
	三资企业	174	8.5

续上表

变量	变量值	人数	百分比（%）
	私营、个体企业	748	36.7
	自由职业	183	9.0
	其他	135	6.6
职业变动次数	0 次	983	47.9
	1 次	271	13.2
	2 次	373	18.2
	3 次	227	11.1
	3 次以上	200	9.7
在本市居住年限	10 年以下	364	17.7
	10～19 年	377	18.3
	20～29 年	388	18.9
	30～39 年	309	15.0
	40～49 年	365	17.8
	50～59 年	199	9.7
	60～69 年	54	2.6

针对广东省的社会变迁，中山大学广东发展研究院对此进行了调查，其中就有社会信任的调查内容。本次应用的数据是 2004 年进行的“广东社会变迁基本调查”项目，调查以广东省境内城市的常住居民为对象，并采用多段随机抽样方法，以人口规模、社会经济发展状况和地理位置分布为选择向度，分别选择了广东省内的广州、深圳、汕头、东莞、湛江、韶关、梅州 7 个城市；之后在每一个城市按区、街道办事处、居委会的顺序逐阶段进行抽样；最后在被抽中的居委会中，采取分层多段随机抽样抽取出被调查的居民户。此次调查回收有效问卷是 2059 份，回收率 90% 以上。样本的基本状况如表 5－1，表中的人员比例与 2004 年广东统计年鉴中资料相对应的城市人口分布、人口性别分布、各种分类行业从业人数分布、人口年龄分布、教育统计等数据指标相对比①，显示样本的

① 广东省统计局：《广东统计年鉴 2004》，第 116、125、114、514 页。

结构比较合理，不存在太大偏差。

从表5－1可以看出，由于市场经济的发展，国有单位（包括国家机关、事业单位和国有企业）人员占据的比例不足50%，其他均为市场经济中的从业人员，由此可见30年来广东省市场经济的巨大发展。

对于信任，问卷中调查了人们对于家庭成员、直系亲属、亲密朋友、其他亲属、单位同事、单位领导、邻居、一般朋友、一般熟人、生产商、销售商、网友、社会上大多数人等13类人的信任态度，并将信任度从非常信任、比较信任、一般、比较不信任、非常不信任等五类，分别赋予5～1的分值。对于人们的单位属性，问卷中的答案有6个：（1）国家机关、事业单位、群众团体，（2）国有或集体企业，（3）三资企业，（4）私营、个体企业，（5）自由职业，（6）其他。将答案（1）和（2）合并为国有单位，答案（3）、（4）、（5）、（6）合并为市场组织。根据以上问卷答案的处理，对广东省城市居民总体和国有单位、市场组织中人们的社会信任，就13种对象分别计算出的信任均值如表5－2。

从表5－2的数据可以看出，广东省城市居民、国有单位人员和市场组织人员的社会信任，既有一些共同点，也有一些差异。三种人员的社会信任，在社会信任的结构上一致，都以家庭和血缘关系为核心，其次是亲密朋友、单位领导、一般朋友和同事，再次是一般熟人、生产商、销售商、社会大多数人和网友等；信任核心圈的分值都高于4，几乎是非常信任，其次信任圈的得分都高于3，倾向于比较信任，再次信任圈的得分也都高于2，是具有一定积极性的一般信任。在具体的信任上，国有单位和市场组织人员的信任已经显示出轻微的结构性差异，国有单位人员，在家庭成员和直系亲属上的信任度高于市场组织人员，在一般朋友和单位同事上只是稍高于市场组织人员，其他的项目则都低于市场组织人员；因此，在单位的属性上，国有单位的人员信任的核心是家庭和血缘关系，市场组织人员信任的核心虽然也是家庭与血缘关系，但是已经有轻微的下降，同时对于其他人员的信任也开始上升。这也说明了广东

省经济变革对于社会信任的影响，市场经济的发展，增加了个人的社会流动，并带来个人生活相应的巨大变化，社会开放也增加了个人生活的开放，于是，对于具有较高流动性的个人，家庭血缘关系之外的社会人员便显得日益重要，也具有更高的社会信任。因此，广东省改革30年市场经济的快速发展，已经轻微地降低了人们以血缘关系为基础的特殊信任，而增加了人们以业缘关系为基础的普遍信任。

表5－2　广东省城市人员、国有单位人员、市场组织人员的各种信任均值

对各种人的信任	广东省城市人员	国有单位人员	市场组织人员
家庭成员	4.72	4.78	4.69
直系亲属	4.59	4.60	4.57
其他亲属	4.07	4.06	4.08
亲密朋友	4.17	4.11	4.21
一般朋友	3.07	3.08	3.07
单位领导	3.22	3.18	3.26
单位同事	3.01	3.07	3.06
邻居	2.99	2.94	3.01
一般熟人	2.66	2.63	2.68
网友	2.09	2.06	2.10
生产商	2.70	2.64	2.74
销售商	2.54	2.52	2.56
社会上大多数人	2.67	2.62	2.69
Valid N (listwise)	2047	794	1253

（二）社会变迁带来的社会信任变化

从1949年新中国成立后，我国的社会一直发生着剧烈且巨大的社会变迁，这种变迁既有国家宏观制度的调整，也有经济的快速发展，最终也带来了社会结构各个方面的巨大变化；尤其是改革开放30年来，工业化、城市化、市场化的推进速度不断加快，从传统社会向现代社会转型的速度进一步加快。广东省在改革开放后的30年，发展速度尤为迅速，经济增长速度和经济总量都居于全国前列，社会变迁也尤为迅速，这种迅速的社会变迁自然会影响到人们的社会信任。

德国社会学家卡尔·曼海姆就社会的变迁提出一种代理论。代理论认为处于不同时代的人，由于经历了不同的历史事件、社会环境和时代文化，因而具有不同的历史记忆、价值判断、行为习惯和思想意识，所以“阶级位置的特征可以由经济环境来解释，代位置则由特定的经验和思想模式形成的方式来决定，这一模式的形成又是在代际更替这一自然事实造成的（曼海姆，2002：82）”；与社会关系变迁同时进行的生命因素的变迁，“更具有潜在的重要性，因为随着新参与者不断加入到文化过程中，个体对其世代传承的遗产的态度就发生了变化（曼海姆，2002：83）”；老一代的文化价值由于历史社会的变迁，只有一部分能够被传递给下一代，而没有传递的部分则被下一代的创新所取代。因此，基于生命年龄的代际文化变迁也就是社会变迁的缩影和反映，社会变迁中人们社会信任的变化也就体现在代际变迁中。

表5-3　　各种年龄段人们的各种社会信任度

	1941—1945年	1951—1955年	1961—1965年	1971—1975年	1981—1985年
家庭成员	4.67	4.66	4.72	4.73	4.81
直系亲属	4.57	4.54	4.62	4.59	4.56
其他亲属	4.17	3.98	4.14	4.05	4.07
亲密朋友	4.06	4.12	4.27	4.21	4.28
一般朋友	2.81	3.09	3.11	3.06	3.19
单位领导	3.14	3.20	3.27	3.26	3.15
单位同事	2.79	3.16	3.04	3.10	3.01
邻居	2.94	3.10	2.92	2.98	3.01
一般熟人	2.61	2.61	2.68	2.66	2.70
网友	2.09	2.10	2.05	2.06	2.05
生产商	2.93	2.69	2.60	2.70	2.69

续上表

	1941—1945 年	1951—1955 年	1961—1965 年	1971—1975 年	1981—1985 年
销售商	2.49	2.59	2.39	2.57	2.65
社会上大多数人	2.66	2.77	2.62	2.68	2.75
Valid N listwise	70	172	266	294	236

根据广东发展研究院2004年的城市调查，年龄最大的被调查者出生于1939年，年龄最小的被调查者出生于1985年，两者之间时间差距接近半个世纪。因此，研究将调查者分为5个出生时间段，即1941—1945年、1951—1955年、1961—1965年、1971—1975年、1981—1985年（考虑到时间间隔的显著性，其余时间段出生的没有予以统计），分别对各个出生时间段进行各种信任的均值计算，统计结果如表5-3。

从表中可以看出各种信任在各个出生时间段上的变化，或是上升，或是下降，其中由于1981—1985年出生的人在2004年大部分还没有工作，也没有组建自己的新家庭，所以其在直系亲属、单位领导、单位同事等对象上的信任度不作分析。在亲属关系上，不同代在家庭成员和直系亲属上的信任度没有下降，而其他亲属的信任度则开始下降。在血缘关系以外的亲密关系中，亲密朋友、一般朋友、单位领导、单位同事、邻居和一般熟人的信任度都在上升，而在不密切的关系中，网友和生产商的信任度在下降，而大多数人和销售商的关系则在上升。因此，从总体上看，广东省城市居民的家庭核心血缘关系信任度在增加，而社会上其他关系的信任度大部分也在增加，这也说明了特殊信任没有降低，但是普遍信任也缓慢地获得了提高。

此外，国内外的研究还显示中国特殊信任的文化机制导致普遍信任的降低。关于中国的社会信任，韦伯在《儒教与道教》（1997）中认为，中国人是“世上绝无仅有的不诚实”，这种不诚实的品质导致了“中国人彼此间是典型的不信任”。也就是说，传统中国社会是信任缺失的。他认为，在中国一切信任的基石明显地建立在亲戚关系或亲戚式的纯粹个人关系上。而儒教中习以为常的不正直的官方独裁以及死要面子的独特含义是造成中国人之间尔虞我诈、普遍不信任的原因。总之，在韦伯看来，传统中国人之间存在着普遍的不信任，传统中国社会信任是缺失的，传统中国社会的信任度是相当低的。美国学者福山经过比较研究，划分出低信任文化与高信任文化，所谓低信任文化是指一种极端的家庭主义文化。这种文化对有血缘关系的熟人具有高度认同和信任，而对家庭之外没有血缘关系的陌生人信任感很低，也就是说缺少普遍的信任，并使得人与人之间信任关系始终局限于血亲关系之内，不能有效组织无血缘关系的社团或社会中间组织；高信任文化是指具有超越血亲关系的普遍社会信任的伦理习俗，这种伦理习俗使得该社会具有强大的自发组织非血亲关系社群的能力，促成市民社会的发展，带动了自发中间组织的产生，比如同业会、俱乐部、工会、慈善机构和教堂等；福山特别地以华人（主要以香港和台湾为蓝本）为例来说明文化与工业结构的关系，认为中国人对于家族外的人不信任，是一种低信任文化的社会，而美国、日本和德国则相反，属于高信任文化的社会。历史学家黄仁宇曾把普遍的信用当作是资本主义生产方式形成和发展的重要条件之一，也认为中国缺乏普遍的信用关系，这使得工商业主无法信任家族之外的其他人参与管理，也没有银行系统作资金的融通，所以其工商业规模都是无法做大的，更不可能形成一种运动。因此，诸多学者认为中国不但是一个低信任度的国家，而且由于特殊信任与普遍信任的是负相关关系，国内有学者认为中国当前的社会存在信任危机。这种对于中国社会的理论诊断和以上所作的分析结果完全相反。为了进一步澄清这一理论争论，研究者利用广东发展研究院2004年的调查资料，就各种特殊信任与普遍信任的具体关系，进行相关矩阵的统计分析，结果如下表5－4。

表 5－4　　各种信任的相关矩阵

	家庭成员	直系亲属	其他亲属	亲密朋友	一般朋友	单位领导	单位同事	邻居	一般熟人	网友	生产商	销售商	多数人
家庭成员	1.00	.508	.316	.086	-.009	-.006	-.021	-.037	-.066	-.095	-.036	-.062	-.138
直系亲属	.508	1.00	.500	.104	.029	.049	-.020	-.015	-.089	-.067	-.033	-.048	-.104
其他亲属	.316	.500	1.00	.222	.165	.198	.048	.058	.027	.002	.083	.031	.008
亲密朋友	.086	.104	.222	1.00	.324	.275	.181	.137	.099	.034	.136	.141	.105
一般朋友	-.009	.029	.165	.324	1.00	.328	.404	.353	.432	.210	.132	.218	.236
单位领导	-.006	.049	.198	.275	.328	1.00	.571	.347	.283	.097	.362	.318	.307
单位同事	-.021	-.020	.048	.181	.404	.571	1.00	.451	.387	.148	.244	.300	.322
邻居	-.037	-.015	.058	.137	.353	.347	.451	1.00	.458	.204	.192	.222	.273
一般熟人	-.066	-.089	.027	.099	.432	.283	.387	.458	1.00	.274	.214	.286	.279
网友	-.095	-.067	.002	.034	.210	.097	.148	.204	.274	1.00	.221	.231	.237
生产商	-.036	-.033	.083	.136	.132	.362	.244	.192	.214	.221	1.00	.676	.431
销售商	-.062	-.048	.031	.141	.218	.318	.300	.222	.286	.231	.676	1.00	.508
大多数人	-.138	-.104	.008	.105	.236	.307	.322	.273	.279	.237	.431	.508	1.00
家庭成员		.000	.000	.000	.337	.395	.166	.049	.001	.000	.050	.003	.000

续上表

	家庭成员	直系亲属	其他亲属	亲密朋友	一般朋友	单位领导	单位同事	邻居	一般熟人	网友	生产商	销售商	多数人
直系亲属	.000		.000	.000	.091	.014	.182	.251	.000	.001	.069	.015	.000
其他亲属	.000	.000		.000	.000	.000	.015	.004	.112	.469	.000	.079	.350
亲密朋友	.000	.000	.000		.000	.000	.000	.000	.000	.062	.000	.000	.000
一般朋友	.337	.091	.000	.000		.000	.000	.000	.000	.000	.000	.000	.000
单位领导	.395	.014	.000	.000	.000		.000	.000	.000	.000	.000	.000	.000
单位同事	.166	.182	.015	.000	.000	.000		.000	.000	.000	.000	.000	.000
邻居	.049	.251	.004	.000	.000	.000	.000		.000	.000	.000	.000	.000
一般熟人	.001	.000	.112	.000	.000	.000	.000	.000		.000	.000	.000	.000
网友	.000	.001	.469	.062	.000	.000	.000	.000	.000		.000	.000	.000
生产商	.050	.069	.000	.000	.000	.000	.000	.000	.000	.000		.000	.000
销售商	.003	.015	.079	.000	.000	.000	.000	.000	.000	.000	.000		.000
大多数人	.000	.000	.350	.000	.000	.000	.000	.000	.000	.000	.000	.000	

注：1. 表上部分为相关系数值矩阵，表下部分为相关的T检验值矩阵。

2. T检验的显著度为 $P < 0.05$。

从表5－4可以看出，家庭中成员关系和直系亲属的信任度与其他的血缘关系之外的信任度，虽然大部分呈负相关，但是在实际的检验中却不具有显著性，这说明基于家庭关系的特殊信任与基于家庭外关系的普遍信任之间，没有相互的负面影响。同样，李伟民、梁玉成的研究表明，中国人所信任的人群，虽然以具有血缘家族关系的亲属家庭成员为主，但同时也包括不具有血缘家族关系却有着亲密交往关系、置身于家族成员之外的亲朋好友；对于没有血缘联系但具有一定社会交往和关系的其他人来说，中国人并未表现出普遍和极度的不信任（李伟民、梁玉成，2002）。最后，研究信任的外国学者巴尔纳（IldikS Barna）曾在《盲目走向成功》一文中，通过西欧和美国的经验比较研究，认为前社会主义国家的人民往往相信市场经济的成功主要是由于不值得信任、不诚实和欺诈，市场被看作是一种霍布斯式的场所，在那里人们为了得到有限的资源而被迫与其他人进行卑鄙和痛苦的争斗。这一在西方颇为流行的观点，在本次的信任分析中并未获得证实，因为广东省城市居民的普遍信任在代际变迁中逐步上升，而且市场组织人员的普遍信任反而高于国有单位人员，可见市场提高而非降低了人们的社会信任。

从实证调查的角度来看，我国不是一个低信任度国家，也不存在全社会范围内普遍的信任危机。由英格哈特主持的世界价值研究计划1990年第一次将中国包括在调查对象中，结果显示，在被调查的41个国家中，中国人的平均信任度高达60%，仅次于瑞典、芬兰和挪威排名第四。1993年，日本学者针对同一问题再次对中国进行了调查，结果显示我国公民的平均信任度仍然高于所有非民主国家和新兴民主国家。1996年，英格哈特进行第二次世界价值调查，中国的调查结果与前两次大同小异（王绍光、刘欣，2002）。

所以，结合以上文献以及实证的数据分析，发现广东省在改革开放30年来，人们的特殊信任没有下降，人们的普遍信任还在逐步提高，这在代际变迁中可以看到明显的提高趋势。同时，市场经济的变革，并没有降低人们的普遍信任，而是提高了人们的社会信任，从这里可以看出人们在市场中获得个人职业和社会生活开放性的同时，也积极地建立和提高了对于社会的普遍信任。从这种普遍信任不断提高的事实来看，广东的市场经济发展给人们的心理带来了正面的影响，也说明了广东省的良性经济发展和不断进步的社会和谐。

三、社会变迁中的人际关系

（一）人际关系

人与人之间的关系是个人和社会得以存在的基础，没有关系，社会就无法存在，也就不存在社会中的人，荀子曾经就人与动物的区别进行了区分，认为“人能群，彼不能群”，群所指的社会关系也就是人类社会与动物世界的区别。

1. 人际关系产生的基础。

人为什么要结成一定的社会关系，这似乎是一个不言自明的问题，古往今来的很多学者，很少提及这样一个研究问题。但是少数思想家对于这个问题的研究认为，关系对于人不可缺少，首先在于关系可以满足个人的心理与物质需要，美国著名社会心理学家马斯洛将人的需要分为由低到高的五级，即生理需要、安全需要、归属和爱的需要、自尊的需要以及自我实现的需要（马斯洛，1987：40～53），如果把这五种需要划分为两种，则是物质需要与心理需要了。

如果说个人的人际关系是个人不可缺少的需要，那么社会的各种组织则是直接由人结成各种关系形成的。首先，人所赖于成长的家庭，费孝通曾经在生育制度中分析家庭婚姻制度的形成，认为婚姻家庭不但能满足人的性和情感需要，更重要的是通过亲密关系和财产传承来满足人类的繁衍（费孝通，1998）。其次，从家庭形成村落，再到交换的镇，以及城市和现代的民族国家，都是人与人关系的建构。

2. 人际关系的分类。

社会学通常将人际关系分为血缘关系、婚姻关系、地缘关系、业缘关系。血缘关系是指以血缘为纽带而形成的关系，婚姻关系是通过婚姻为纽带而形成的关系，这两种关系结合起来是一种家庭关系。地缘关系是通过一种地方的认同感产生的关系，这种地域可大可小，比如老乡可能是指同一县的、也可能是指同一个省的人际关系，而业缘关系则是通过职业纽带而形成的关系，这种关系是一种基于社会分工与协作而形成的人际关系。从血缘关系到业缘关系，也就是人际关系不断扩大和复杂的过程，也正因为这种人际关系的复杂性以及对于人的巨大影响，马克思将人定义为各种社会关系的总和。

以梁漱溟为代表的中国学者认为，中国是一个以家族血缘关系为基础的伦理关系在社会中占据着核心地位的国家。在人际关系的继续拓展中，拟亲化手段便成为主导性的方式。梁漱溟（1963）、费孝通（1985/1947）、黄国光（1988）等学者也认为，中国社会是“关系本位”的社会，关系先天性的核心是血缘家族关系，并以此核心区分了“自家人”与“外人”；但是实际的个人生活无法离开与外人的合作、分工、交换；于是，后天生活中的认干亲、拜把子、做人情（杨宜音，1999；郭于华，1994；Yang，1974）等方式，则是先天性血缘关系向外的延伸和扩展。在中国传统社会，这种拟亲化的人际关系拓展方式，不但能够拓展个人的人际关系范围，而且由于其“拟亲”的特征增加了关系的牢固性与可靠性，相应地，农村村落也就是家族关系的继续拓展。

（二）人际关系与信任、社会资本

人际关系不但与信任有着极为密切的关系，而且人们社会关系的网络化能够转变成可以带来收益的社会资本。

1. 人际关系与信任。

人际关系是人的一种本质属性，所以，作为一种信任的心理也自然建立在人际关系的基础之上。关系的性质不同，人们之间的信任也存在差异。

从信任的定义来说，信任本质上是一种以对他人能做出符合社会规范的行为或举止的期待或期望为取向的社会行为（董才生，2004：40～43）。而这种期待或是期望总是以某种关系为基础的，所以，信任也就是建立在关系之上的（张凯、郭远远、邓贵胜：2007）。

从信任的分类来说，信任的分类依据与关系的分类保持着一致。因为社会信任结构分类理论，涉及的最为深层的基础是人与人之间的社会关系，即普遍主义关系与特殊主义关系（董才生、闻凤兰，2005）。帕森斯与希尔斯（T. Parsons and E. Shils）在《关于行动的一般理论》中认为，普遍主义（universalism）关系就是指"独立于行动者与对象在身份上的特殊关系"的关系，特殊主义（particularism）关系则是指"凭借与行动者之属性的特殊关系而认定对象身上的价值的至上性"的关系（Parsons and Shils，1951）。所谓普遍主义社会信任是基于普遍主义关系的社会信任，所谓特殊主义社会信任是基于特殊主义关系的社会信任；其他的人格信任与制度信任、内在信任与外在信任等分类也是建立在这种关系的区分基础之上，特殊关系则主要是个人的血缘、地缘、亲戚、朋友等特殊的关系，普遍关系则是指个人与社会中其他一般人的普遍关系。

从信任的影响因素方面来分析，对于人际关系产生影响的社会因素，同样也影响着信任。首先，作为社会资本的社会关系网络，其中也涵盖着不同关系的不同信任，关系网络中信任的建立，普遍以人与"己"的关系为前提来做出对相互之间关系的判断和对行为反应的选择。其次，影响人际关系的中间社会组织也影响着信任，比如，郑也夫就指出信任产生于社会中间组织、宗族和自愿组织，正是中间组织提供了人们通过频繁互动建立社会关系的条件，同时组织为成员提供的统一规则约束和成员间重复的社会互动，促成了信任的产生和保持（郑也夫，2001）。

2. 人际关系与社会资本。

学术界很早就对关系进行了研究，也出现了关系网络等词汇的使用，直到经济学经济资本的泛化影响后，才开始出现指称个人关系网络的社会资本概念。法国社会学家布迪厄为了解决社会学结构与行动的二元对立，试图从关系主义的视角来研究社会问题，系统地提出和分析了社会资本的概念，认为社会资本是以关系网络的形式出现；因此“社会资本理论的核心主张就是：关系网络创造了一种解决社会问题的有价值的资源，并向成员提供集体所有的资本，即使成员相互信任的可信度”（Bourdieu，1986）。同样，美国社会学家科尔曼（1999）在社会学的经典名著《社会理论的基础》中也分析了社会资本概念，认为社会资本是个人拥有的并表现为社会结构资源的资本，主要存在于人际关系所隐含的社会结构中，并为个人行动提供便利；社会资本的表现形式有以下五种，即义务与期望、信息网络、规范与有效惩罚、权威关系、多功能社会组织和有意创建的社会组织等。由于这两位经典社会家的概念拓展，社会资本概念在社会学领域产生了巨大的影响；之后，有关社会资本的理论拓展和经验研究都获得了极大的发展。

在社会资本的众多研究中，社会资本的概念分别侧重不同的内容：一是主要指社会资源，包括成员身份、社会网络、个人关系等；二是主要指社会规范，包括规则、信任、制度等；三是指从关系获得资源的能力（曾璨、陈宏军，2007）。由于对概念的定义不同，社会资本的研究也分为不同的层次。托马斯·福特·布朗将社会资本分为微观、中观和宏观三个层次。微观层次的社会资本是指个人的社会关系网络，个人可以利用网络来获得信息、工作机会等资源。比如格兰诺维特的弱关系理论认为在市场体制充分的社会，弱关系提供的就业信息比强关系更为有效（Granovetter，1973）；边燕杰对中国的研究，则认为在计划经济体制中，强关系比弱关系更容易获得资源（Bian Yanjie ，2002）；波特的结构洞理论，认为个人的在各种人际关系中的网络位置至关重要，具有不重复信息源越多的位置获得资源的能力越强（Ronald S Burt，1992）。中观层次的社会资本主要是指在非正式制度、习俗、规则等基础上建立的组织之间或组织内部的网络，强调企业、社区、团体等组织，凭借其在社会结构中所处的特定位置所拥有的资源可获得性，社会资本的作用就在于为组织之间的资源互惠提供便利。比如 Fafchamps（1999）的研究则表明市场网络可以减少风险；其他的一些研究表明企业间网络促进了产品创新，降低了交易成本，增进了合作。宏观的社会资本，又称嵌入结构，集中于社会或国家中某一群体对社会资本的占有情况，包括社会关系网络、有效的制度规范、普遍信任等内容。比如 Puttnan（1993：35～42）研究以个人参加各种组织的数量来测量国家总体的社会资本，并认为社会资本影响国家的经济增长与发展；诺斯和奥尔森则把正式制度关系和制度结构等内容也纳入宏观社会资本的范畴，并以此为基础来研究政府、政体、市场、法律规则、公民自由和政治自由的宏观的社会现象。此外，由于社会资本概念丰富性和研究的多样性，还有对于社会资本的其他划分方法，比如 Adler & Kwon（2002：17～40），把社会资本划分为致力于获得个人资源的外部资本与能够提高组织效率的内部资本；林楠（2005）把社会资本划分为关注个体的社会资本和侧重于组织的社会资本。

无论社会资本的理论和研究怎么拓展，但是有关社会资本的理论都是以关系网络为核心，最终都是建立在个人社会关系的基础之上。

（三）中国社会变迁中的人际关系

经典社会学家齐美尔曾经把社会学的研究对象界定为社会关系，区分了社会关系的不同类型和特点，并作了一些深入的分析。同样在迪尔凯姆和腾尼斯对传统社会与现代社会的区分和比较里，人际关系也是其中的重要内容。其后的社会学发展里，人际关系成为社会学研究和理论的一个重要组成部分，像帕森斯有关传统与现代社会不同人际关系取向的比较等。在当代社会学研究中有关社会讨论网、社会支持网、嵌入性、社会流动、社会资本，以及本土面子、关系的研究等，都不同程度地以人际关系作为研究的重心。因

此，不同的人际关系类型，不但反映着不同社会中个人的社会整合模式，也反映着社会的不同类型和发展阶段。按照理论界比较统一的解释，与以血缘为基础所形成的特殊性人际关系相对应的是传统社会，而与以业缘为基础所形成的普遍性人际关系相对应的则是现代社会。中国当代社会的转型也是一种从传统向现代的转变，这也必然涉及人际关系的转变。基于新中国成立以后的经济、制度、文化变迁，本土学者在借鉴西方人际关系理论的基础上，建构本土丰富的人际关系理论，诸如差序格局的城市版（张继焦，2004）、新趋势（谢建社、牛喜霞，2004）、紧缩圈层结构论（周建国，2002）、差序格局的现代内涵、工具性差序格局、单位制人际关系论等。但是理论建构还处在理论争论的层面，在实证性上存在两方面的不足：一是某些理论的实证研究缺失，二是某些理论的实证研究只是基于某种社会现象，实证性过于狭窄，像利用劳动力流动中的求职现象进行的研究。以上的不足造成了本土研究还不能准确描述中国转型社会中人际关系的转变程度。

社会学对于中国当代转型社会人际关系的理论研究，可以分为两种理论路径：第一种是本土的差序格局理论，其以费孝通对中国传统社会的研究为起点，随着新中国成立后制度、经济的变迁，这一理论延伸出具有代表性的单位制人际关系理论、工具性差序格局理论，以及对前两者综合的现代性差序格局理论。第二种是西方社会学的人际关系理论，主要以传统与现代的人际关系比较和不同类型为核心，其主要以帕森斯对古典社会学进行综合而形成的模式变量理论为代表。

对本土人际关系的研究，开始于费孝通所提出的差序格局，费孝通认为中国传统社会中的社会关系与西方社会的“团体格局”明显不同，“我们的格局不是一捆一捆扎清楚的柴，而是好像把一块石头丢在水面上所发生的一圈圈推出去的波纹。每个人都是他社会影响所推出的圈子的中心。被圈子的波纹所推及的就发生联系。每个人在某一时间某一地点所动用的圈子是不一定相同的”（费孝通，1998：26）。传统社会是指“从秦汉到清末这一段两千年的中

国而言的”。“属于工业革命之前的，传统性的农耕社会”（金耀基，1999：7）。而“整个中国传统社会中的制度安排和权力运作，都是以这样的一种社会关系模式为基础的”（孙立平，1996）。这种传统社会的人际关系无疑是以血缘为核心，不断向外扩散。这种理论分析也奠定了中国当代社会转型中人际关系分析的理论起点，因为这种转型无疑也是人际关系由传统向现代的转型。对于这种传统差序格局在当代的依然存在，一些关于农村的经验研究和城市中有关网络的研究也都不完整地对此进行了肯定，例如李丰春（2005）、严红（2005）的研究。同时，基于社会主义改革而产生的市场过渡理论，其第三种范式（即文化经济范式）认为，经济改革中，国家从社会退出，管理上松开后，传统文化复兴了，传统态度和行为恢复了，例如利用血缘关系和熟人关系拉关系（王达伟、景天魁，2001）。同样，陶传进从经验研究的角度也认为“更进一步地看，只要国家的控制力度松动，一种在前市场社会中形成的价值体系就会主动寻找自身的活动空间”（陶传进，2003）。

单位制的人际关系理论，其主要考虑的是计划经济制度对于人际关系的影响。这种研究则是从克恩豪塞开始，其认为单位造成人际关系的原子主义取向，这种取向具有两个特征，一是个人之间的联系减少，二是个人通过公共权威建立联系，在实现个人利益的时候依赖个人行动而非群体行动（Kornhauser：1959）。沃尔德进一步认为单位制造成个人对单位的组织性依附，在纵向层面形成了庇护关系，在横向层面形成工具关系，这种关系决定着个人在单位中的资源获得（Walder，1986）。此后这种研究拓展到本土研究，路风明确地提出了“单位体制”的概念，认为单位体制的特征是功能合一性、生产要素主体之间的非契约关系和单位资源的不可流动性，由于这种特征，单位逐渐演化成为家族式的团体，在这种团体中，重视人际关系，个人行为模式上严格服从权威（路风，1989）。之后，孙立平（1996）认为，单位制并不仅仅是工业组织和城市社会生活中的一种组织形式，而是整个社会的组织形式；在此中，国家机构对稀缺资源的垄断和再分配，直接造成了能够支持

传统“差序格局”资源的被剥夺。当家庭的财产仅仅剩下最低限度的生活用品的时候，家长的权威就削弱了，当血缘关系和地缘关系不再能够向人们提供利益的时候，特别是人们生存和发展的机会主要不是来自这里的时候，其重要性无疑就会迅速下降；改革以后，资源的配置模式发生变化，单位制开始衰落，相应的人际关系也由普遍主义、表达性的“同志”式关系向特殊主义、工具性的关系取向转移。而李汉林则认为单位作为一种制度，是传统文化和现代意识形态相结合的产物，认为中国单位则是一种典型的都市村庄，带有很浓厚的乡土气息，因为在中国单位里，人们相互熟悉，没有陌生人。单位社会中的那种浓郁的乡土气息把现代的中国和传统的中国紧紧地连在了一起，因此中国的单位社会没有摆脱它的乡土特性，那么差序格局也就有了它赖以存在的社会结构性基础（胡伟、李汉林，2003）。这种差序格局的行为方式体现在两个层次上：一是个人行为层次，在行为及行为互动过程中，每个单位人总是根据他人对自己的亲殊远近以及重要性的程度来决定自身的行为方式和行为态度，并以差序格局的方式来构造自己与他人的关系。二是组织层次，个人层次的放大即是组织的行为方式，这包括正式组织和非正式组织两个形式：在正式的组织形式中，这种差序格局的行为方式主要表现为组织领导的行为，形成一个在正式组织层次上以我为中心向外推去，并以此来判断其亲殊远近关系，进而决定自身组织行为方式的差序格局；非正式组织中的差序格局实际上是指在单位的日常生活中形成的各种不同的“圈子”，单位中的“圈子”实际上所形成的是一种利益群体，是为了保护自身的利益，并在此基础上追求自身利益最大化而结成的一种“神圣”的关系联盟。无论是在个人层次上还是在组织层次上所形成的这种差序格局，大都是出于追求和实现自身利益最大化的考虑（李路路、李汉林，2000）。在这个意义上，中国单位社会中所形成的这种差序格局具有工具性的特征。

李沛良对香港人际关系的变迁进行了描述和分析，提出了“工具性差序格局”这个概念，并说明了其在五个方面的含义：一是社会联系是围绕着个人自我而建立起来。二是人们建立关系时考虑的主要是有实利可图。所以，亲属和非亲属都可以被纳入格局之中。三是从中心的格局向外，格局中成员的工具性价值逐级递减。四是中心成员常要加强与其他成员亲密的关系。五是关系越亲密，就越有可能被中心成员用来实现其实利目标（李沛良，1993）。由此可知，这种差序格局开始考虑经济变迁对人际关系的影响，并把利益作为人际关系的一个重要因素。其在结构上与传统差序格局保持某种一致性的同时，又增加了工具性的纬度，并借此导致了差序格局内部的流动性，即关系的有无和强弱是依赖于利益的变化而变化。

卜长莉（2003）提出差序格局的现代内涵，包含了以下几点内容：一是差序格局的中心点发生变化，中国人的“家”意识仍然是根深蒂固的，单位群体的出现取代了单一的家庭群体作为离个体最近的关系，构成了城市个体对其单位的依赖，形成了中国人的“单位意识”。二是利益成为差序格局中影响人际关系亲疏的重要因素。三是差序格局中所包括的人际关系范围扩大，姻亲关系与拟亲缘关系渗入差序格局。从这些内容来看，在这种现代性差序格局中，工具性利益依然得到保持，因计划经济而建立的单位制由于利益的关系也开始居于差序格局的核心，造就了单位与家庭的双重核心；由于姻亲关系是一种变相的血缘关系，姻亲关系的重要地位并不是现代差序格局所独有的内涵；此外拟亲缘关系的进入也是一种传统差序格局向现代社会转型的泛化。

此外，在有关人际关系的经验研究中，集中于经济社会学的嵌入性研究和网络研究。从农民工的劳动力流动到企业网络的建构，从社会讨论网到人际关系的功能性表现，都不同程度研究了中国转型中的人际关系结构和功能，但是对人际关系的研究还具有一定的模糊性，一些研究认为差序格局还在一定程度上存在，但是另一些研究却认为单位制的依附关系和工具性的利益关系已经对人际关系产生巨大的影响，甚至是进入人际关系的核心。由于对人际关系缺乏大规模、针对性的经验研究，目前社会学界对于传统差序格局到

底转换到何种程度上，还有待澄清。

西方社会学的人际关系理论以帕森斯的“模式变量”理论为代表。帕森斯认为传统人际关系导向和现代人际关系导向是不同的，主要体现在以下五个方面：情感性与情感中立性，指行动者在某一既定情景中是否涉及情感或情感的多寡，前者涉及丰富的情感，后者则相反；专一性与扩散性，是指行动者在某一互动情景中投入的范围以及权利义务关系宽窄的程度，前者投入的范围和义务宽泛，后者则狭窄；普遍性与特殊性，指互动情景中规范性标准的适用范围，前者运用普遍的行为规范，后者则适用了特殊的行为规范；先赋性与自致性，指在互动情景中是依据先天品质还是后天成就评价对方的问题，前者着眼于对方是“谁”，即对方的先天品质及其身份背景，后者主要根据对方“做什么”，即对方的表现和成就来评价对方；自我取向和集体取向，指行动者在互动情景中优先考虑的是哪一方的利益（乔那森·特纳，2001：34），前者以自我为中心，后者则以集体为中心。与“传统”和“现代”相对应的是前后两个极端类型，模式变量还可以分析处于这两个极端的所有复杂的结构类型。其他的还有齐美尔的中心—边陲人际关系理论（Simmel，1968：101～185），其与单位制中庇护主义人际关系极为相似，认为由于资源多少的不同，人们也相应的处于人际关系中心或是边缘的不同位置，因此这一理论主要强调了资源边缘对资源中心的关系依附。

结合上面所分析的具有代表性的人际关系理论，并考虑到人际关系的经验研究，不同的理论可以形成不同的理论范式。文化经济范式的市场转型理论认为传统差序格局依旧存在，不同的人际关系，其关系强度也不同，并随着人际关系的远近不同，关系强度逐步递减；在人际关系的结构中，血缘关系居于核心地位。工具性差序格局理论认为，不同的人际关系，其关系强度因利益、血缘的不同而不同；利益关系居于人际关系的核心。单位制的人际关系认为，不同的人际关系，其关系强度依赖于利益的强度；在单位制中，单位领导和同事居于人际关系结构的核心。而帕森斯的现代人

际关系理论则认为不同的人际关系没有关系强度的差异。

四、广东社会变迁中的人际关系

对于广东省人际关系的分析，一种是广东省人际关系的结构分析，主要包括社会信任、社会互动和经济援助三个纬度；一种是社会总体满意度的时间变化。

(一) 社会关系的内部结构分析

从以上的文献分析，人际关系主要涵盖了信任、互动和经济利益三个纬度。首先，从信任的角度讲，信任是人际关系相对稳定的深层心理结构，不同的人际关系，自然也具有不同的信任度；有学者认为，在我国人际信任机制的建立依赖于一种特殊机制：关系运作，即建立、发展、维持和利用关系的活动（吕传振，2007），杨中芳和彭泗清（1999）指出，在社会交往中，关系的主要功能在于它保证了交往各个阶段所需要的信任；在国内有关信任的研究上，有关特殊信任与普遍信任也是和传统与现代的人际关系结合在一起的（李伟民、梁玉成，2002）。其次，从社会互动的角度，一定的人际关系总是与不同的人际互动相联系，在社会学的基本概念中，曾把社会关系定义为社会互动的模式化（庞树奇、范明林，2000：189）。再次，从利益纬度来说，结合以上的关于中国人际关系的讨论，无论是对于传统的差序格局，还是现代的工具性差序格局，由于资源配置所带来的利益都是其重要的一个内涵，差异只是这种利益获得，是依赖于传统的家庭还是现代的单位或非血缘关系。对于分析人际关系的三个纬度，由于信任度是人际关系的深层结构，相对互动和利益更为稳定，所以本书的实证分析主要是信任结构分析，并以后两者的分析作有益的补充。这三个纬度的数据都是来自中山大学广东省2004年的城市调查资料。

1. 社会关系的因子结构分析。

对于信任，问卷中调查了13类人际关系的信任态度，对13种

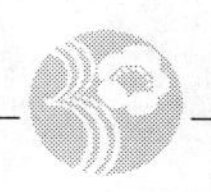

人际关系进行因子分析，KMO 的检验值是 0.775，根据 Scree Plot 判断，适合将因子设定为 4 个，其可以解释总体变量的 61.68%，旋转后的因子矩阵结果如表 5－5 所示，通过这一结果，我们可以看出，我们可以将 4 个因子分别代表以下的四种社会关系：一般关系、社会普遍关系、亲情关系、亲密关系。此外，从各种关系信任度的均值分布（图 5－1）来看，信任度由亲戚、亲密朋友、一般朋友、社会普遍关系逐步递减，这种信任的结构分布极其符合中国传统的差序格局。但是亲密关系中包括了亲密朋友和单位领导两种关系，其信任度已经超过或是接近一般亲戚，所以差序格局的工具性开始浮现，并处于一种近核心的位置，但是还没有进入到差序格局的核心。所以对于前面的理论假设，传统差序格局的理论观点都可以获得证实；但是工具性和现代性差序格局理论观点，都只能获得部分的证实，利益关系已经对人们的人际关系产生影响，并居于人际关系近核心的位置，但是居于人际关系核心位置的依然是血缘关系。虽然亲密朋友的信任均值高于其他亲属，但是其与直系亲属、家庭成员却有显著差异，而其他亲属则没有这种明显差异，所以在因子分析中，亲密朋友被归为亲密关系，而其他亲戚则被归为亲情关系因子。结合表 5－5 和图 5－1，可以明显地看出，单位领导和亲密朋友的关系已经处于人际关系近核心的位置；同时，在血缘关系之外，人际关系的强度依赖于利益的强度。

对单位制中的数据分析，旋转后的因子矩阵如表 5－6，信任度的均值分布如图 5－2。其结果与上面的总体分析结果相似，从前面表 5－1 可以看出，由于人们变换工作的次数很少，人们在不同性质的工作单位，其工作相对稳定，所以国有工作单位与其他单位对人际关系的影响没有巨大差异。因此，单位制人际关系的理论观点也只能获得部分证实，单位对于人际关系产生了一定的影响，但是没有动摇人际关系中的血缘关系核心。现代性人际关系的理论观点则完全被证伪，因为不同的关系信任度明显不同。

表5－5　　城市常住居民人际关系信任度的旋转因子矩阵

	因子构成			
	1	2	3	4
一般熟人	.769	.163	-.054	-.032
邻居	.716	.111	-.016	.143
一般朋友	.677	.045	.082	.303
单位同事	.577	.219	-.063	.467
网友	.522	.315	.031	-.491
生产商	.048	.870	.035	.101
销售商	.143	.860	-.012	.078
社会上大多数人	.264	.675	-.118	.074
直系亲属	-.037	-.048	.853	.030
家庭成员	-.054	-.077	.758	-.010
其他亲属	.076	.060	.741	.195
亲密朋友	.135	.078	.180	.629
单位领导	.360	.347	.051	.615

注：1. 提取方法为主成分分析法（Principal Component Analysis）。

2. 旋转方法为方差最大旋转方法（Varimax with Kaiser Normalization）。

3. 表5－5经6次迭代收敛（Rotation converged in 6 iterations），表5－6经5次迭代收敛（Rotation converged in 5 iterations）。

表5－6　　单位制人际关系信任度的旋转因子矩阵

	因子构成			
	1	2	3	4
销售商	.882	.139	-.006	.120
生产商	.876	.103	.026	.123
社会上大多数人	.682	.236	-.120	.135
一般熟人	.165	.742	-.044	.178
邻居	.074	.731	.055	.261
网友	.220	.626	-.085	-.190
直系亲属	-.043	.024	.880	-.047
家庭成员	-.078	-.136	.759	.075
其他亲属	.047	.084	.719	.223

续上表

	因子构成			
	1	2	3	4
亲密朋友	.064	-.123	.101	.784
单位领导	.309	.283	.136	.647
一般朋友	.057	.471	.034	.587
单位同事	.260	.466	.086	.533

注：同表5-5。

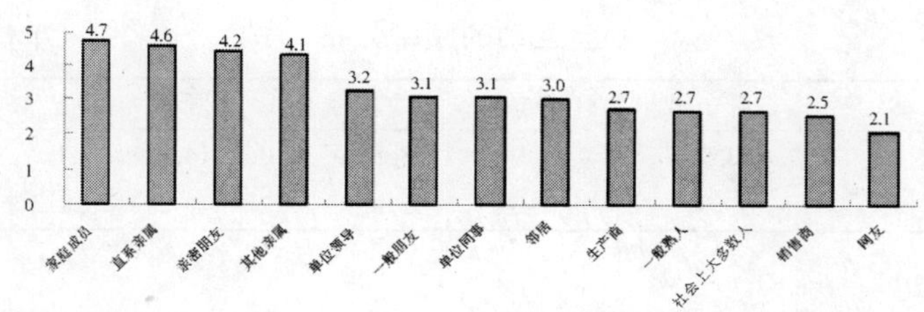

图5-1 城市常住居民人际关系信任度均值分布

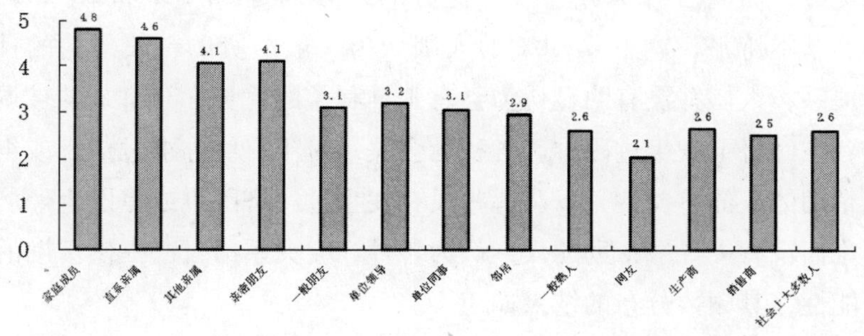

图5-2 单位制中城市常住居民人际关系信任度均值分布

2. 社会关系的互动分析。

从人际互动角度对人际关系进行分析，因为人际关系不是单一经济变迁决定的，同时还有文化的影响，所以将互动分为日常互动和传统节日的互动。在平时与节日里人们主要交往对象数据统计如表5-7。从这里可以明显地看出平时交往与节日交往的差异：在平时，人们主要交往朋友和直系亲属，其次是同事；而在节日中，人们主要交往的是直系亲属与朋友，二者的顺序是相反的，此外交往较多的则是一般亲戚，与平时交往也有很大的不同。过年人们拜访亲戚、朋友、一般相识的平均人数分别是21人、14人和11人左右。所以在传统的节日交往里，人们互动的结构依然是与传统的差序格局保持一致，而日常互动则更多地体现了工具性差序格局的特点。

表5－7　城市常住居民不同社会关系社会互动的频率分布　（单位:%）

	直系亲属	一般亲戚	同学	朋友	同事	邻居	其他
平时	18.9	7.0	8.8	38.0	14.4	13.0	0.4
节日	56.9	16.3	2.8	20.7	2.1	0.8	0.2

3. 社会关系的经济利益分析。

从利益的角度分析，在托熟人办事上，只有3.8%的人认为很有优势，而认为有优势和没有优势的则分别是23.5%和25.2%，两者基本持平，剩下47.4%的人则认为一般。所以一般建构的社会关系，人们并没有明显认为会有工具利益的优势。34.1%的被调查者在经济上发生过困难。各种社会关系对于那些寻求过他人或组织帮助的人的重要性，以及那些没有发生过经济困难或是发生经济困难而没有去寻求帮助的人，认为各种社会关系给自己提供援助的可能性，其频数分布的结果如表5－8。

表5－8　对被调查者援助过的关系重要性和被调查者认为关系的重要性的频率分布　（单位:%）

		朋友	邻居	单位	政府	街道办、居委会	自己或配偶的父母	自己或配偶的兄弟姐妹	子女	亲戚	同学/同事
曾经援助过你的单	第一重要	1.6	1.4	0.8	36.2	33.5	3.3	8.8	2.7	10.9	0.6

续上表

		朋友	邻居	单位	政府	街道办、居委会	自己或配偶的父母	自己或配偶的兄弟姐妹	子女	亲戚	同学/同事
位组织或	第二重要	1.9	0.8	0.8	17.9	28.1	1.9	18.6	11.2	18.1	0.6
个人：	第三重要	3.5	0.7	0.9	8.1	9.4	1.3	29.1	13.8	27.4	5.9
你认为可	最有可能	2.2	1.0	0.3	38.7	31.9	4.7	6.8	2.4	11.8	0.2
能援助你	其次可能	2.9	0.7	1.1	9.0	7.1	2.3	25.9	12.2	34.8	4.1
的单位组	再次可能	2.9	0.7	1.1	9.0	7.1	2.3	25.9	12.2	34.8	4.1
织或个人：											

从这个表中，我们也可以看出，无论是对那些发生过经济困难的人，还是那些没有经济困难的人或是没有寻求援助的人，均认为家庭援助依然居于这种关系的核心，其次是朋友和亲戚。由于问卷设计的限制，在统计分析中我们还不能对朋友、亲戚两种关系与家庭关系做显著性检验，从而还不能说明在利益结构中，朋友和亲戚关系中何者可以和家庭关系聚为一类。但是这种提供经济利益帮助决定性的依然是以家庭为核心，与传统的差序格局基本一致。同时那种对国家依赖而产生原子主义式的人际关系在数据中几乎没有获得任何支持，因为把国家、单位、街办三项的比例加起来，其比例也不超过5%的，可见国家、单位对于个人困难时期的经济保障，其影响是微乎其微的。

4. 社会关系中互动和利益的聚类结构分析。

接着在对人际互动和利益关系的所做的聚类分析，以及以这两个方面对人际关系信任度所做的回归分析中，我们把人际互动的两个类型，平时互动与传统节日互动其中的变量值——包括直系亲属、一般亲戚、同学、朋友、同事、邻居、其他等7类，都聚合为亲情关系、朋友关系、同事关系、其他关系4类值；把经济援助的值——包括单位、政府、街办、自己或配偶的父母、自己或配偶的兄弟姐妹、子女、亲戚、同学/同事、朋友、邻居等10类，聚合为亲情援助、朋友援助、单位援助、政府援助 4 类值。在利益关系方面，我们以经济援助为指标，只分析对那些发生过经济困难提供经济援助第一位重要的关系，以及那些没有发生经济困难或是发生了而没有寻求帮助的人，所认为最有可能提供经济援助的关系，这两种情况合并在一起，正好构成样本总体，所以这两个变量被合并为一个变量。

由于在数据的设计中，人际互动和经济援助均是定类变量，我们在以上变量值重新聚合的基础上，把平时互动和传统节日互动，分别虚拟为平时与传统节日——亲情、朋友、单位、其他关系互动——等 8 个虚拟变量；把经济援助虚拟为亲情、朋友、单位、国家等 4 个虚拟变量。

对这 12 个虚拟变量进行聚类分析，由于我们分析的中心在于传统性、工具性、单位制三种差序格局三种人际关系模式的分析，所以将聚类分析的类别设定为 9，分析结果如表 5 – 9。从表 5 – 9 可以明显地看出，在平时互动、传统节日互动、经济利益互动中，可以明显地聚为亲情关系、朋友关系、单位关系（包括单位领导关系和单位同事关系）三类。其中政府所提供的经济保障也被归结为单位关系一类，这与我国城市居民的国家保障是以单位归属为前提的现实是一致的。结合以上对人际关系中社会互动与经济援助的描述性统计分析，可以看出人际关系在社会互动与经济援助这两个维度上，依然与传统的差序格局极为符合。

表 5 – 9　　聚为 3 类的类成员表

Case	3 Clusters
平时亲情关系互动	1
平时朋友关系互动	2
平时单位关系互动	3
平时其他关系互动	3
传统节日亲情关系互动	1
传统节日朋友关系互动	2

续上表

Case	3 Clusters
传统节日单位关系互动	3
传统节日其他关系互动	3
亲属	1
朋友	2
单位	3
政府	3

（二）人际关系满意度的时间变迁分析

从以上人际关系的因子结构分析来看，随着经济的发展，人们社会流动性和社会交往的增加，家庭之外的社会关系在人们的社会关系中处于越来越重要的位置，在人们总体的社会关系中也变得越来越重要。随着广东省改革开放30年的社会变迁，尤其是邓小平20世纪90年代南方视察讲话后，广东率先启动了第二次改革浪潮，对于广东省居民各种社会关系总体也产生了巨大的影响。根据广东省城调队的累积性调查，广东省居民人际关系满意度的频率变化如表5-10。

表5-10　广东省居民社会关系满意度的时间频次变化

（单位：%）

年份	1996	1997	1998	1999	2000	2001	2002	2003	2004	2005	2006
满意度	41.9	45.3	43.4	42.8	45.3	47.6	59.1	50	49.6	55.8	54.5
一般	49.1	50.8	49.4	51.6	48.4	46	37.1	45.8	44.4	40.1	41.5
不满意度	9	3.9	7.2	5.6	6.3	6.4	3.8	4.2	6	4.1	4

从表5-10可以看出，在数据开始检测的1996年，对于社会关系持有一般态度的人数最多；到了2006年，对于社会关系持满意度的人数则开始超过持一般态度的人；而对于人际关系持不满意态度的人数，一直都处在没有超过频次10%的水平。人际关系的

满意、不满意和一般的态度都随着时间的变化，发生了很大的变化。在社会关系满意度上，虽然在中间有波动，但是总体是上升的趋势；在社会关系的一般态度和不满意上的频次，总体是下降的。这说明广东省改革开放30年来，尤其是20世纪90年代至今的社会转型和发展，改善了社会环境，促进了社会和谐，增加了整体的社会资本，因而也对人们的各种社会关系产生了积极的影响。

对于中国当代的人际关系，无论是理论争辩还是各种零散的实证研究，其解释的依据主要集中在经济、制度、文化三个方面：经济变迁强调社会流动给人际关系带来的工具性，制度变迁强调计划经济中单位制对人际关系的冲击，而文化则强调人际关系传统性的依旧存在。台湾学者黄光国认为差序格局在一定程度上依然存在，并将其归结为文化的特殊性（Hwang，1987：944～974）；桂勇、朱国宏等人（2004）对上海市失业群体利用关系进行求职的研究，显示了人们在求职中依然是强关系，而与经济转型相联系的就业制度的变化对这种强关系几乎没有影响，最终也把这种与制度无关的强关系归结为文化的滞后性；彭玉生（2004，1045）对于中国农村的研究，也发现差序格局在家庭经济中具有重要的影响。

在社会学理论中，与强关系相对应的是传统社会特殊性的人际关系，而与弱关系相对应的则是现代社会普遍性的人际关系，当代中国社会的转型无疑是一种传统向现代的转型，而这种转型对人际关系的影响，通过以上的实证分析，可以看出广东省的人际关系正在经历一个缓慢的变换过程，但基本模式还是传统的差序格局，这种模式在内在的心理信任结构和外在的利益结构方面依然保持高度的一致性，并沿着血缘关系，由内向外逐步减弱。但是因子分析的结果可以说明，工具性已经开始渗透到差序格局里面，并在家庭关系这一核心的外围决定了关系的强度，因此决定这种工具性利益的单位领导和亲密朋友开始接近血缘关系，并处在一个近核心的位置。此外，从互动的角度分析，日常互动和传统的节日互动已经开始出现巨大的偏差，说明广东省的人际关系是经济转型和传统文化相互影响的结果，经济的超前性导致血缘与地缘、业缘的分离，使

人们日常的主要互动是后天建构的朋友关系；而传统文化又导致人们在传统节日里主要的互动对象是血缘亲戚关系。

所以对于中国当代的人际关系，工具性差序格局理论有效地揭示了人际关系的工具性，但是这种工具性对关系强度的影响只在血缘关系核心的外围中发挥作用，关系强度与利益是高度相关的，并且这种工具性的利益关系在人们经济利益的保障中远不能替代血缘关系。单位制的人际关系理论，以其单位已经取代家庭成为资源配置中心的出发点，认为单位会产生对人际关系的决定性影响，但是广东省的实证研究也表明单位领导也只是在人际关系的近核心，而没有达到核心。那种单位制的原子主义、纵向的庇护主义、横向的工具主义人际关系基本上没有得到证实。毕竟，新中国几十年制度建构还是无法改变历经两千年文化积淀而形成的差序格局。而且这种转型期国家保障的不稳定性，导致血缘的亲戚关系依然在经济利益的保障方面发挥着巨大的作用，从而还有继续强化传统差序格局的作用。所以从某种角度讲，转型期，我国社会对于个人的整合还主要不是依赖于国家单位和社会保障，而是传统的家庭。现代性的差序格局理论是一种单位制和工具性人际关系理论的综合，其自然也和前两者一样，过高地估计了经济、制度变迁对人际关系的影响，而对传统文化的影响的估计则极其不足。此外，国外的家庭社会学研究也认为，在现代的西方社会人际关系的结构也像洋葱结构一样，核心依然是家庭血缘关系，但是这种家庭关系的核心型并不影响其他社会关系的拓展与加强；同样希望我国的人际关系转型实现家庭外关系对家庭关系的核心替代，也是过于浪漫的理论构想；就像特殊信任不会影响普遍信任的扩展一样，中国特殊的血缘关系也不会影响其他普遍关系，改革开放 30 年来广东省的信任与人际关系发展已经证明这种趋势。

从以上的理论和实证分析可以看出，广东省改革开放 30 年来的经济发展与社会转型，强烈地影响到人际关系的变迁，在血缘关系之外，朋友和单位领导的关系在不断加强，并在人际关系中处于接近核心血缘关系的近核心位置，这说明人们在特殊关系之外的普遍关系不断获得加强。现代化理论认为：随着社会现代化程度的提高，人们的普遍关系将会逐步加强；而失败的现代化进程则会导致社会关系的内卷化，即人们特殊关系的加强。因此，从广东省人们普遍关系不断提高的改善来看，广东省30年来的改革开放是成功的，现代化程度也不断在提高。

结　语

（一）广东省社会信任的进一步培养与提高

信任不但对于个人的社会行为和社会关系具有重要而积极的影响，而且对于一个社会经济效率的提高和经济环境的改善具有巨大的影响，进而还对一个社会的秩序与稳定产生着发挥着巨大的作用。广东省的社会信任在改革开放的30年里，虽然不断获得改善和提高，但是还需要进一步的建设与推动，满足广东和谐社会建设的要求和经济迅速发展的形势。国内对于当代中国社会转型期社会信任的建设研究（牟永福，胡鸣铎，2005；韩东才，2006；顾凡、李志红，2002；王艳，2003；邹勤，2006），既涉及不同的领域，比如政治、经济、文化，也涉及不同的主体，比如政府、企业与个人。但是对于社会信任的建设和提高，是一个社会的整体建构与提高，必定涉及信任的诸多领域与诸多主体。

针对广东省信任变迁和现状，广东省未来的社会信任建设还需要在以下三个方面，进行积极的发展与提高。

首先是社会信任的制度环境建设，包括两个层次，一是核心的国家法律制度建设，二是各个行业、领域的各种制度建设。一个国家社会秩序和社会信任的核心保障是法律的完备与坚决的实施，即有法可依、有法必依；通过法律明确规范从上至政府、下至个人等各个社会主体诚信行为，提高失信行为的成本，减少失信行为的几率，鼓励各种主体之间的诚信行为并产生彼此之间的积极影响；同时，政府法律对于诚信的保障和维护，不但要涉及具体的个人与企

事业单位，更重要的是保证政府行为自律与依法行政，因为政府不但是社会权力的中心，也是社会秩序维护和各种群体利益分配的中心，政府的诚信行为对于整个社会的信任影响具有强大的影响作用。法律毕竟无法规范、覆盖所有的社会领域，于是各个行业、领域的行业规范、领域规则就是法律规范的有效补充，有效的行业规范、领域规则可以塑造并鼓励各自行业和领域的诚信行为，激发行业主体的行为自律与诚信人情，最终塑造出行业内的诚信环境，提高行业主体和从业人员的社会信任度，进而推动行业的健康发展。

其次是建立和健全社会信用的评估与实践体系。信用是信任的量化表现，通过信用就可以有效地测量、比较信任，并对各种不同程度的信任行为进行有效的评估与规范，使社会信任在有效、积极的社会实践中不断被提高。事实上，国外的信用评估与实践体系，涵盖了从政府、企业到个人各种的社会主体，对于规范政府行为、提高政府效率、促进企业竞争、推动经济发展以及规范个人诚信行为等方面都发挥了积极而有效的作用。这主要是因为，社会信用体系的评估与实践，增加了各种主体信息的透明度，降低了信息不对称，降低了各种主体在相互交往中的风险，并激励了诚信行为的收益、增加失信行为的成本，最终为塑造一个良性的社会信任环境提供了坚实的基础。

最后是挖掘优秀的传统信任文化，通过各种教育和大众传播，培养人们积极的诚信意识。社会信任的制度环境对于规范人们的诚信行为固然有重要的影响，但是社会信任的产生、维持与不断的强化，还必须通过每个人的诚信行为体现出来，而这就需要个人把外在的诚信规范内化为个人的诚信意识，最终表现出自然的诚信行为，塑造诚信的社会环境。这种诚信意识的内化需要积极挖掘优秀的传统信任文化，古为今用；同时通过各种教育形式和大众传播媒介积极塑造社会信任的文化氛围，不断增强人们的诚信意识，进而提高整个社会的社会信任。

（二）广东省和谐人际关系转型的重要价值与进一步

建设

从以上的研究数据分析，广东省居民的人际关系正在发生从传统到现代的转型，血缘关系之外的单位关系和朋友关系逐渐进入人际关系的核心位置，这对于个人发展、经济效率和社会进步都有着非常重要的价值与意义。首先，人际关系转型预示和促进着个人发展；传统的人际关系以血缘为核心，不但预示着人们交往在地理空间的狭窄范围，而且也显示着人们在人际关系领域的狭隘性，进而揭示出人们的先天性关系在个人的发展中有着决定性的作用；而迈向现代的人际关系，则无疑促进了个人从地理空间、人际关系范围中的一种解放，促使人们的后天关系开始成为个人发展的决定性因素，即个人的后天努力开始取代个人的先赋性因素成为个人获得社会成就的基础。其次，人际关系的转型对于经济效率的提高具有重要的意义，人际关系从血缘关系到职业关系的转移，意味着个人流动性的增加，导致社会整体人力资源的有效配置；同时个人流动也带动技术、信息的传播，进而推动着技术与先进管理模式的传播、推广、应用。因此，人际关系转型中的人力资源配置与信息、技术的有效传播，极大地促进着经济效率的提高。再次，人际关系转型对于社会进步具有重要的意义；人际关系中后天关系的加强，意味着人们的后天自我努力开始取代先赋继承性因素，成为个人成就的基础，这就显示出社会公平性的进一步加强；同时，人际关系中的非血缘关系开始进入人们社会关系的核心位置，不但说明人们社会交往的日益扩大，显示出社会日益增加的开放性，而且人们被整合于更为广阔的社会结构之中，反映出社会整合度的不断加强。

人际关系对于个人发展、经济效率和社会进步等诸多方面具有着重要的影响；以人际关系为基础而形成的社会资本，更是对于个人、企业、产业、行业、社会乃至是全球化，有着重要的影响与推动作用。因此，在改革开放30年的过程中，广东省人际关系的转型以及以此为基础的社会资本的提高，既是广东省经济发展的重要结果，同时也为广东省的社会稳定与进步作出了巨大的贡献。因

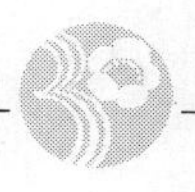

此，为加强广东省经济发展、社会进步与人际关系、社会资本之间的良性影响，实现和谐广东的社会建设目标，需要根据广东省人际关系变迁的现实基础，从以下几个方面积极推动广东人际关系从传统到现代的转型，不断促进广东现代化的健康发展。一是继续深化改革，积极推动广东的政治与经济发展；广东省改革开放 30 年来的经济与社会现实，显示出这场社会改革的广泛性、深刻性以及巨大的成功性，进而也揭示出我国社会主义道路发展的优越性；在这场政治与经济相结合的改革中，政治民主化的不断推进、政治制度的不断完备，为人际关系的顺利转型提供了坚实的政治基础与保障；同时，经济发展和市场经济体系的不断深化和完善，则直接为人际关系的现代转型提供了直接的动力与刺激。因此，30 年来成功的政治、经济改革，已经保障并直接推动了广东省人际关系的现代化转型，广东省人际关系现代化的进一步转型，也需要改革的进一步深化。二是不断完善市场经济体制，促进劳动力资源的自由流动与有效配置；现代化人际关系的形成，使个人人际关系从传统的地理空间和血缘关系中解放出来，市场经济所激发的职业流动、社会流动是直接的推动因素；完备市场体系，促进劳动力的自由流动，就需要市场经济制度的不断完备及其与之相应的制度建设不断健全，例如劳动者权益保障的法制建设、促进劳动力自由流动的户口制度建设等。三是加强 NGO 等民间组织的建设，积极推动第三部门的发展；NGO 等民间组织，不但能够有效地拓展人们的社会关系，而且也是增加社会资本的有效形式，同时还能弥补政府与市场双重失灵；NGO 等民间组织扩大了人们的社会交往，是人们建立多样化社会关系的凭借，因此可以有效地把人们的社会关系从传统推向现代，进而为建立和谐的广东社会，促进广东的经济建设提供有益的推动。

第六章
改革开放30年广东居民价值观念变迁

伴随我国经济体制改革进程的深入进行，原先计划经济主导下的社会结构逐渐向市场经济主导下的社会结构转型。社会结构转型是从制度层面上对经济体制转变的一个体现，但社会价值观念的变迁则从另一个侧面展示了体制转变和社会结构转型带来的深层变化。计划经济体制下形成的各种社会价值观念在新型市场经济体制的影响下逐步被赋予了新的社会内涵，同时社会价值观念的转变也在某种程度上影响着经济体制转变和社会结构转型变革的深度和广度，因此，关于社会转型的考察必须要同时注重社会结构转型与价值观念变迁两个方面。“道德的规范和理想都是在一定历史条件下适合于一定的生活方式而形成，并被一定人们所选定；任何一个社会都有自己的一定道德体系，这一道德体系是它的经济基础和生活方式的反映，并且为巩固和发展现有的社会秩序服务”（李顺德，1994：5）。显然，发轫于20世纪80年代初期的市场经济改革已经波及我国广大地区，只是由于各地市场化程度的不同以及各个地方价值观念和传统价值观念的延续效应，市场改革和与此相应的价值观念变迁在全国各地波及程度有深有浅，波及领域方面也各不相同。关于社会结构转型以及由此而来的社会价值观念变迁成为本章的主要内容。

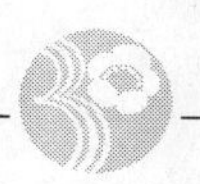

一、社会转型与观念变迁：思路、方法与背景

（一）基本思路和主要内容

广东作为我国改革开放的前沿阵地，自20世纪80年代初就成为这场改革大潮中的先头军，广东经济体制转型与社会生活各个领域的大部分改革都是先行一步，而诸多方面的改革同时也使得广东在政治、经济、社会和文化生活等领域独树一帜。然而，如果我们仅仅关注广东以上方面的变革就忽视了另外一个重要方面。广东30年的改革开放成果不仅展现为实际经济成就的巨大增长，更为重要的是广东居民在改革开放中逐渐形成的社会价值观念更为全国其他地方瞩目，因此，这些新型社会价值观念也在以另外一种方式诠释这场静悄悄的市场改革进程，同时这种社会价值观念的变迁也在某种程度上加大了经济体制改革的深度和广度，两者之间形成一个相互促进又相互影响的良性循环。显然，如果我们要讨论广东省自改革开放以来30年的社会变迁过程，就要注重两个方面：一方面，广东省作为改革开放的先锋和排头兵，在过去30年市场改革中取得的巨大经济、社会、文化成就；另一方面广东居民在这30年改革浪潮洗礼中逐步形成的与经济体制改革相适应的社会价值观念。

中国政府自20世纪70年代末推行的改革开放导致的重要结果便是经济体制领域内企业产权关系的重大变化，这种体制转变的最终完成必须要结合其他社会政策、制度的配套改革，但经济领域内的变革是这场大转变中的关键因素，这种经济体制改革进而成为牵引整个社会结构转型的重要力量。“社会结构，主要是指一个社会中社会地位及其相互关系的制度化和模式化了的体系”（郑杭生、洪大用，1996：58）。社会结构变迁从根本上来讲是正式制度的变迁，但这种变迁将会影响非正式制度的转变，即社会成员价值观念的变化。“价值观范型，也叫价值观模式或样式。亦可简称为价值范型。价值观范型，不是指某种个别的价值观念，而是指渗透在全部社会生活实践中的价值体系、价值结构。一种价值观范型，或者作为一种范型的价值观，就是一种在整体上、结构上具有自己鲜明个性特征的价值观、价值体现”（徐贵权、邵广仪，2005：301）。本章指出，不同的社会结构会衍生出不同的社会价值观念，社会结构的转型也会逐步导致相应社会价值观念的变迁。“价值观范型的转换，是价值观的结构性变革、整体性变迁，是对原有价值秩序的颠倒，是价值秩序的重构，是对原有价值观的抛弃与超越，是一种范型价值观向另一种价值观范型的转变”（徐贵权、邵广仪2005：301）。当然社会结构与社会价值观念之间的联系、传递需要一定的时间过程，但是社会结构与价值观念之间的关系是辨证的。不可否认，经济体制改革进程比较大的地方对传统价值观念的冲击和对新型市场观念的塑造的影响会更加剧烈，然而新型的社会价值观念将促使经济体制改革的进一步发展。关于社会结构与价值观念转变的研究，美国社会学家早在20世纪70年代就在6个发展中国家开展了现代人研究，调查显示学校、家庭、工厂和大众传媒成为影响个人是否更具备现代性的重要途径，并且就现代人具备的特征进行了总结（英格尔斯，1974）。

本章关注的是经济体制改革牵引出社会结构转型以及由此而导致的社会价值观念变迁。本章将利用现有数据，展开对广东居民自改革开放以来30年价值观念变迁的纵向比较。由于数据所限，关于改革开放之前的价值观念，本章更多是以现有的文献资料为基础做定性分析，进而和当前广东居民价值观念进行历史比较，从中窥测出社会结构转变和社会价值观念变迁之间的关系。之所以采用这种研究方法，基于两点考虑：一是由于时间跨度大，相关资料尤其是数据资料的缺乏，导致研究者无法采用精确的社会调查方法；二是涉及的是观念史研究，观念本身的相对模糊会使得研究者只能从一个方面来把握社会价值观念，以期接近真实的社会价值观念变迁。鉴于此，本章将认真梳理广东居民价值观念在近30年内的变迁过程，这种纵时研究对于反思改革成果和总结成长经验具有重大

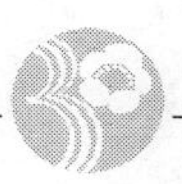

参考价值。简言之，在改革开放过程中，社会价值观念变化与经济体制改革是相互促进相互影响的过程，先是有观念的变化、思想的解放，促进了生产力的发展；生产力的发展反过来又促进社会成员价值观念的进一步解放。

关于广东居民社会价值观念变迁的考察，本章没有这方面的数据资料，所以很难就广东居民价值观念变迁进行定量数据分析上的讨论。针对这种资料不足，本研究将以广州居民社会价值观念变迁的详细数据为基础，详细展开对广州居民社会价值观念变迁的分析。采取这种研究方法基于两种理由：一是广州是珠江三角洲乃至广东省的政治、经济、文化的中心，广州这种地位使得广州居民更早接受经济体制改革的洗礼也更快地转变自身的社会价值观念，而除广州之外的广东其他地区在经济体制改革进程上的速度和深度则影响了本地居民社会价值观念的变迁；二是本章在广州居民社会价值观念分析的基础上仍会结合相应的"社会流行语"和社会政策变迁来重点考察广东居民社会价值观念的变迁进程，这方面的考察仍是对广东居民做全方位的思考。在定量研究的层面，本章更多是以广州居民社会价值观念变迁作为考察广东居民价值观念的典型；在定性研究层面，本章则会采用政策分析方法对广东居民社会价值观念变迁做宏观考察。

本章将从两个方面展开对广东居民社会价值观念变迁的考察：一是从定性层面对广东居民社会价值观念变迁做历时考察；一是从定量层面对广州居民社会价值观念变迁做纵向比较。关于广东居民社会价值观念变迁，本章将从社会流行语和社会政策两个方面的变化进行讨论。关于广州居民社会价值观念变迁，本章在综合以往关于社会价值观念讨论的基础上，从以下方面来进行讨论：一是经济价值观念，包括金钱观念、事业发展和物质享受等指标；二是社会价值观念，包括社会责任观、社会发展观和政治观等指标；三是生活价值观念，包括身体观念、婚姻观念、家庭观念等指标。本研究之所以选择以上具体指标，基于三个根据：一是以市场改革前后价值观念领域中发生比较大差异的指标为一个根据；二是经济体制转

变和社会结构转型的最能影响价值观念的指标作为一个根据；三是和社会成员生活联系最为紧密的价值观念的指标作为一个根据。

（二）研究方法和数据来源

本章主要使用定量研究和定性研究两种方法。一是侧重定量研究的考察，即在现有数据的基础上，对广州市近20年来的价值观念做历史的纵向比较分析，从中归纳出广州居民价值观念变迁特点。一是侧重定性研究的分析，本章将对广东历年的社会政策文件进行分析，这种研究方法主要是从宏观层面来考察广东居民社会价值观念变迁的路径。本次调查指出，无论是从定量的角度来揭示广州居民社会价值观念变迁进程，还是从定性角度来考察社会政策文件对社会价值观念的影响，这两种方法在本次调查中都不可偏废。

关于广州居民价值观念变迁数据的考察，本章使用的是广州社情民意研究中心的数据资料。广州社情民意研究中心从20世纪80年代末就开始密切关注广州市社会经济发展各方面的情况，收集了大部分的数据资料，尤其是其中关于广州居民社会价值观念变迁的数据为本章提供了基础。该中心从1990年起，每年通过随机抽样，连续18年对广州人基本价值观进行问卷调查，[①] 其成果成为见证广州人价值观变迁历程的珍贵资料。这里要特别指出的是，广州市社情民意研究中心的调查数据最早到1990年，1990年之前的数据资料本章并未获得。由于数据不足而导致的研究困境，本章将利用现有的政策文献来弥补定量数据的不足。

本章使用的数据来源三个方面。一是上面说的广州市社情民意调查中心提供的数据资料。二是以历年统计年鉴为文本，收集和本章相关的广东省历年统计数据资料。三是与本研究相关的社会政策文献也是本章的重要数据资料，其中包括社会流行语和社会政策两个方面。本章指出，研究者对社会政策文献的分析具备两方面的功

① 每年入户访问广州市越秀、荔湾、白云、海珠、天河、黄埔六个区（原老城区）的居民（居住年限在一年以上）；2003年以前样本量在500，之后上调到1000。

能：一是社会政策文献的出台本来就是政府对当时社会条件状况的具体反应，对这种政策文件的分析本身就揭示出社会价值观念变迁的轮廓；二是社会政策文件的出台将会导致一系列的社会后果，这些后果不仅会促成社会结构的变化，而且会从深层次上影响居民社会价值观念。因此，定性资料分析和定量资料分析两者都不可偏废。

（三）观念变迁的背景：改革开放以来广东经济发展状况

根据广东省原省长梁灵光的调查报告，[①] 改革开放之初广东省的经济发展居于全国的中下游水平，1978 年（含）以前连续 14 年发展速度低于全国平均水平，具体来说，在计划时期（1950—1978 年）广东经济年均增长为 6.0%，低于全国（1953—1978 年）6.1%的水平；1979 年人均工农业总产值，全国 636 元，广东仅 523 元，低 17.8%。自改革开放以来，广东经济一直保持着持续增长的趋势，且增速呈上升的趋势。根据广东省统计局研究[②]，在经济总量上，广东在 1989 年超过江苏成为全国第一至今仍稳固继续排在榜首，且 2001 年首次超越东南亚经济总量最大的印度尼西亚。改革开放初至 2005 年，广东 GDP 年均增长达 13.7%，高于全国 4.1 个百分点，创造了世界经济增长奇迹。按可比价格计算 2005 年的 GDP 相当于 1978 年的 32.3 倍。

就发展阶段来说，广东在改革开放 30 年中的经济发展速度呈现三个阶段：第一阶段是 1978 年到 1990 年，年均 GDP 增长达 12.7%，但其中有 4 年 GDP 增长是在两位数之内，经济增长有波动。第二阶段是 1990 年至 1998 年，在 1990 年以后广东年均 GDP 增长一直稳定地保持在两位数。事实上，在 1992 年邓小平南方视察之后，广东改革开放开始了新的一轮发展热潮，并切实地在追赶

① 梁灵光：《广东改革开放的实践与探索》，2002 年 8 月赴菲律宾报告的提纲。
② 广东省统计局：《广东经济发展轨迹》的统计分析报告。

邓小平提出的“亚洲四小龙”。第三阶段是1998年至今，1998年3月江泽民在九届全国人大一次会议期间对广东提出“增创新优势，更上一层楼”，交好物质文明和精神文明建设两份答卷，这是广东经济增创新优势阶段。在这个阶段，广东又率先响应中央的经济发展转型（由粗放的经济增长方式向集约的经济增长方式转型）的号召，打响降低经济发展能耗的第一枪，并致力于提高自主创新的发展。

广东省在改革中人均GDP一直保持着增长的趋势。根据广东省统计局公布的数据，2006年广东人均GDP达28077元，按现行汇率折算，首次超过3000美元。据世界银行统计，2005年中等收入国家或地区人均GDP为2640美元，说明广东的收入水平已处于世界中等收入水平。同时，人均GDP也是我国于2005年提出的全面建设小康社会的核心监测指标之一，按照国家提出的我国到2020年实现小康社会，人均GDP达3000美元（按2000年汇率）的目标，广东省可以说是提前13年达到小康目标。这在全国也是第一个。而根据国际经验，人均GDP超过3000美元也是经济发展的一个关键拐点，广东在改革开放中又一次担负起为全国经济发展进入注重平衡阶段探索经验的角色。

总的来说，广东经济在改革开放30年中无论是改革之初的单纯经济发展，还是中期的全面发展，还是近期的创新发展都是走在全国的前列，广东在全国改革开放中始终起着带头、示范的作用。所有这些是广东省居民观念在改革30年发生改变的基本的经济社会背景。

二、广东社会价值观念变迁：以“社会流行语”为切入点

关于社会价值观念变迁的考察，研究者可以通过不同的研究方法来进行思考，其中既可以通过大规模的问卷调查来比较各个时期社会成员价值观念之间的差异，同时也可以通过对不同被访者进行

访谈来获得相应的资料。本节采用的是对“社会流行语”变化的考察为切入点。本章采用这种研究方法是有两点考虑：一是研究对象的典型性，二是研究方法的可行性。从研究对象的典型性来看，社会流行语是一种时尚语言，它是普通民众口头上流行的反映世风民情的词语，这种语言集中代表了不同时期社会成员对某一类社会现象的概括和总结，但这种概念之所以流行就是因为这些流行语和普通社会成员的日常生活紧密联系。同时这种流行语之所以可以流行是因为社会成员大多数是从内心接受和认可了它，这种流行语同时也可以对社会成员进行潜移默化的影响，研究对象的这种典型性使得我们对“社会流行语”的考察可以更真切地接近现实生活。从这个意义上来讲，社会价值观念的考察就不是研究者通过大规模的问卷调查来获得，而是对社会成员日常生活中经常使用的流行语的考察来获得。研究方法的可行性是建立在这种研究对象的典型性上，一是这种研究对象或资料比较容易获得，二是这些流行语对于我们来讲很熟悉，三是社会科学领域已经形成一套严谨的研究方法，这套研究方法可以帮助研究者有效分析社会价值观念变迁。

1977 年、1978 年“恢复高考”、“尊重知识”：1977 年 8 月 4 日邓小平主持召开科学和教育工作座谈会，会上决定恢复高考。10 月 12 日，国务院批转教育部《关于 1977 年高等学校招生工作的意见》，正式恢复高等学校招生统一考试的制度。据统计，当年的报考人数 570 万，录取人数 27 万人，录取率 4.7%。当年邓小平决定恢复高考制度，结束“文化大革命”以来的“出身、成分”的推举制度，现在普遍被认为是一项英明及时的决策。恢复高考让众多下放知青看到了希望，也迅速地为经历了 10 年动荡的国家选拔了大批的人才。30 年历史证明今天各个岗位上的一线人员、支柱有很多都是那两年高考的学生。根据《南方都市报》2007 年 6—9 月的报道，省政协主席陈绍基、广东省教育厅厅长罗伟其、中山大学副校长李萍、华南理工大学校长李元元、暨南大学党委书记蒋述卓、广州市社会科学院院长李江涛、广东流行音乐教父陈小奇、北京大学中文系教授陈平原、著名诗人汪国真、知名杂文家鄢烈山都是1977年、1978年参加高考而改变人生命运的。另外恢复高考以及1977年邓小平提出的“尊重知识、尊重人才”一定程度上也是对于“文化大革命”中知识分子被贬为“臭老九”的拨乱反正。

1978年“实践是检验真理的唯一标准”、1980年“时间就是金钱、效率就是生命”：1978年5月11日《光明日报》刊登题为《实践是检验真理的唯一标准》的特约评论员文章，以及12月13日，邓小平题为《解放思想，实事求是，团结一致向前看》的文章，掀起了全国范围内的“解放思想”的热潮；而在广东，以深圳经济特区为代表则是走在全国的前列，1980年深圳蛇口提出的“时间就是金钱、效率就是生命”就是代表。口号背后反映出在广东出现了“时间、效率、竞争”观念取代“大锅饭”、“铁饭碗”的观念的情况。而从当时全国来看，这个口号在受到邓小平的肯定后，在全国很多地方仍旧是难以理解，多年以来的社会主义计划经济体制强调社会公平，死守“大锅饭”和“铁饭碗”确实是具有维护社会稳定的功能，但是也同时束缚了人们的主动精神。对时间和效率的追求客观上促进了人们的生产积极性，极大地促进了社会主义生产力的发展。事实上，广东省在1978年改革开放以来经济发展速度连续领先全国，可以说正是这种观念先行的结果。

1980年“东西南北中，发财到广东”以及1984年“我们下海吧”：伴随着广东在全国率先进行的大胆的改革开放实践，广东的经济发展迅速，于是出现了1980年以后在全国流行的这个口号，附近以及北方的大批年轻人在这个口号的激励下南下广东追求自己的梦想。根据1990年12月27日广东省统计局发布人口普查第四号公报显示：全省流动人口达329万人，占总人口的5.24%，为全国之首。据笔者访谈的几个广东本地居民对此的回忆①，“才开始我们挺惊讶的，来了这么多人，但是后来渐渐就习惯了，自己也特别自豪我们广东能吸引全国的人过来”。可以看出广东居民对于率

① 广东档案馆：《总结20年　迈向新世纪——广东省纪念党的十一届三中全会20周年理论研讨会文集》，广东经济出版社1999年版。

先改革及其后果是持肯定态度的。

20 世纪 80 年代“白天听大邓（小平），晚上听小邓（丽君）”：这个流行于广东居民中的话语反映出当时的社会状况：一方面经济改革上是凭借邓小平的支持和肯定，邓小平及其改革政策、思想对于广东社会、居民起着实质上的引导作用；另一方面，在经历“文化大革命”的思想禁锢后港台的流行音乐在 20 世纪 80 年代初经由香港传向内地，其中邓丽君是港台音乐影响内地的代表。当时邓丽君身在美国，然而其歌声却响遍神州大地，大江南北的民众为邓丽君歌声而醉倒，于是出现了广东老百姓中暗下流行的这个口号。

1984 年及 20 世纪 80 年代中后期“理解万岁”：1984 年在中越边境交界的云南老山前线浴血奋战、保卫祖国的战士中喊出来的口号，而其背后是中国社会的改革开放以及翻天覆地的变化，口号的提出本意是对于那些战斗在老山前线的干部、战士的理解、关怀和鼓励，后来在广东以及全国一些人群中引起共鸣是由于他们对于改革及其带来的思想和意识形态的争论、社会矛盾凸显的情绪。

1984 年“搞导弹的不如卖茶叶蛋的”：这句流行口号主要是反映出伴随改革的推进，社会原有阶层发生变动，传统职业认同体系中排序比较高的知识分子，尤其是科学研究工作者的经济收益不如经商的人，市场化初始阶段的商业化过程中，社会对于商业的回报要高于知识、科学本身的回报，于是社会出现了“脑体倒挂”的现象。类似的反映社会状况的流行语还有“做教授不如开出租车的”、“修大脑的不如剃头的”。

1986 年“让一部分人先富来”：此口号是缘起邓小平 1986 年 8 月在天津视察过程中提出：“我的一贯主张是，让一部分人、一部分地区先富起来，大原则是共同富裕。”口号的实践则是在广东率先开始。当时社会中出现了首先富裕起来的“万元户”成为人们心中向往的对象。而 1992 年邓小平南方讲话中就特别强调了“走社会主义道路就是要实现共同富裕”。

1992 年“三个有利于”以及邓小平的南方讲话：在广东以及

全国改革的深入推进中，党内以及社会上出现了一股对改革持不同意见的思潮，尤其是对于外资以及外资带来的一些新潮的生活和观念的争论逐渐扩大，代表的口号有“宁要社会主义草，不要资本主义苗”。就在这个时候，邓小平于1992年1月19—29日南下视察深圳、珠海、顺德等改革前沿地带，发表了一系列重要谈话，号召进一步解放思想，加快改革开放与经济发展的步伐，建设有中国特色社会主义，要求广东力争用20年时间赶上亚洲“四小龙”。其中提出的“三个有利于”标准冲破了人们在姓“资”姓“社”问题上的禁锢，为我国步入社会主义市场经济体制的轨道铺平了道路。也可以说是对广东大胆改革的肯定和鼓舞。而随后的“20年赶上亚洲四小龙”的期待则鼓舞了广东随后10多年的改革，据广东省统计局数据，2005年广东完成生产总值21701.28亿元，按现行汇率折算为2648.44亿美元，超越亚洲“四小龙”中的新加坡和香港。2007年年初，广东省委书记张德江在出席广东“两会”期间表示，广东的GDP已在2004年超过香港和新加坡，2005年GDP更是达到2.64兆美元，如果按照年增长12%的速度来看，广东最快将在2008年就可超越台湾，并可最快在2020年，实现20年追赶韩国，完成追赶亚洲“四小龙”的目标。

2002年“三个代表”：江泽民2000年2月19日至25日的广东之行在高州提出“三个代表”初步思想，并在广州首次完整地提出了“三个代表”重要思想。“三个代表”口号的提出是有其社会现实背景和意义的，当时社会在改革开放日益深化中出现了两个急迫的社会现实：一是执政党在改革中执政水平的提高问题。二是在市场经济大潮中党的拒腐防变、抗御风险的能力的提高问题。按照中央纪律检查委员会公布的数字，从1995年起，在我们党内，每年处以上干部大约要垮掉1%，1999年超过了1%。改革中民众对于官商勾结的腐败问题的意见越来越大。在邓小平南方讲话发表十周年之际，江泽民提出“三个代表”重要思想，并很快在全国党内推广，对于民众反映强烈的社会问题以及改革中一些矛盾的解决都具有重要意义。

整个改革开放期间的“外地人在争论中出名，广东人在不争论中发财”，具体来说表现在金钱观念上从为国家和集体做贡献到追求个人的发展与自我实现。改革开放之初，经过革命洗礼的老一代广东居民乃至全国的人民在自己的工作中更多都是追求精神上的回报，是这个新生的国家的兴旺、复兴和发达。所以当时即使物质生活异常的艰苦，但是人们的工作热情是高涨的。而改革开放中成长起来的新一代则有迥然不同的工作追求，他们在工作选择时，更多考虑的是个人的生存和发展，相比而言更侧重物质奖励和报酬。

服务意识和商品意识领先全国：内地社会中因为过于强调平等，所以就有“人与人是平等的，我为什么为你服务?”的思想，但是在广东流行的是“你出钱，我服务”的商品服务意识和“我为人人，人人为我；谁都需要服务，也要为别人服务”的公共服务精神。可以说，改革开放使得商品服务意识在广东深入人心。其中 1983 年由香港著名爱国商人霍英东投资兴建的白天鹅宾馆是中国第一家利用港资的五星级酒店，这也是中国第一个允许非住客参观游览的高级酒店，其专业的商业服务深刻地影响了当时的广州市民，产生了巨大的“白天鹅效应”。其经营的成功也带动了大批港资进入广州酒店业。邓小平在 1985 年春节南下广州特意参观白天鹅宾馆，并感叹：“白天鹅好!”一定程度上，这种商业取向的服务精神消解了改革开放前中国社会的“政治文化”主导的等级观念。很多接受访谈的广东人都有过那种好的宾馆不让人进的经历。记者姚北全就说：“1978 年前后，我去火车站接香港的亲戚，住流化宾馆，宾馆不让我们进。还有诸如当时的友谊商店是不让进。”从这点上看，白天鹅引起的震动和随后的观念解放作用是不可低估的。当下兴旺的广州酒家的“诚暖顾客心”就是代表。

广东省精神文明学会课题组的专题调研的结论是，广东省在保持社会、经济高速发展的背后有强大的精神支持，且在改革中人们的精神面貌发生了巨大的变化，具体体现为由过去的讲求“唯上思维”到现在的突出“主体意识”、由强调重义轻利到致富光荣、由过去的锁心态到现在的开放意识，由原先的因循守旧意识到现在的提倡敢为人先的创新意识（范英，2003：24）。

求实精神，关于这个流行的话语是，“外地人在争论中出名，广东人在不争论中发财”、“先生孩子再起名”的实干精神。秉着求富敢富的精神，广东人无论是在扶贫工作还是慈善工作中都是走在全国的最前头。

三、广东社会价值观念变迁：以社会政策变化为切入点

关于社会价值观念变迁的考察，本章在前面指出过，以“社会流行语”作为考察不同时期社会价值观念变迁的可行性，而在本部分将从社会政策角度来关注广东居民社会价值观念变迁的特点。本章以社会政策和社会流行语作为视角考察广东居民在不同时期社会价值观念变迁有相同也有不同。相同的是这两种材料都是研究者考察社会价值观念的经验材料，简言之，研究者不能直接把握社会成员价值观念变迁过程，所以只能采取间接途径来获得研究结论。不同点则是社会流行语由于通俗易懂和新奇使得这种语言更容易贴近现实生活，而社会政策则是政府针对社会状况有针对性发布的政策文献。当然这种社会政策不仅是政府对社会现象的反映，而且这种社会政策也会在某种程度上改变社会成员的价值观念，因此社会政策不仅反映社会价值观念变迁而且会塑造新型价值观念。关于社会政策变化的研究也将为我们考察广东居民社会价值观念变迁提供新的视角。

基于此，本研究将以社会政策为文本来着重讨论广东居民社会价值观念变迁过程。鉴于社会政策文献种类繁多，文献数量庞大，研究者不可能对所有的社会政策文献进行分析，于是选择典型的社会政策文件作为本章的研究对象将是研究者不可回避的难题。针对这种状况，本章主要是以《劳动合同法》和《婚姻法》两个社会政策变迁作为材料进行分析。本研究之所以选择这两个政策，有以下三点根据：一是本研究要选取的社会政策文献可以有效体现广东

的特点。从这个角度来看，《劳动合同法》处理的是劳资关系，而广东作为改革开放的前沿阵地，市场改革速度和广度都远超于其他地区，这就使得劳资关系调整成为广东地区的特色，这种特色可能在全国其他地区也有表现但没有广东地区明显。二是本研究要选取的社会政策最好能体现经济体制改革前后的差异，这种差异可以表现为多个方面，但经济体制改革导致的去单位化成为影响社会成员价值观念的主要因素，而家庭、婚姻的去单位化的过程使得当前社会的婚姻缔结更多地考察隐私和个人感受，因此本章以《婚姻法》为研究材料可以集中体现社会成员在家庭婚姻方面价值观念变迁的状况。

（一）劳资关系调整：以《劳动合同法》为例

这里选取《劳动合同法》来分析改革变迁，主要是由在我国一方面劳动合同规范的劳动关系是社会主义社会的重要关系，另一方面更是因为自1986年以来《劳动合同法》的不断修订本身就是由我国经济体制的转变而引起的，其修订是为了适应改革中不断变化的劳动关系。具体来看，劳动关系方面的国家基本法律在我国改革开放以来发生了三次大的调整：

1. 1986年9月9日，国务院公布改革劳动制度的四项暂行规定，即《国营企业实行劳动合同制暂行规定》、《国营企业招用工人暂行规定》、《国营企业辞退违纪职工暂行规定》和《国营企业暂行职工待业保险暂行规定》。这四项劳动制度改革的暂行规定从1986年10月1日起实行。新的规章决定在国营企业中新招收的职工中实行劳动合同制，开始打破劳动用工制度上的“铁饭碗”。在此之前，劳动合同制度开始试行时，只适用于国营企业招用的临时工。1986年的劳动合同制度对于计划经济体制下的固定化的劳动关系是一个逐渐的调整，将稳定的“铁饭碗”予以打破并开始改革全面保障的单位制，而逐渐引进了市场机制里的效率标准。

2. 1994年7月全国人大常委会通过《劳动合同法》，并于1995年1月1日正式实行。1994年通过的《劳动法》将劳动合同制度作为法定的用工制度，规定适用不同所有制的用人单位，劳动者也从新招用的职工扩大到所有的劳动者，不分固定工和临时工，不分管理人员和普通工人。《劳动法》的制定，标志着我国劳动合同制度的正式建立。这次正式的法律实质上就是将改革之初出现的市场导向的用工机制进一步由1986年规定的国企新招职工扩大到各种在经济体制改革中出现的新形式企业（各种非公有制企业）的全部职工中。经过这次的立法，可以说，在我国基本结束了计划经济时代劳动用工领域的意识形态影响（工人是社会主义国家的领导者、主人翁），而将劳动者还原成市场经济生产中的主要要素之一。在这个转变中可以看见的是市场取代原先计划安排劳动力，国家的市场化在深入推进，对于进一步发挥职工的积极性和创造性，增强企业活力起到了巨大的作用。

3. 2007年6月29日，《中华人民共和国劳动合同法（草案第四次审议稿）》获得人大通过并定于2008年1月1日起将正式实施。这次新修订的《劳动合同法》主要是针对企业制度改革不断深化中出现的企业形式和劳动关系日趋多样化，劳动用工领域扩大，1994年的《劳动合同法》不能有效地应对，从而出现了劳动合同签订率低且不规范、拖欠工资现象、超时加班现象普遍、工资上升缓慢等情况。正是这些导致了改革领先的广东的珠三角地区在2004年、2005年出现了普遍的缺工现象，这在全国是首先出现的，随后在长三角和环渤海也出现缺工。可以说，1994年以来的《劳动合同法》已经在很大程度上不能维护劳资关系博弈中处于弱势地位的工人。相应的这次经过漫长利益博弈后出台的第四稿集中修订体现在四个方面：首先是不订书面劳动合同付双薪，其次是明确非全日制工资标准，再次是针对事业单位中实行聘用制的工作人员作了专门规定，最后是职业病防治写入合同。这次《劳动合同法》的修订主要是纠正劳资关系，而侧重明确企业必须承担的责任。相比于1994年规定，这次修订背后中国社会发生了巨大的变化。而总的看来，三次修订的逻辑很明朗：计划经济（强调公平）到市场化（强调效率）再到国家调控（在过于追求效率后转而追求适

度的公平）。这中间出现的社会变迁及社会中民众的相关观念的变化是剧烈的，从最初的“社会主义劳动者”到改革之初的“打工者”到现在的“劳工”，而另一方则是“经营者”到“企业家”再到“资方”。

（二）从约束走向宽容：以《婚姻法》为例

相对于《劳动合同法》来说，《婚姻法》与居民的观念相关更密切，且更私密，可以说《婚姻法》的修订是社会转型的晴雨表，透过它的变迁可反映民众观念、心理的嬗变。故这里简单通过对国家以及广东地方的相关法律修订来分析居民在过去 30 年的婚恋观念的变迁。

改革开放以来国家层次的《婚姻法》修订主要有两次：

1. 1980 年 9 月在人大通过修订的《婚姻法》并定于 1981 年 1 月 1 日实施。

新的《婚姻法》是在 1950 年颁布的《婚姻法》基础上进行修订的（从 27 条增加到 37 条）。主要变化在：新《婚姻法》进一步规范了婚姻家庭关系，明确规定了“实行婚姻自由、一夫一妻、男女平等的婚姻制度”、“保护妇女、儿童和老人的合法权益”和“实行计划生育”三原则，并增加了“三代以内的旁系血亲”禁止结婚的规定。这次修订的争议集中在两个方面：一是婚龄，从 1950 年规定的男二十、女十八修订为男二十二、女二十；二是离婚条件，增加了“如感情确已破裂”调解无效的，应准予离婚的规定。婚姻研究专家徐安琪将这次修订解读为“拨乱反正初期的法律重建”，并认为其意义在于“家庭关系政治化年代的结束”。

2. 2001 年 4 月 28 日人大通过修订的《婚姻法》并定于公布之日起实施。

这次修订主要是因为 1980 年颁布的《婚姻法》在改革开放后巨变的社会现实面前遇到很多挑战：20 世纪 90 年代开始在广东出现了婚外恋、一夜情、养“小蜜”、重婚、“包二奶”等众多社会现象，这些都严重挑战了《婚姻法》的“一夫一妻”的核心原则。

所以90年代以来民众对此的投诉日益增多，社会对于惩罚“第三者插足”的呼声越来越大，由此导致了法律的修订。这次修订主要聚焦的是改革开放以来出现的三方面变化：财产制度、家庭暴力、离婚条件。对此的修订分别是具体界定了夫妻共同财产、个人特有财产和约定财产，财产方面最具突破意义的是在法律上首次承认了家务劳动的无形资产，即增加了一项新条款，“夫妻书面约定婚姻关系存续期间财产归各自所有，一方因抚育子女、照料老人、协助另一方工作等付出较多义务的，离婚时可以向另一方请求补偿”。而对于家庭暴力则采纳民众“禁止家庭暴力”的呼声，降低了司法机关对于家庭暴力的容忍度。在离婚这一最具争议处，则坚持了原来的以“感情确已破裂”作为离婚的法定条件，并使之具体化（“分居满二年”），坚持了离婚自由原则而不加大离婚的难度。另外，广东省人大通过《广东省实施〈中华人民共和国妇女权益保障法办法〉》，并定于在2007年10月1日正式实行。这个相关的“办法”规定：“诸如‘包二奶’等行为，由公安机关给与行政处罚；构成犯罪的，依法追究刑事责任。”可以说，广东省这个在全国率先的规定，正是对2001年新修订的《婚姻法》中对于“第三者”争议的一个新举措。这个强调运用行政力量直接干预“第三者”的规定，事实上也可以看作是广东省对于居民对这个问题的巨大不满的反应。虽然这个规定出台后，在广东各界甚至全国引起了巨大的争议（包括反对），但是这一地方立法还是代表着广东地区在婚恋观念方面走在全国的前列。从这两次《婚姻法》的修订本身可以看到民众对于中国立法的参与以及立法对于民众意见的吸收。而法律本身内容的修订可以看出民众在改革开放洗礼中更加注重个人的利益意识的日益突出，其中婚姻中出现的多种非道德形式本身表明民众的婚姻观念在发生着多元化的变化。

四、广州居民社会价值观念变迁历程

广州人基本价值观调查中，测量指标主要围绕经济观、社会

观、生活观的三大方面进行设置。经济观包括“金钱”、“事业发展（个人事业）”、“物质享受”等指标；社会观包括“承担社会责任”、“为人民服务”、“服务社会”、“国家富强”、“社会和谐”、“自由”、“人权”等指标；生活观主要包括“身体健康”、“家庭（和睦）”、“婚姻（家庭）”、“爱情”等指标。价值观体系是复杂、多方面的，比如友情、诚信、人际关系等，都是人类价值追求的方面，可以从不同角度列出更多，但显然它们从属于人的基本价值选择，处于非核心地位，因而即便再多列出几十条指标，反映广州人基本价值观的意义不大，况且调查资源有限，指标不能无限设置，只能采取剔除非核心指标的方法。应该说，该调查指标之间的内在联系非常清晰，界定明确，涵盖了人生价值选择的基本方面，构成了人生追求的核心内容。

在18年追踪调查中，指标有所增减及提法有所变化，这是因为任何词汇都有其时代特征和背景，如20世纪90年代设计基本指标的时候，社会观中关于政治价值追求如人权、自由等，鉴于当时的时代特征，暂时将它们搁置，但随着社会发展，2004年开始把“人权”和“自由”加入到调查指标中。作为民调，需要使用大多数人可以理解的通俗词汇；从社会学的角度看，调查指标应该反映社会现象，表达人们对于生活的理解，如自2005年起“为人民服务”、“承担社会责任”两个指标合并，重新定义为“服务社会”，且新增“社会和谐”这一指标（指标具体变化见附表1）

（一）经济价值观

金钱直接体现经济人的追求，事业是经济人的全面追求，而物质享受构成其辅助方面，所以广州人基本价值追踪调查中，经济观主要由“金钱”、“事业发展（个人事业）”及“物质享受”等指标进行测量。

1. 金钱观——“爱金但不拜金”。

历年调查数据显示，多数广州人认为“金钱”是“重要”或“比较重要”，比例在71% ~86%不等（见图6-1）。中国人一向崇尚“重义轻利”，认为谈钱显得俗套，但广州具有悠久的商业文化，又长期处于改革开放前沿，随着市场经济的建立和发展，日益突出了金钱的作用，鼓励着人们在不违犯法律和经济生活道德准则的前提下追求物质利益并按劳取酬，因此广州人丝毫不掩饰对金钱的重视。一些市民常常把“金钱不是万能的，没钱是万万不能”这一信条挂在口边。从数据的走向来看，该指标比例在一定范围内波动。因为在社会经济发展的转型过程中，经常触及“利”与“义”的问题，如何看待金钱在人生价值中的地位，应具备怎样的金钱观，几乎一直是价值观念研究的焦点。从2003年开始，“金钱”指标的重要性比例较低且处于相对稳定状态，这表明随着经济的发展，广州人生活水平逐步提高，市民的经济安全感得到进一步满足，对“金钱”的需求有所减弱，近几年广州人对“金钱”重要性的评价不断下降。

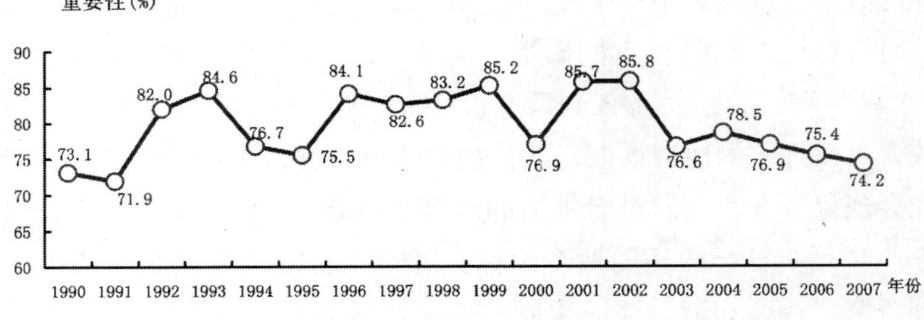

图6-1 1990年以来广州人对金钱的评价

从“金钱”在各个指标的排位来看①，1990—2003年间，“金钱”的排位一直在4~7位间波动徘徊，均排在“身体健康”、“家庭”等指标之后，可见广州人虽然认可金钱的重要性，但却冷静、理性地对待金钱，不盲目追求金钱（见图6-2）。2004年开始，

① 排位是根据指标重要性百分比从高到低进行排位，下同。

“金钱”的排位开始下滑，虽与新指标[①]加入有一定关系，但也印证上面所说的，广州人对“金钱”重要性评价有所下降。总的来说，广州人在新的历史时期形成了富有时代特点的金钱观——爱金但不拜金。

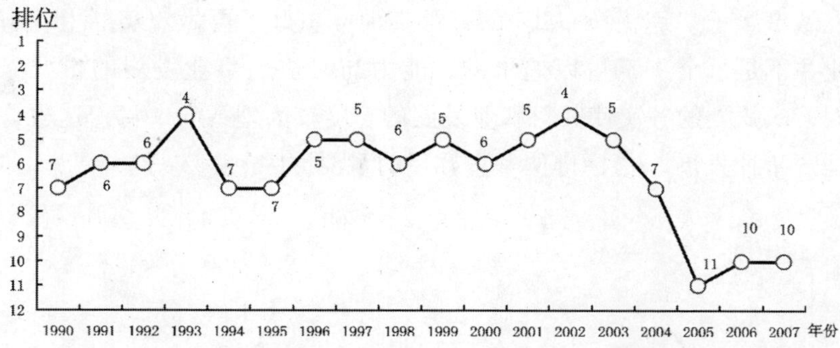

图 6－2　1990 年以来金钱在各项指标中的排位

2. 事业观——“想好再做”。

金钱与事业一直密不可分，热衷金钱的广州人，对于事业同样执着。历年数据表明，70%～85%的广州人对“事业发展”[②]表示“重要”或“比较重要”，与“金钱”指标的比例范围基本一致（见图 6－3）。从比例的变化走势来看，1998 年前较为平稳，之后开始有所波动。这可能是因为 1998 年金融危机后，整体就业与创业环境不理想，人们追求事业的信心在一定程度上受到影响，致使该指标的重要性比例随之下降。随后政府实施积极的就业政策，减轻就业压力，创造良好的就业环境，人们事业心重振，因而该指标的数值在 2000 年后有所上升。由于社会转型、经济体制转轨，导致结构性失业和技术性失业等多种因素，就业形势一直十分严峻，

① 2004 年增加了“自由”、“人权”两个新指标，指标数由原来的 10 个增加到 12 个；2005 年增加了“社会和谐”指标，而“为人民服务”与“承担社会责任”两个指标合并，变为“服务社会”这一新指标，指标数仍维持 12 个，沿用至今。

② “事业发展”指标在 2005 年改为“个人事业”，沿用至今。

且创业艰辛，该指标的比例在2002年后再次有所回落。

从指标排位来看，除1991年外，事业发展（个人事业）的排名一直较后，均在第6、7位之间；2004年因指标的调整，排位再度靠后，下滑到第8、9位。广州人不像北京人喜欢“侃大山”，经常谈论国家大事、个人理想，也不像上海人小资情调浓厚，广州人做事属于“埋头拉车式”，脚踏实地，想好了再做。实际上，事业并不是每个人都可以追求的，能力与时机是事业发展的重要条件，广州人的务实使其对事业发展的态度较为理智与中肯，这也许是“事业发展”指标排位一直靠后的重要原因。

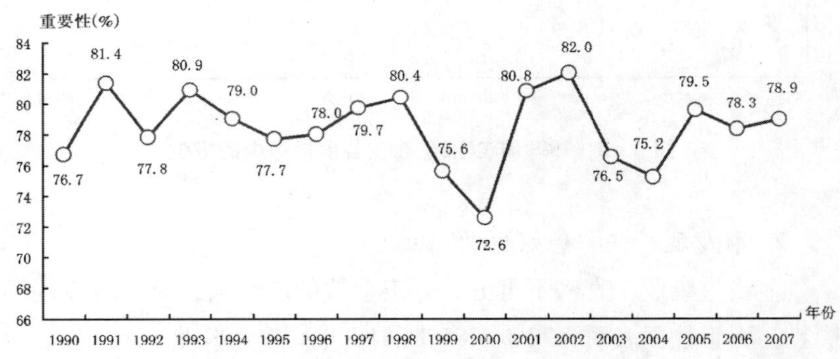

图6－3　1990年以来广州人对事业发展（个人事业）的重要性评价

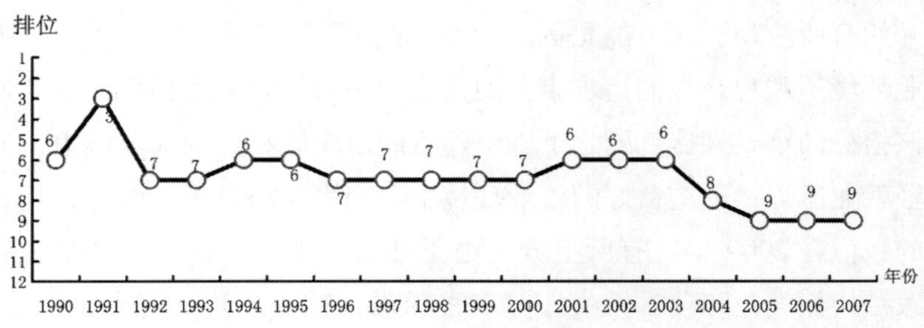

图6－4　1990年以来事业发展（个人事业）在各项指标中的排位

3. 物质享受观——“不看重物质享受”。

广州人对于物质享受重要性的认同度向来较低，历年重要性比

例维持在45%～65%之间，18年来基本排在所有测量指标的最后一位，表明“物质享受”不被广州人重视（见图6－5、6－6）。广州人经济收入居前，但很少见挥霍性的高消费，穿着随意，少浪费，少讲排场等，这些受其价值思维方式支配。但不等于说广州人认为“物质享受”不重要，数据显示，认为“不重要”的人只是占极少，不超过一成人，这也说明广州人在拥有一定经济基础上的对物质享乐的心态是健康、理性的。更重要的是，这种价值取向对个人财富的积累及广州经济社会发展均具有建设性意义。

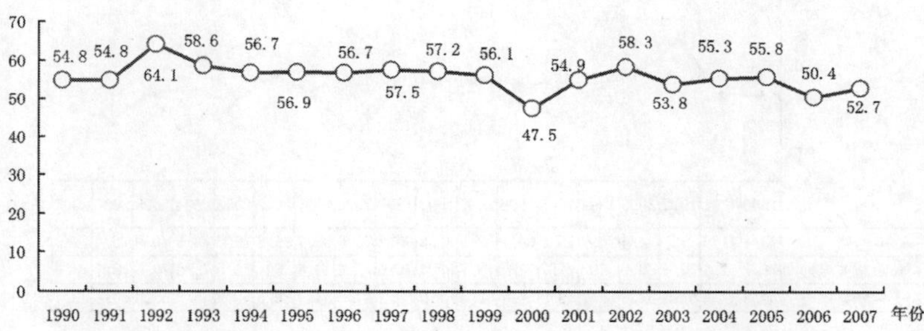

图6－5　1990年以来广州人对物质享受的评价（%）

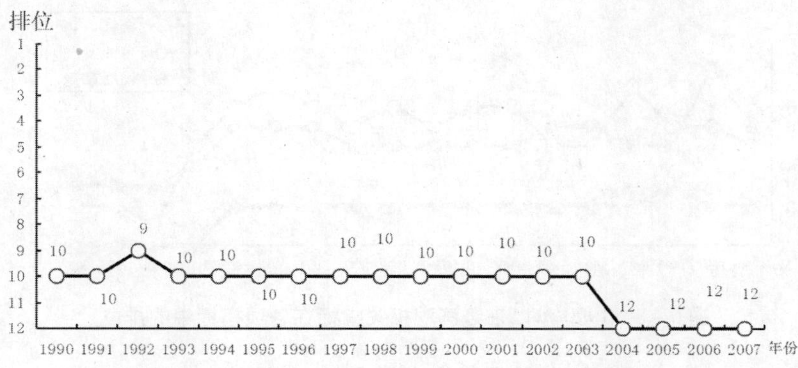

图6－6　1990年以来物质享受在各项指标中的排位

从“金钱”、“事业发展”、“物质享受”三个指标的重要性比例及排位来看（见图6－7、图6－8），评价较为稳定，排位合理，反映出广州人已接受市场经济的理性，表现出务实的经济观，也体现了现代人追求金钱与事业的意识。这对经济建设、个人劳动致富、创业发展创造了良好的精神条件，是社会进一步繁荣和发展的宝贵财富。

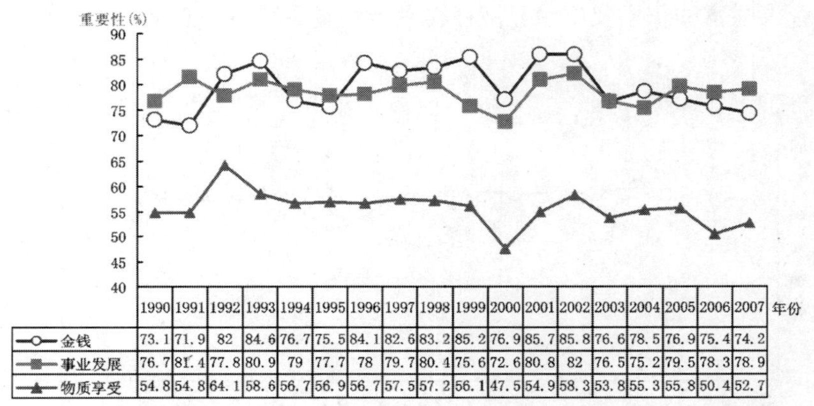

	1990	1991	1992	1993	1994	1995	1996	1997	1998	1999	2000	2001	2002	2003	2004	2005	2006	2007	年份
金钱	73.1	71.9	82	84.6	76.7	75.5	84.1	82.6	83.2	85.2	76.9	85.7	85.8	76.6	78.5	76.9	75.4	74.2	
事业发展	76.7	81.4	77.8	80.9	79	77.7	78	79.7	80.4	75.6	72.6	80.8	82	76.5	75.2	79.5	78.3	78.9	
物质享受	54.8	54.8	64.1	58.6	56.7	56.9	56.7	57.5	57.2	56.1	47.5	54.9	58.3	53.8	55.3	55.8	50.4	52.7	

图6－7　1990年以来广州人对经济观相关指标的评价

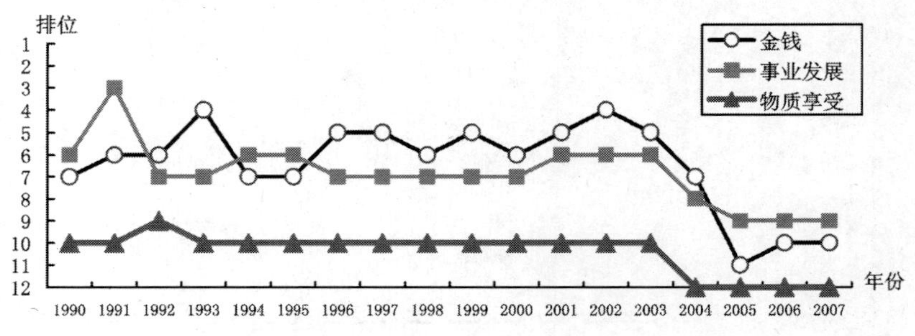

图6－8　1990年以来经济观相关指标在各项指标中的排位

上节考察的是广州市居民近18年改革开放过程中“金钱”、“事业发展”、“物质享受”三个指标的数值及排位的情况，三个指标大致描述了广州居民经济价值观念的变迁历程，三个数据显示

出广州人已基本接受市场经济理性。广州人经济价值观念变迁的背后实际是受到当代中国经济体制改革进程的影响，只是这种影响以润物细无声的方式改变着广州人的经济观。一是来自户籍身份松动而带来的城乡居民身份秩序的变化，二是社会资源从集中地由国家控制转变为流向社会各个部门，个人与企业之间的关系发生明显变化。这两个社会结构的转型成为广州居民经济价值观念变迁的深层原因。

户籍身份对社会流动的限制大为减弱来自户籍制度两个基础的动摇：一是中国农村比较严密的组织管理系统开始发生动摇，城乡间经济发展不平衡的客观条件及国家政策调整，使得大批农民涌入城市；二是计划经济体制时期下的生活资料供应制度、劳动用工制度也为农民进城提供了条件（郑杭生、洪大用，1996）。改革开放的结果使国家占有和支配绝大部分社会资源的状况发生巨大变化，表现为两个方面：一是社会资源从国有体制开始向外分散和转移；二是国有体制内部的从上向下的转移，前者考察资源横向扩散，后者关注资源的纵向扩散（李路路等，1994）。个人关于职业精神的看法和以前有了很大变化，如果说以前个人在单位生于斯长于斯，而且对单位有很强依附，个人没有独立性的话，现在由于社会资源可以在社会各个部门之间流动，个人与单位之间的关系从以前的“单位认同”逐步转变为“契约认同”，即社会成员对待职业的看法是更加注重这个职业能否给自己提供新的学习机会和好的工作待遇，而非以前那种对单位的忠诚。关于这个价值观念变化的考察，研究者要从两个方面来分析：一是企业性质的变化，企业单位在市场改革过程中逐步形成了与以往企业单位不同性质的利益集团，即从先前的为上级政府负责的行政管理职能向为本单位成员负责的市场牟利职能转变；二是企业与个人之间关系的变化，即逐步从以前的全面就业和享受社会福利向提供工资货币转变，个人与企业之间的关系从“显性契约”向“隐性契约”转变。在这个转变过程中，市场机制成为配置人力资源的有效机制，而个人在这个过程中也享有了更加广泛的自由和独立。显然，经济体制改革进程中的个人有了更大的自主性，对自身生活的关注更加务实和理性。

广州居民在经济观方面的变迁对我们有三点启示：一是市场竞争机制对金钱观和事业观的影响；二是社会福利的商品化使得社会成员更加注重个人财富的积累，强调个人安全网的形成；三是市场经济理性使得个人追求事业但却不是非常强调物质享受，从这个角度来看，广州地区作为中国沿海经济发展程度比较高的城市，其居民仍是处在积累财富阶段而不像某些西方国家已经开始进入休闲阶段。

（二）社会价值观

承担社会责任、为人民服务、对社会发展的看法等，构成社会人最主要的价值观内容，而作为政治人的价值追求，人权、自由是其核心指标。

1. 社会责任观——“量力而为”。

1990—2004年的调查数据显示，对于“承担社会责任”和“为人民服务”两项指标，广州人认为“重要”或“比较重要”的比例大体上是逐年增加，其中“为人民服务”的比例略高于“承担社会责任”。两项指标的排位一直处于第8、第9位间，属于中间靠后的位置（见图6－9、6－10）。广州人对“承担社会责任”、“为人民服务”的认同度不如“金钱”、“事业发展”，表现出一定的个人价值取向，也可以说是广州人量力而为，不盲目地背负自身无法承受的社会责任。自2005年后，“服务社会”指标取代了这两项指标，比例在八成五左右，虽然排位仍不高，但比例超过原来两项指标的比例。广州人有着热衷义工服务的优良传统，目前全市大约有20多万注册义工，广州义工事业发展走在全国前列；而且越来越多广州人乐于做善事，新闻报纸一报道病残者、贫困学生的故事，热心捐助的人比比皆是。改革开放使广州人生活水平和文化层次有所提高，更多人希望能够为社会贡献一份力，尽力回报社会。

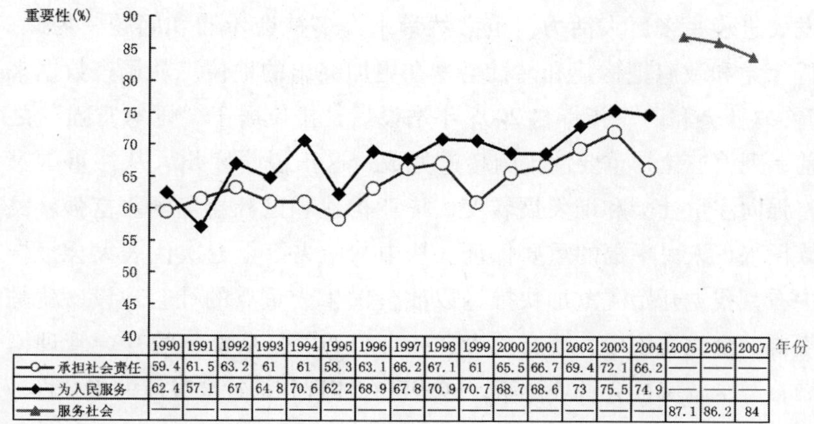

	1990	1991	1992	1993	1994	1995	1996	1997	1998	1999	2000	2001	2002	2003	2004	2005	2006	2007
承担社会责任	59.4	61.5	63.2	61	61	58.3	63.1	66.2	67.1	61	65.5	66.7	69.4	72.1	66.2	——	——	——
为人民服务	62.4	57.1	67	64.8	70.6	62.2	68.9	67.8	70.9	70.7	68.7	68.6	73	75.5	74.9	——	——	——
服务社会	——	——	——	——	——	——	——	——	——	——	——	——	——	——	——	87.1	86.2	84

图 6－9　1990 年以来广州人对承担社会责任、为人民服务、服务社会等评价

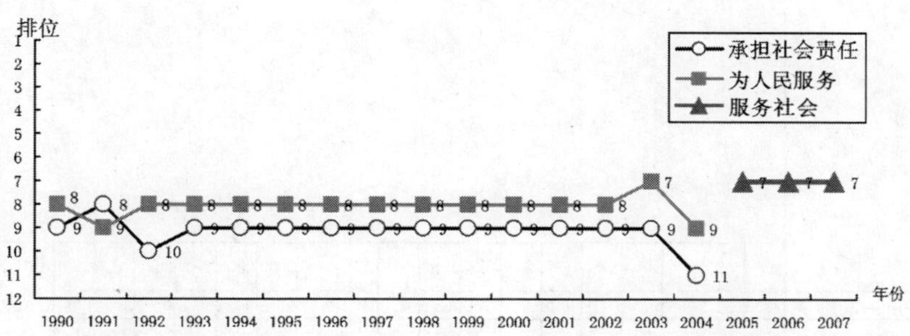

图 6－10　1990 年以来，承担社会责任、为人民服务、服务社会在各项指标的排位

2. 社会发展观——“国家到社会的转变”。

调查显示，1990—2004 年间，“国家富强”大多数时候排在各项指标的第三位，重要性比例在 80%～92%，反映出广州人清楚认识到国家富强是人民富裕的根本，只有国家富强，个人才能安居乐业，社会才能持续稳定发展。随着我国社会主义市场经济体制日趋完善，综合国力大幅度提高，人民生活显著改善，目前已进入改革发展的关键时期，经济体制深刻变革，社会结构深刻变动，利益格局深刻调整，思想观念深刻变化。这种空前的社会变革，给我国发展进步带来巨大活力，也必然带来许多社会矛盾和问题。为此，近年党和政府把构建和谐社会摆在更加突出的地位。从调查数据来看，“社会和谐”指标自2005年增设后，排位居于“国家富强”之前，列第三位，重要性比例超过九成，这正说明广州人从注重国家富强向注重社会和谐发展转变，毕竟构建和谐社会是国家富强、民族振兴、人民幸福的重要保证。从中共中央第十七次代表大会报告中看，我党开始注重加快推进以改善民生为重点的社会建设，就是说要健全党委领导、政府负责、社会协调、公众参与的社会管理格局，健全基层社会管理体制，这些都在体现和谐社会发展的重要性。

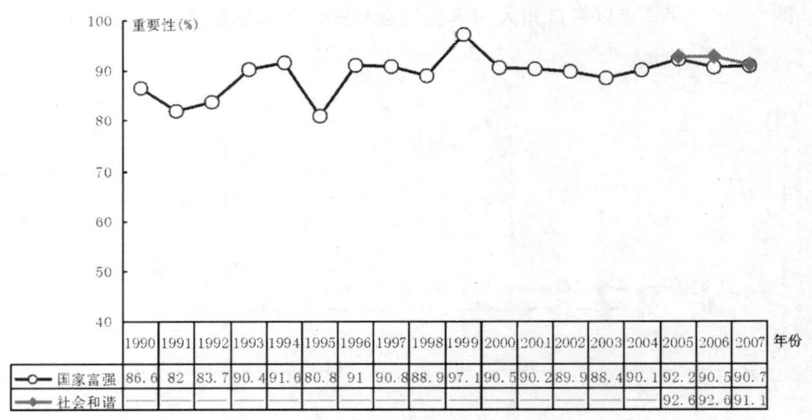

	1990	1991	1992	1993	1994	1995	1996	1997	1998	1999	2000	2001	2002	2003	2004	2005	2006	2007
国家富强	86.6	82	83.7	90.4	91.6	80.8	91	90.8	88.9	97.1	90.5	90.2	89.9	88.4	90.1	92.2	90.5	90.7
社会和谐	—	—	—	—	—	—	—	—	—	—	—	—	—	—	—	92.6	92.6	91.1

图6-11　1990年以来，广州人对国家富强、社会和谐的评价

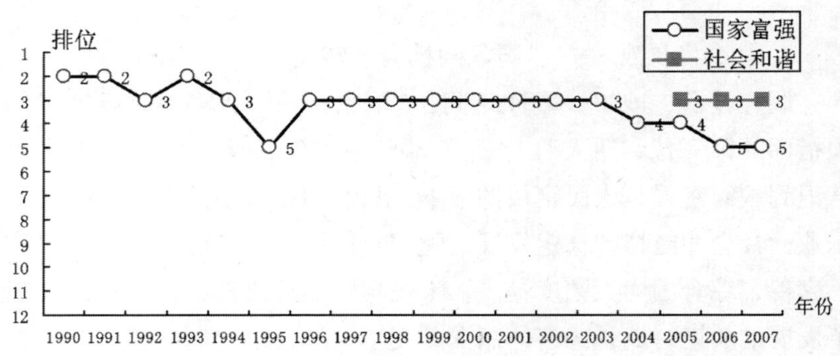

图6-12　1990年以来，国家富强、社会和谐在各项指标的排位

3. 政治观——“孕育民主政治的乐土”。

公民在政治上应该享有自由和民主的权利，一般被称作“人权”。自由以人权为载体，人权以自由为内容，是一个问题的两个方面。广州人一向给人不关心政治的印象。其实广州人只是对谈论政治没兴趣，但对自由人权等政治价值的重要性认可度较高，“自由”的重要性的比例超过九成，“人权”的重要性在八成八左右；“自由”和“人权”在各项指标排位处于中上位置。对自由、人权的重视，表明广州人已具备了现代公民的重要素质。

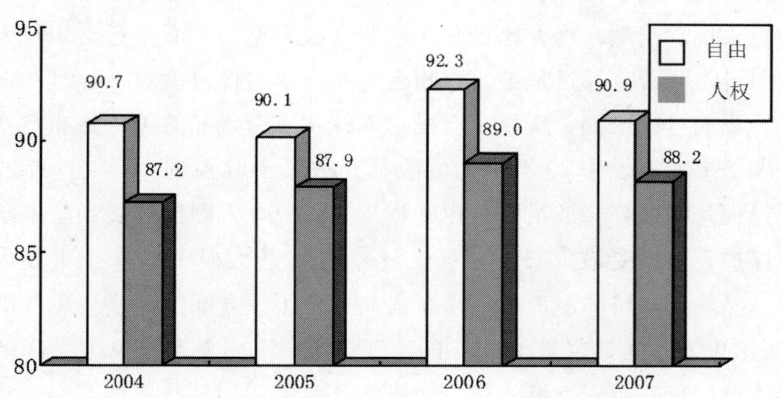

图 6－13　2004 年以来受访广州人对人权、自由的评价（%）

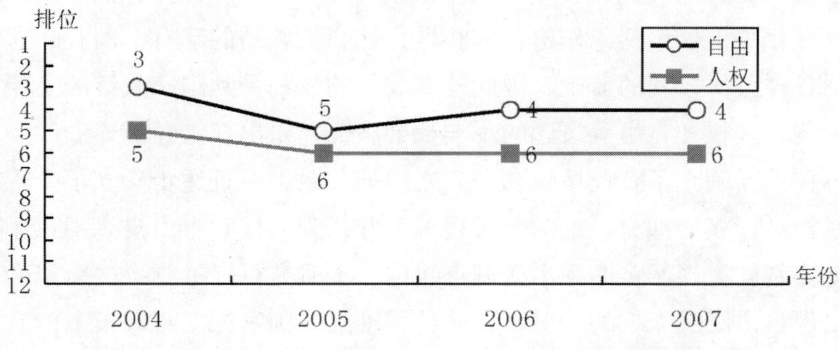

图 6－14　1990 年以来，人权、自由在各项指标的排位

广州人认为“自由”的重要性比例一直高过“人权”，这一现象值得我们进一步的思考。人权法学关于人权的研究观点：（1）人权是人权法学最关心的议题之一，这个问题涉及如何限制政府为恶。（2）个人的认同是以财产权为依据，后来扩展为人身、言论、迁徙和居住自由等权利（石之瑜、姚源明，2004：20～22）。和西方人权法学派不同，亚洲国家主张国家主权高于人权，这种说法与亚洲国家近代历史所遭受到的民族危机有关，因为只有国家独立富强才能最终保障社会成员的人权，西方人权法学派却指出公民权可以和国家认同相区分，进而主张人权高于国家主权。广州社情民意研究中心所提供的数据显示出广州人对“自由”的重要性评价要高过人权。当然，这种比较并非表明人权不重要，而是指出，在人权与自由两者选择过程中，广州人更倾向于选择自由。

我们可以推测，广州市居民对人权和自由状况的关注并非空穴来风，事实上是和20世纪初的改革开放紧密联系的。经济体制改革过程意味着社会成员财产权的逐步完善，个人财产权受到国家法律保护，而不受政府日益侵害，这本身就是人权中的一个重要内容。显然，经济体制改革使得个人与单位组织之间的关系从以往的“政治忠诚”逐步转变为现在的“契约认同”，个人与单位之间的政治意识形态色彩逐渐淡化，而经济利益关联却日益加重，同时社会成员对各种商品包括社会福利品的私人拥有，也为人权意识的产生提供了契机。在经济体制改革之前，个人权利和单位密切相关，这种相关不仅包括工作机会的获得、社会福利品的享有，而且还包括各种公民权利的分配，因此社会成员的权利受到国家政策的宏观影响，人权和自由等概念的现实社会状况并未出现。经济体制改革不仅重新确立了企业单位和个人之间的关系，而且逐步确立了个人对物品产权的拥有，这两个过程携手并行为人权和自由概念提供了现实基础。当然，联系本次调查数据，本研究可以推测出之所以会出现自由高过人权的状况，在某种程度上与国家在宏观政策上的宣传有关。作为后发达国家，中国政府力主强调国家认同高于人权，因为只有主权的完整才能为社会成员提供各种社会福利，这种现实

状况成为我国人权研究和西方研究的分水岭，而西方学者从西方本土经验出发提出的人权高于主权自有他们的根据，但联系中国现实情况，这种人权高于主权的说法值得商榷。本研究通过考察广州市居民近18年来对人权和自由状况的看法，产生两个启示：一是广州居民对人权和自由的高度关注本身就意味着社会结构状况为这种观念转型提供了现实基础；二是这种价值观念的变化将从一定程度上又影响广州社会变迁，使广州社会具有较大的包容性与开放性。

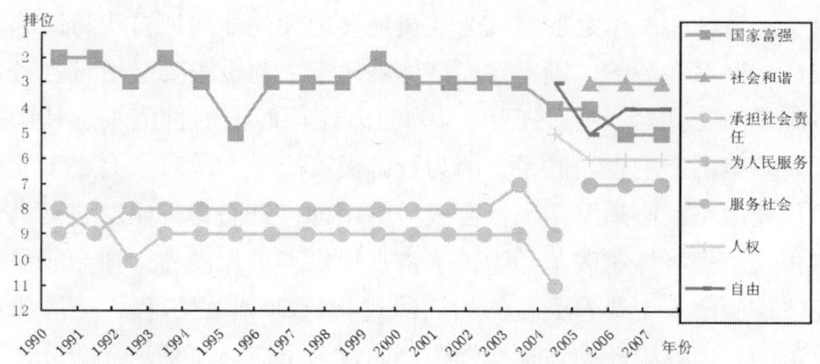

图6－15　1990—2007年广州人社会观测量指标的排位

根据上述分析，广州居民的社会价值观主要呈现三个特点，一是社会责任观方面的“量力而为”，二是社会发展观方面的“国家到社会的转变”，三是政治观方面的“孕育民主政治的乐土”，以上三个方面都呈现出与计划经济体制下社会价值观念的不同。以社会责任观为例，改革开放之后的广州人对社会责任、为人民服务的重要性评价并不如金钱、事业发展高，可见，广州人对社会责任量力而为，不盲目地背负自身无法承受的社会责任。这种社会责任观念显然不同于经济体制改革之前的价值观念，计划经济体制下的社会责任观念更多强调个人服从集体，个人要对社会有强烈的责任感，而市场经济所展现的个人竞争观念讲求的是个人权利与义务的统一，这种观念显然和计划经济体制下的集体主义中的“大公无私”、“螺丝钉”精神有明显不同。这种价值观念的转变仍是社会结构转型的体现。经济体制改革之前，社会资源大部分集中在政府和单位手里，而个人获得资源的途径并非是货币手段，而是个人职务、级别和荣誉等，尤其是个人要有为社会服务的观念才能被赋予极高的地位，只有当个人拥有了这样的荣誉，才会在获取社会资源上比较有利；然而，经济体制改革导致社会资源逐步从国家向社会扩散，社会成员获得资源的途径更加多元，个人服从集体的观念在市场经济中逐步式微，社会成员的服务社会观念变得更加务实。

就社会发展观方面表现出“国家到社会的转变”这一特点来讲，经济体制改革之前的社会成员更多地关注如何把自我与民族国家命运联系在一起，国家在经济体制改革之前也主要是通过神圣化机制来激励社会成员（王宁，2007），这段时期的价值观念和国家宏观政策的影响密切联系，因为资源极度匮乏，政府为完成工业化的优先战略就必须要调动社会成员的精神，进而为工业发展提供资本积累。经济体制改革却为国家富强提供了重大动力，社会成员在经济体制改革中普遍受益。然而经过将近20年的历程，经济体制改革的负面效果开始在整个社会层面逐渐出现，尤其是社会分化和社会不平等问题开始引起政府、社会和学界的高度关注。孙立平提出的“断裂社会”从一个侧面反映了当代中国改革进程中出现的不正常情况。正是面对这种现实的考虑，国家提出“和谐社会”来应对当前社会分化带来的社会难题，而广州社情民意研究中心数据也显示，近几年广州人对社会和谐的关注程度逐渐高于对国家富强的关注。这种数据变化指出：我国自改革开放以来的经济增长速度已经让国人不必再过多关心国家富强；社会公平提上改革日程，如何协调不同社会利益群体之间的关系、构建“和谐社会”成为当前社会的共识。

政治观方面的“孕育民主政治的乐土”是从广州居民对人权和自由看法中得出。广州居民对自由的关注程度高于人权程度，这和我国的特殊国情造成的集体记忆有关，即只有国家独立富强，社会成员才能保障基本的权利，因此广州居民对人权方面尽管重视但仍低于自由方面。其实，市场改革过程也是一个重新塑造新的权利

义务关系的过程，原先户籍制度下的城乡二元身份秩序确立的城乡居民的生活机遇、社会福利待遇上的差别本身就牵涉人权分布的不同，然而经济体制改革却以市场逻辑逐步消解再分配逻辑，这个过程仍在继续。本调查显示，广州市居民目前更多关注的是自由状况，当然人权方面也并非不重要。

（三）生活价值观

身体健康（生命）、家庭、婚姻、爱情，是构成社会成员生活中最基础、最主要的内容，关于广州居民对以上方面的认知调查将从一个侧面展示出广州居民的生活价值观念。这里要指出的是，生活价值观念包含内容很广并不止于以上几点，我们之所以选择以上指标作为调查内容，基于两点考虑：（1）以上生活观的各方面在经济体制改革前后有重大变化，这种变化可以为我们提供一个思考我国社会结构转型的不同视角；（2）社会成员主要围绕以上方面开展生活，研究者对这些方面的考察可以大致勾画出社会成员的生活总体状况。当然这些指标的设置仍存在不足，比如关于养老、抚育子女的观念就没有涉及，关于这些方面的不足，会在具体行文中借鉴相关的文献来予以补充。

1. 生命观——“健康至上”。

调查显示，“身体健康”指标数值连续 18 年在 90% 以上，排位持续居于所有指标的第一位，表明对生命的珍惜、重视，健康至上是广州人基本价值观的最高层次。从中折射出的重要信息是，珍视个体生命，个人不再从属于某种意识形态；生命回归其本来的意义，人们不会以生命来殉教、殉道，生命本身就是目的而不是工具。这是现代文明的基本要素。社会成员对“身体健康”指标的重视超过其他一切指标，其实就暗含着身体是其他指标的基础，如果把金钱、事业、地位都当作单个 0 的话，那么身体健康就是 1。身体健康意味着后面可以添更多的 0，但如果身体不健康，那么添再多的 0 也无济于事。广州居民对生命高度关注的看法，本身就表明社会价值观念的变迁。其实，社会成员对身体的关注在任何时候都存在，但关注的目的和关注的手段却会因为时期的不同而各有区分。经济体制改革之前的社会成员关注身体健康更多是把自己的身体和国家民族前提联系在一起，社会成员通过体育锻炼和日常保健来提高身体素质进而把自我投入到生产生活中去，这种描述正是新中国成立之后到经济体制改革之前对社会成员身体关注的真实写照。然而，经济体制改革却切断了社会成员把自我身体的关注和国家联系的可能，普通居民关注身体健康的意义在于保持旺盛的精力投入生活工作当中，而放弃了对国家前途命运的关注。除此之外，关注身体健康的方式也有明显的变化，如果说改革之前的社会成员更多是强调全民体育锻炼的话，那么改革之后的社会成员则是除了体育锻炼外还通过诸如养生、饮食等各种方式来保证身体健康。社会成员关注身体健康的目的和方法会因为时期不同而略有差异，这种差异正是不同社会结构影响下的结果。

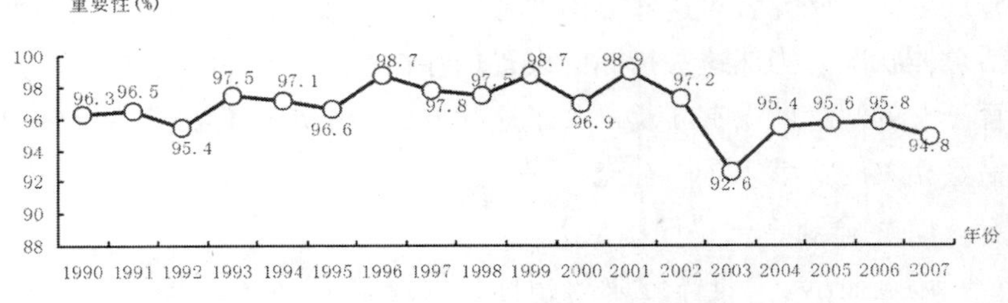

图6－16　1990年以来广州人对身体健康的评价

2. 家庭观——“家和万事兴”。

在现代社会，社会成员可以更为自由地选择属于自己的生活方式，这种选择不仅包括是否组成家庭及组成何种家庭，种种变化使得社会认为中国传统的家庭伦理观念正受到巨大冲击。现在许多社会问题，如个人生活压力过大、青少年犯罪、某些城市群体生活放纵、独生子女不理解某些基本社会伦理等，在很大程度上也与人们的家庭伦理观念淡漠有关，可见家庭越来越无法发挥社会细胞应有的功能，即对社会成员的价值内化和对社会成员的控制。然而，近

20年的调查数据却反映，[①]“家庭（和睦）”的重要性仍得到大多数广州人的认可。从1994年开始，该指标的“重要性”比例基本维持在90%以上，在各项指标中排名也一直处于前三位。该指标数值的变化和排名均较为稳定，这一方面表现了广州人“以家为重”，反映出广州人继承了中国“家和万事兴”的传统文化观念，没有像外界所预测的那样——传统的家庭伦理观念受到巨大冲击；另一方面，广州人这种以家为重，把家庭作为重要的精神归宿和安全堡垒的价值取向，对广州人的身心健全及广州整个社会井然有序，具有重要意义。

广州人这种价值观念不仅与传统文化中的“家”的观念密切相关，也与近年来的市场改革，尤其是社会福利方面的改革不无相关。简而言之，我国政府的经济体制改革进程同时也是各种社会福利项目（住房、教育、医疗和养老保障等）再商品化的过程，这种改革内容使得家庭在提供社会福利项目方面的作用日益重要。计划经济体制下的社会成员如果要获得各项社会福利，要和本人所在的单位发生联系，而家庭在这个阶段所起的作用更多是为本人寻找一个比较好的单位；然而经济体制改革却使单位逐步脱离了为单位成员提供各项社会福利的职责。中国政府推行的福利商品化改革的参照标准是德法等国所实施的保守主义福利合作模式，这种福利体制的典型特点是社会成员离职后获得社会保险金与在职期间所交纳的保险金密切相关。市场改革固然为社会成员自由提供了契机，但同时也把社会成员暴露在社会风险之下。当我国政府仍在摸索社会福利体制期间，社会成员不再轻易从单位获得各种福利资源，这时家庭作用无疑在这个改革过程中凸显出来。比如家庭的养老保障功能将会在未来很长一段时间内持续，而城市住房价格的高涨更让父母和子女一起承担高昂房价，诸多社会现实表明家庭在市场化改革过程中将为社会成员提供安全保障。民意中心历年调查数据显示“家庭和睦”观念受到广州居民的高度关注，这种关注热情与当前

---

① 关于“家庭”的指标设置在1994年和1997年有所变化，详见图6－17。

的经济体制改革过程中的福利品供给不足不无关系。

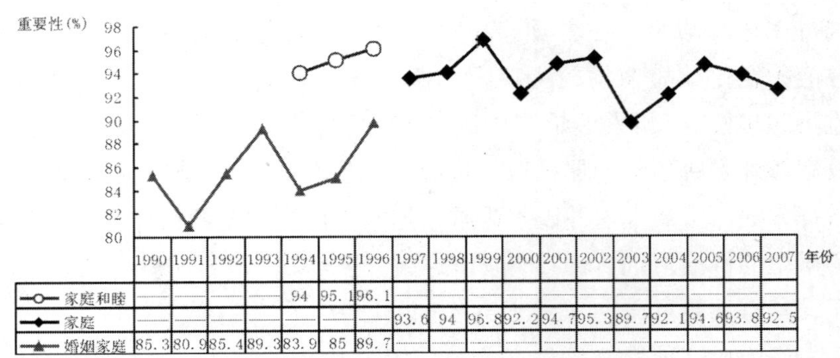

	1990	1991	1992	1993	1994	1995	1996	1997	1998	1999	2000	2001	2002	2003	2004	2005	2006	2007
家庭和睦					94	95.1	96.1											
家庭								93.6	94	96.8	92.2	94.7	95.3	89.7	92.1	94.6	93.8	92.5
婚姻家庭	85.3	80.9	85.4	89.3	83.9	85	89.7											

图6－17　1990年以来广州人对家庭方面的评价

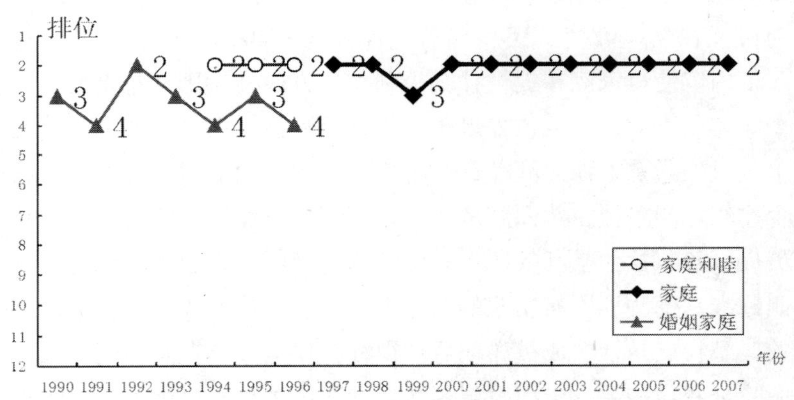

图6－18　1990年以来家庭在各项指标的排位

3. 婚姻观——“传统力量逐渐削弱”。

婚姻意味着两个人双方的责任，这种责任不仅仅是对爱人的忠诚，更是对孩子和整个家庭维系的义务。在婚姻与爱情之间，广州人以婚姻为重的态度，表现出传统且理性的一面。历年数据显示，大多数的广州人对“婚姻（家庭）”① 表示“重要”或“比较重

① 指标在1997年前是“婚姻家庭”，之后改为“婚姻”。

要”，比例维持在78%~90%。但随着经济发展，居民生活水平提高，在现代社会倡导的自由开放观念等影响下，近十几年，广州的离婚率逐步升高，“网恋”、“闪婚闪离”以及“未婚父母”等说法已经不再引起人们的关注。从“婚姻”重要性比例一直波动下降也反映出广州人同样面临着新旧伦理观念的冲突问题，尤其是该指标在各项指标排位中的顺序对此更有明显反映，例如指标从最高位次的第二位逐年下滑到近年的第八位，这说明广州人对婚姻的重视程度较以前有所降低。现代社会，越来越多人追求婚姻质量，而社会舆论对婚姻解体的容忍度也开始逐渐变大，离婚比例逐年上升，这也影响广州人对“婚姻”的重视程度。

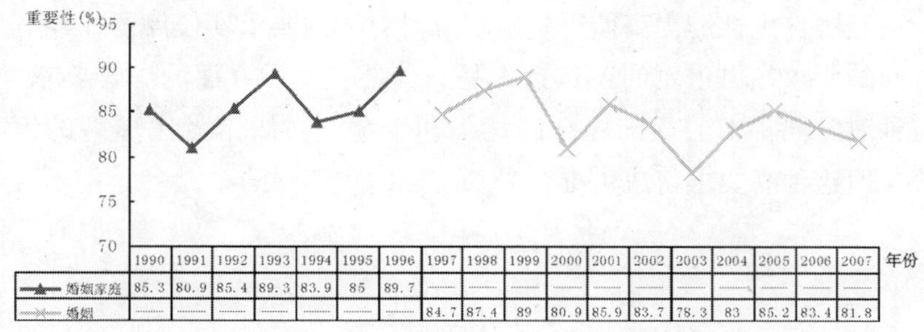

	1990	1991	1992	1993	1994	1995	1996	1997	1998	1999	2000	2001	2002	2003	2004	2005	2006	2007
婚姻家庭	85.3	80.9	85.4	89.3	83.9	85	89.7	—	—	—	—	—	—	—	—	—	—	—
婚姻	—	—	—	—	—	—	—	84.7	87.4	89	80.9	85.9	83.7	78.3	83	85.2	83.4	81.8

图6-19 1990年以来广州人对婚姻的评价

无论是从广州人对婚姻的重要性评价，还是从婚姻在各项指标的排位来看，广州人对待婚姻的态度呈现出传统与现代矛盾的局面。和“身体健康”、“家庭（和睦）”指标一直处于前两位不同，广州人认为“婚姻”重要性比例呈现不断波动的状况，对婚姻指标的排位则从最高的第二位下滑到目前的第八位。身体健康指的是个人对自我身体的关注，对身体健康的评价比较单一而且不会受到其他因素干扰，至于“家庭”是一集体，夫妻关系是最基本的关系，但家庭还有其他的血缘关系，如父子、上辈、下辈、表亲、姑亲等。所以，对家庭的关注是个人的集体取向问题，受众多利益关系牵绊，而婚姻评价则指的是个人对自我与配偶之间关系双方的评价，意味着双方关系的协调与稳定，与个体的主观感受密切相关。这种婚姻评价的不稳定和指标排序的持续下跌暗含着广州人在分享经济体制改革后经济增长带来的物质丰富成果的同时，却在承受着婚姻问题的困扰。这种价值观念变迁从一定程度上是社会结构转型的有力表现，这种影响可以从两个方面来理解：一是社会结构对社会成员婚姻的态度从以往的舆论控制转变为当前的宽容；二是社会成员经济自主性的提高，导致对配偶依赖感的降低。两个方面使得广州居民面对婚姻提出了更高的要求。社会宽容度的提高，夫妇双方由于婚姻解体而要承担的社会压力明显减小，这就使得社会成员对婚姻可以自主评价甚至是可以独立做出抉择。这个方面的变化虽不利于某些婚姻的维系，但却给个人提供了更大的选择空间。社会成员经济自主性的提高使得婚姻双方对对方的要求不仅停留在经济方面的要求，更重要的还包括人品、脾性、气质方面的综合要求，这种对配偶要求的逐渐提高固然不利于个人对婚姻做出更高的评价，但这种高要求将成为维系未来婚姻的重要保障。

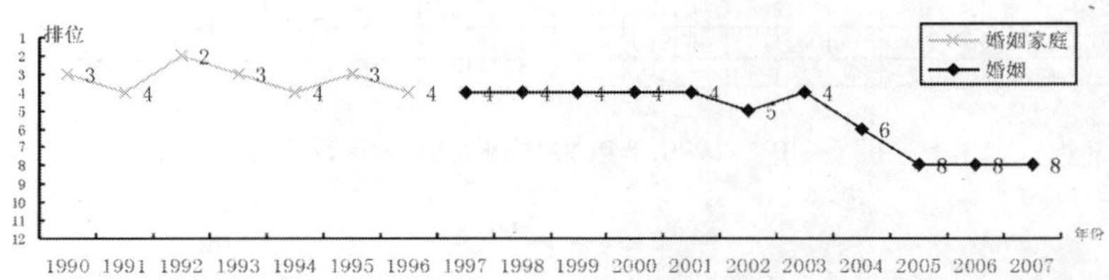

图6-20 1990年以来“婚姻（家庭）”在各项指标的排位

4. 爱情观——“稳中有动的爱情”。

“生命诚可贵，爱情价更高”，数据显示身体健康在广州市居民价值观念中始终占据重要地位，然而“爱情”在广州人心目中的地位却越来越低，这种情况具体表现为三个方面：一是广州人对爱情的评价随着时间不同而上下波动，最高数值达到1998年的84.0%，而最低数值则下降到2007年的72.3%（见图6-21）；二是广州人对爱情指标的排位不断变化，排位总体趋势是下降的，排

位从20世纪90年代初的第四、第五逐步下滑到近年第十一（见图6－22）；三是把“金钱”与“事业发展（个人事业）”作为参照指标，我们可以发现，1999—2000年前，人们对“爱情”的重要性比例高于“金钱”、“事业发展”；之后，“金钱”、“事业发展”的重要性比例超过了“爱情”（见图6－24）。

爱情重要性评价及排位的数据与广州市居民价值观念的其他方面数据放在一起比较就产生一个令人困惑的现象：广州居民重视家庭与婚姻，却不重视爱情。显然，随着经济发展模式的变化和社会中各类竞争的日益激烈，社会成员逐渐偏重了经济、职位和社会地位而对情感的投入则不如从前，而“速食爱情”等新型社会思潮的出现更是展现了当前人们对爱情又渴望又困惑的矛盾局面。

对这种矛盾局面进行分析，研究者仍不能脱离开我国经济体制改革导致的社会结构变迁对爱情观念的冲击，这种社会结构变迁的最为明显的表现就是商品化和市场化进程在社会成员日常生活领域的侵入，这种侵入有两个表现，一是市场领域内的公平交换法则对个人情感领域的渗透，二是商品化逻辑下的各种物品都可以用货币来衡量的原则也开始适用于个人的情感领域。这两个方面的侵入是导致当前广州居民产生情感困扰的关键所在。市场领域内的公平交换法则替代了情感领域内的需求法则，这就容易使得社会成员认为彼此之间的情感联系和公平交换并没有很大差别，社会成员对情感方面的投入大打折扣；商品化逻辑下的各种物品都可以用货币来衡量则容易让社会成员把情感的投入和货币相提并论，即爱情消费主义、爱情物质主义在社会生活中盛行，这也是为什么“金钱”、“事业发展”的重要性逐步超过“爱情”。然而，正如前面所分析的，经济体制改革同样也给社会成员提供更大的选择空间，国家政府不再像以前单位组织那样能随意侵入个人私人生活领域，另外，伴随经济体制改革过程中的物品产权的不断完整将是保证个人权利的重要保障，因此社会成员在经济体制改革中同时享有自由的成果但也要承担市场化的后果。

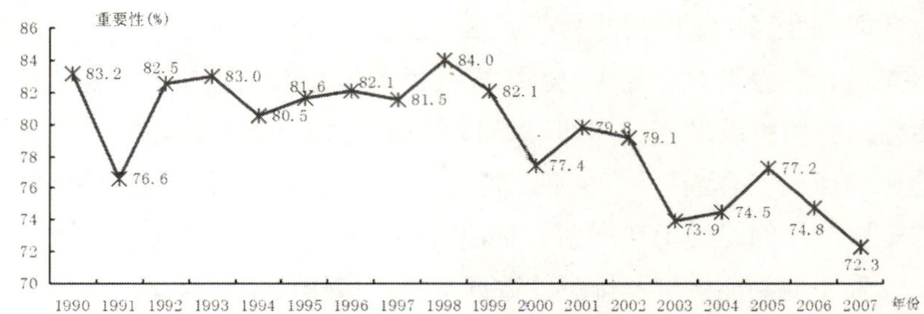

图 6－21　1990 年以来广州人对爱情的评价

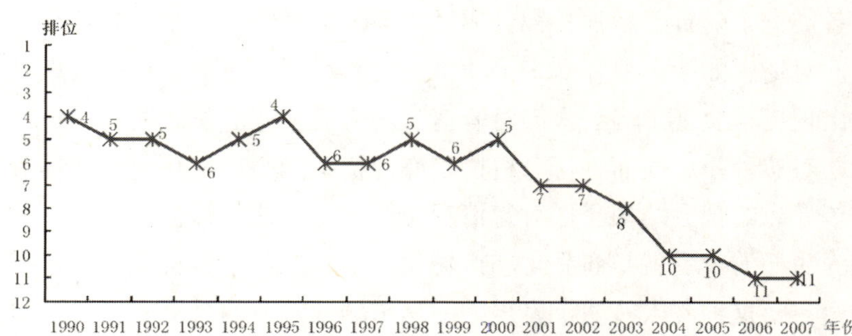

图 6－22　1990 年以来“爱情”在各项指标中的排位

本节关注的广州人生活价值观主要包括生命观、家庭观、婚姻观和爱情观四方面，其中“健康至上”的生命观和“家和万事兴”的家庭观两个指标在近 20 年间一直稳居第一二位；而“传统力量逐渐削弱”的婚姻观和“贬值中的爱情”的爱情观两个指标随着年份的不同而上下波动，更为重要的是后两个数据在近几年逐年下降。积极向上的生命观、家庭观和逐渐式微的婚姻观、爱情观成为当前广州居民生活价值观念中交错缠绕的难题。这种难题的产生与经济体制改革进程不无联系。市场化改革为社会成员塑造的日益竞争观念要求个人关注自己的身体健康进而为忙碌的工作提供前提条件，我国政府在市场化改革过程中原先社会福利品的市场化改革使得家庭在社会保障还并未完全建立的情况下提供了替代机制，显然，个人对身体健康的关注和对家庭和睦的重视这类价值观念都与

当前的经济体制改革有密切的联系。然而，经济体制改革也是一把双刃剑，它带给人们很多便利尤其是物质富裕的同时却对社会成员的情感领域造成了威胁。广州社情民意调查中心所提供的数据，只是从婚姻观和爱情观两个方面展示了经济体制改革过程中的负面后果。当然，广州居民对婚姻观和爱情观两方面的不乐观如果全归罪于经济体制改革也并不合理，事实上正是市场经济给广州居民提供了更多的个人自由，社会成员在选择爱情和婚姻上的个人自主性更高，因此总的来讲，广州人拥有健康、理性的生活观，这有助于保证个体的幸福感，也提高了社会共同生活的质量。

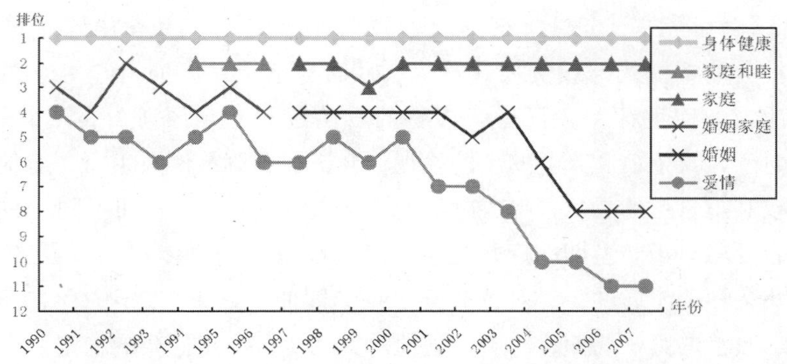

图 6－23　1990 年以来广州人生活价值观测量指标的排位

五、广州居民价值观念变迁特点及启示

在改革开放的现代化历程中，广州人基本价值观总体上是比较稳定、现实、理性的，身体、家庭和国家（社会）构成了价值取向的最有力的三角支撑。广州没有像外界所预测那样，遭遇过多价值观冲突、失范等问题，许多传统观念继续长久发挥其特有功能；同时，因适应建立社会主义市场经济的需要，新的、与现代化社会运作相适应的理性工具观念日渐形成，如社会和谐观念、金钱观念、服务社会观念等等。总的来说，广州人在充分地吸纳古今中外

优秀的道德文化成果的基础上，通过改革开放多年的历练后，逐步建立起与社会主义市场经济体制相适应的现代价值观。调查数据显示，“和谐”是广州人基本价值观的核心。个人、家庭、国家（社会）稳居基本价值观的前三位，这不仅可以有效说明个人与他人、个人与社会、个人与国家的关系，还说明广州人注重个性，追求个人与家庭、家庭内部之间、个人与社会、个人与国家之间的和谐关系。

健康至上的生命观是广州人和谐观的基础，这对经济、社会生活乃至政治层面都产生深远影响。经济上，凡是能够改善生命质量、促进健康的个人活动，都受到广州人的重视，如饮食文化、养生、体育运动。同时这种观念还会调节社会和个人资源的配置，左右社会消费模式与投资模式等等。社会生活上，人们对“社会的人应当如何生存”等问题，极端的看法逐步让位于理性的看法，从对于自身生命和人身安全的珍视，会扩展到尊重他人生命，对他人权利与自由的承认，形成融洽的社会人际关系，“和而不同”的宽容环境对于转型期的广州是一笔宝贵财富。经济体制改革以来，广州激烈的矛盾冲突、对抗非常少见，即使在这10多年中存在经济、政治的紧张局面，与全国其他地方相比，广州社会的稳定、和谐程度也是相当高的。在政治上，生命价值为重，与重视个人权利有着天然的联系，由此繁衍出很多价值如自由、人权等方面。

理性、务实是广州人价值思维的基本方式，也反映出广州人具备现代价值观。珍视个体生命，重视家庭这一社会细胞，认同国家富强、社会和谐，这三个方面反映出个人理性与社会理性能很好地结合在一起；在家庭、婚姻与爱情之间，以家庭婚姻为重的态度，表现出理性的一面；充分重视金钱对于人生、生活的重要性，反映出广州人的务实态度。此外，对人权、自由的重视，追求事业发展，热衷于服务社会，也反映了广州人重视个人利益，追求自我个人价值的实现。

社会结构转型在经济体制转变过程中表现明显，但价值观念的变迁属于深层变化，变化缓慢，并没有形成“断裂”现象，从民

意中心的调查研究来看，稳定、持续是广州人价值观的基本特点。广州一直处于改革开放前沿，最早最多接受外来文化冲洗，城市的巨变、收入的激增、文化教育娱乐的发展、各种思潮的兴起，整个广州的社会变迁相当显著。在种种以上社会背景下，调查显示，广州人的价值观念的演变缓慢而处于稳定状态，足以见证它强大的生命力和包容度。从某种意义上看，经济体制改革所确立的新型价值观念之所以没有与广州人传统价值观念发生剧烈的文化冲突，这事实上体现了广州居民的价值观念背后有岭南文化悠久历史积淀的支撑。近代以来，广州一直吸收着外来科技成果和优秀的思想文化，价值观念在继承传统文化中发展，并逐步稳定下来，形成独具特色的岭南文化价值观念。

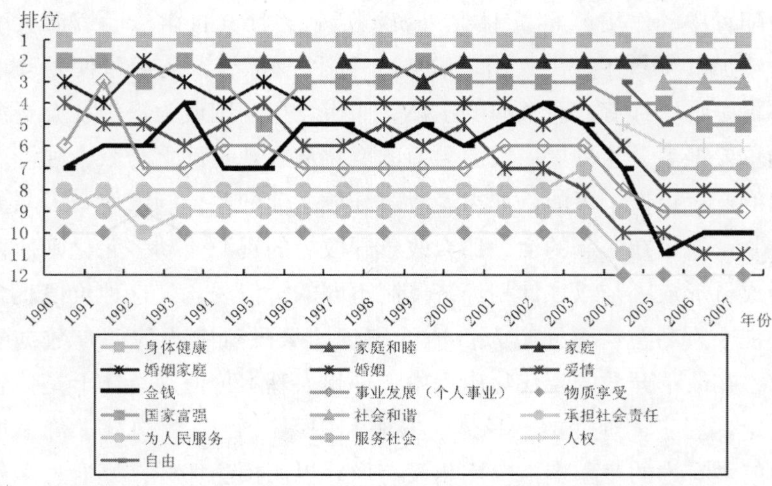

图 6－24　1990—2007 年广州人基本价值观测量指标的排位

社会结构转型是从制度层面上对经济体制转变的一个体现，但价值观念的变迁则从另一个侧面展示了体制转变和社会结构转型带来的深层变化。计划经济体制下形成的各种社会价值观念在新型市场经济体制的影响下逐步被赋予了新的社会内涵，同时价值观念的转变也在某种程度上影响着经济体制转变和社会结构转型变革的深度和速度，关于社会转型的考察必须要同时注重社会结构转型与价值观念变迁两个方面。改革之前，国家垄断了几乎全部的重要要素，并按照行政级别、单位规模在不同单位内部进行资源分配，而与此相适应的价值观念则是重平均分配、轻利益差别，重国家利益、轻个人利益，强调一致性、忽视多样性。资源配置方式和价值观念相互强化，使得国家与社会之间的界限模糊，社会成员价值观念多元化缺乏必要的客观条件（郑杭生、洪大用，1996）。改革开放之前由于绝大部分的社会资源掌握在国家手中并通过单位制度分配给单位成员，因此这个阶段社会成员的价值观念是重视集体主义轻个人主义。然而，改革开放使我国社会资源配置方式发生了重大变化，体现在以下几个方面：（1）农村组织控制功能弱化；（2）中央资源控制权力下移，资源供应能力削弱；（3）市场增强了资源配置中的作用；（4）体制外资源活跃，社会自由流动资源大幅度增加（郑杭生、洪大用，1996）。这种改革导致的后果便是政府不再是唯一拥有社会资源的主体，而市场机制则成为提供社会资源的重要渠道，这种提供资源渠道的变化从客观条件上为个人独立空间的产生提供了可能，如果说改革开放之前的单位制度使个人与单位紧密联系在一起的话，那么改革开放后的资源流动多元化则使社会成员形成了与以往计划经济体制不同的价值观念。这种价值观念重视个人利益，重视个人价值的实现。从民意中心的调查数据显示，在改革开放的现代化历程中，广州人基本价值观总体上是比较稳定、现实、理性的，身体、家庭和国家（社会）构成了价值取向的最有力的三角支撑。广州没有像外界所预测那样，遭遇过多价值观冲突、失范等问题，许多传统观念继续长久发挥其特有功能；同时，因适应建立社会主义市场经济的需要，新的、与现代化社会运作相适应的理性工具观念日渐形成，如社会和谐观念、金钱观念、服务社会观念等等。调查数据显示，“和谐”是广州人基本价值观的核心。个人、家庭、国家（社会）稳居基本价值观的前三位，这不仅可以有效说明个人与他人、个人与社会、个人与国家的关系，还说明广州人注重个性，追求个人与家庭、家庭内部之间、

个人与社会、个人与国家之间的和谐关系。此外，量力而为的服务社会观念成为当前大多数广州居民的社会价值观念，事实上这种社会价值观的塑造也是与经济体制改革进程紧密联系的。市场经济的本质是，“以等价的商品交换关系为基础的。在这种社会关系中，人与人之间的关系表现为物与物之间的关系，货币是他们发生联系的纽带；一种事物的价值的高低表现为货币数量的多少，货币是衡量事物价值的尺度；任何事物不论它的内容和性质如何，不论它是真善美，还是假丑恶，在市场上都只表现为量的差别，货币是社会财富和价值的一般表现形式”（张宇，1994：78）。总的来说，广州人在充分地吸纳古今中外优秀的道德文化成果的基础上，通过改革开放多年的历练后，逐步建立起与社会主义市场经济体制相适应的现代价值观。

结 语

综上所述，本章从两个方面展开对广东居民社会价值观念变迁的分析：其一，从定性层面对广东居民社会价值观念变迁做历时考察；其二，从定量层面对广州居民社会价值观念变迁做纵向比较。本章之所以从这两个方面展开讨论，是希望借助不同的资料来获得关于广州居民价值观念变迁的真实情况。关于广州居民社会价值观念变迁，本章在综合以往关于社会价值观念讨论的基础上，已经从以下几个方面展开了深入讨论。首先是经济价值观念，包括金钱观念、事业发展和物质享受等指标；其次是社会价值观念，包括社会责任观、社会发展观和政治观等指标；再次是生活价值观念，包括身体观念、婚姻观念、家庭观念等指标。其实，这些指标的选取主要是考虑到和人们日常生活关联的紧密程度，我们并不排除其他的社会指标。因此，本章的讨论主要是基于对这些数据资料的深入分析。

通过调查数据，我们发现，随着社会主义市场经济的发展，广州居民价值观念的变迁过程逐步呈现理性化、有序化，这种价值观念的变迁将会使社会能够稳定的运作和发展。数据显示，理性、务实是广州人价值思维的基本方式，这反映出广州人具备现代价值观念。珍视个体生命，重视家庭这一社会细胞，认同国家富强、社会和谐。这三个方面反映出，广州居民在处理个人理性与社会理性时能很好地结合在一起；在家庭、婚姻与爱情之间，广州居民坚持以家庭婚姻为重的态度，表现出理性的一面；充分重视金钱对于人生、生活的重要性，这些方面反映出广州人的务实态度。此外，对人权、自由的重视，追求事业发展，热衷于服务社会，诸多方面也反映了广州居民重视个人利益，积极追求自我个人价值的实现。但随着社会结构转型的深入，广州居民无论是对经济生活，对社会公共生活，还是对婚姻家庭生活，都提出了日益高涨的要求，以上的调查数据从各个方面展示出这样的趋势。

结合目前社会改革，我们应注重精神文明建设，因为社会改革不仅要提高人们的生活水平，分享社会成果，而且精神财富的积累同样重要。从一定意义上来讲，现代化的进程不仅意味着社会成员有能力充分享有现代社会的文明成果，更重要的是，社会成员需要具备现代社会所要求的思想品质和思维观念，这才是一个现代人的必要条件。简而言之，我们强调的现代化如果只是强调客观指标方面的现代化，例如只是关注 GDP 的增长和工业化的程度，那么这只是关注了现代化进程的一个方面，人的现代化才是现代社会发展的关键所在。本章认为，我们应注重对价值观与行为的互动关系的深入研究，以期对和谐社会的构建发挥重要作用。然而，本章的调查数据主要是从广州居民的价值取向方面进行分析，不足之处在于缺乏广州居民价值行为方面的研究，因此今后在这些方面的研究有待继续改进。

附表 1

调查指标历年变化汇总表

<table>
<tr><th>年份
指标</th><th>1990</th><th>1991</th><th>1992</th><th>1993</th><th>1994</th><th>1995</th><th>1996</th><th>1997</th><th>1998</th><th>1999</th><th>2000</th><th>2001</th><th>2002</th><th>2003</th><th>2004</th><th>2005</th><th>2006</th><th>2007</th></tr>
<tr><td>金钱</td><td colspan="18">金钱</td></tr>
<tr><td>事业发展</td><td colspan="15">事业发展</td><td colspan="3">个人事业</td></tr>
<tr><td>物质享受</td><td colspan="18">物质享受</td></tr>
<tr><td>承担社会责任</td><td colspan="15">承担社会责任</td><td colspan="3" rowspan="2">服务社会</td></tr>
<tr><td>为人民服务</td><td colspan="15">为人民服务</td></tr>
<tr><td>自由</td><td colspan="14">——</td><td colspan="4">自由</td></tr>
<tr><td>人权</td><td colspan="14">——</td><td colspan="4">人权</td></tr>
<tr><td>国家富强</td><td colspan="18">国家富强</td></tr>
<tr><td>社会和谐</td><td colspan="15">——</td><td colspan="3">社会和谐</td></tr>
<tr><td>身体健康</td><td colspan="18">身体健康</td></tr>
<tr><td>家庭</td><td colspan="3" rowspan="2">婚姻家庭</td><td colspan="3">家庭和睦</td><td colspan="12">家庭</td></tr>
<tr><td>婚姻</td><td colspan="3">婚姻家庭</td><td colspan="12">婚姻</td></tr>
<tr><td>爱情</td><td colspan="18">爱情</td></tr>
</table>

第三篇

社会保障制度的变迁

第七章
改革开放30年广东社会保障制度的变迁

社会保障是现代国家最重要的社会经济制度，通常被称为社会的“安全网”，主要发挥收入分配“调节器”的作用，对刺激消费需求、扩大内需、拉动经济增长，具有十分重要的影响。社会保障制度经过100多年的发展，已成为市场经济不可或缺的重要支柱。在我国建立和完善社会保障制度，对于妥善处理各种利益关系，保障困难群众的基本生活，全民共享经济社会发展的成果，建设和谐社会具有重要的作用。

关于社会保障的界定，学术界比较有代表性的几种观点包括收入安全制度说、国民收入分配再分配说、生活保障系统说等。收入安全制度说认为，社会保障是由国家或立法保证，针对八种主要收入风险（即疾病、老年、妊娠、工伤、残疾、失业、丧偶、失怙等）而设立，以增加收入安全的制度安排（尚晓援，2001）。国民收入分配再分配说认为，社会保障是国家和社会通过立法，采取强制性手段对国民收入进行分配和再分配，形成社会消费性基金，对因年老、疾病、伤残、失业、死亡以及其他灾难等导致生活出现困难的社会成员，依法给予援助的社会安全制度（陈良谨，1990；郭士征，2004）。生活保障系统说认为，社会保障是各种具有经济福利性、社会化的国民生活保障系统，它包括社会保险、社会救助、社会福利和其他各种社会性保障措施（郑功成，2000）。这三种理论对社会保障项目的看法，都共同指向了年老、疾病、伤残、失业、救助等内容。

中国政府将社会保障制度的主要项目分为六类，即社会保险、社会福利、优抚安置、社会救助、住房保障和农村社会保障。其中，社会保险是社会保障制度的核心，包括养老保险、失业保险、医疗保险、工伤保险和生育保险。

因此，本书综合学界分析与政府观点，结合广东省实际与特色，主要从七个方面就广东省社会保障制度30年的发展轨迹展开分析。它们是：养老保险制度、医疗（生育）保险制度、工伤保险制度、失业保险制度、社会救助制度、社会福利制度和农村社会保障制度。

一、从传统到现代：广东省社会保障制度的变迁

（一）广东省传统社会保障制度及其特点

改革开放前，广东省社会保障制度实行传统的政府保障体制，其主要特征是国家—单位保障。国家与单位是社会保障的供给者与实施者，社会成员被分割并依附于所在单位，城乡社会成员在养老、医疗、福利、救助等方面无偿享受各项保障待遇，国家与单位共同承担社会保障的职责（郑功成，2002），最大限度地向人民提供“广覆盖、低水平”的社会保障。

在国家—单位保障制度下，传统社会保障制度被分为三大块：即国家保障、城镇单位保障与农村集体保障（郑功成，2002）。其中，城镇单位保障的水平最高，项目最全面，是社会保障制度的主体。

国家保障以财政拨款为基础，由各级政府主管部门直接实施，主要包括机关事业单位工作人员相关项目的保障、城镇居民价格补贴、军人保障、民政福利、农村救灾救济等。城镇单位保障由企业

从收益中提取经费并自行组织实施，封闭运行，政府给予财政补贴。绝大多数城镇居民依靠单位提供保障。主要包括职工劳动保险（如退休保障、工伤保障、生育保障、劳保医疗以及遗属保障等），职工集体福利（如各种集体福利设施、住房福利、困难补助等）。农村集体保障以社队集体为单位，以社队统一提留为经费来源，农村居民通过所在社队集体获得社会保障。主要项目有合作医疗、五保户供养等。

这种社会保障制度有五个特点，即政府负责、单位包办、板块分割、封闭运行、全面保障（郑功成，2002）。所谓政府负责，就是政府通过计划经济维持各个单位组织的生存与运作，通过财政补贴直接担保。所谓单位包办，是指单位负责社会保障政策的具体实施并提供经费。所谓板块分割，就是社会保障制度三个板块各负其责，相互独立，社会成员普遍地被某一保障板块或两个保障板块所覆盖。但是这种板块结构导致了单位负担不公平和不堪重负的后果，社会成员也形成了畸形福利观念。所谓封闭运行，是指制度的实施过程完全封闭，各个单位只对本单位的成员负责。所谓全面保障，是指制度保障的范围广泛，城镇的退休、医疗、住房、教育、就业安置、贫困救助等，都由国家主导、单位包办，农村保障项目虽然不多，但受益者众多。

这种国家—单位保障制度由国家、单位承担社会保障的全部责任，组织实施各项社会保障政策，社会成员无需承担直接义务，其他的社会组织无生存空间。这种社会保障制度是权利义务单向、社会组织缺位的制度模式，劳动者的福利所得与劳动所得相混合。

（二）广东省社会保障制度的转型及实际问题

20 世纪 80 年代中期以来，伴随着社会主义市场经济体制的建立和完善，广东省逐步对计划经济时期的社会保障制度进行了一系列改革。20 世纪 90 年代以后，广东省社会保障制度逐渐由国家—单位保障发展为国家—社会保障，国家主导社会保障制度的建设，以行政与立法为手段，以社会化为方式，政府与企业、社团及个人共同分担社会保障责任。2000年后，广东省社会保障制度发展速度更快，覆盖面迅速扩大，保障水平逐步提高，保障项目日益增多。在城镇确立了社会保险制度，保险内容包括五大领域，其中，医疗保险正推向全体城镇居民；社会救助制度特别是城镇最低生活保障制度日益成熟，社会福利社会化程度提高。

当然，在改革的过程中也遇到了各种问题与挑战，各项改革还处在不断地调整与完善之中。在社会救济方面，城镇最低生活保障需要与住房制度、教育制度、医疗制度进行配套建设。在社会保险方面，多层次养老保险制度发展较慢，医疗保险改革需要深化，失业保险制度需要扩大覆盖面等。在社会福利方面，福利社会化改革、责任共担原则的变革步伐需要加快。农村养老保险制度与新型合作医疗制度还在推广之中，在城镇工作的农民工社会保障制度建设任重而道远。

（三）广东省社会保障制度改革的成就

经过30年的发展，广东省社会保障制度转型取得了突出的成就。在“十五”期间，广东省社会保障制度快速健康发展，主要指标居全国前列，社会保障工作实现“两个大的扩展、三个根本性转变”。在保障对象上，实现了从国有单位职工向所有劳动者、其他非就业群体的扩展；在覆盖范围上，实现了从城镇向农村扩展；在制度体系上，实现了从单一制度向多层次保障体系的转变；在工作机制上，实现了从主要依靠行政手段向法制化的转变；在管理服务方式上，实现了从粗放管理向规范化、信息化、社会化管理的转变。与经济社会发展水平相适应、覆盖城乡的社会保障体系初步建立。

第一，社会保障覆盖面显著扩大。截至2005年底，全省城镇职工基本养老、失业、医疗和工伤四大险种参保人数分别达1564.9万人、1130.7万人、1265.3万人和1605.1万人，均居全国首位；生育保险参保人数达419.4万人。参加农民与被征地农民养老保险约78万人，参加农村医疗保险300多万人。参加新型农村

合作医疗达 2546 万人，覆盖率为 50.5%。全省有 171.9 万人纳入低保救济，五保对象 23.9 万人，基本实现了“五统一”供养。全省共有镇级敬老院 1458 间，集中供养 3.6 万人。

第二，各项社会保障待遇得到较好落实。建立了各项社会保障待遇随在岗职工平均工资（或最低工资标准）同步调整的正常调整机制。截至 2005 年底，全省参加企业养老保险的离退休人员月人均养老金达 847 元；月人均领取失业保险金 404 元；“十五”期间，全省支付各项医疗保险、工伤保险和生育保险待遇分别达 95.7 亿元、42.0 亿元和 3.0 亿元；共发放医疗救助 2.65 亿元，救助 232.1 万人（次）。农村养老保险月人均养老金达到 200 元。提高了农村合作医疗筹资水平，加大了费用报销比例。建立了优抚对象抚恤补助标准与当地人均生活水平同步提高的自然增长机制，2005 年五保人均年供养标准达 1468 元。“十五”期末，全省低保救济支出比“九五”期末增长 197%。

第三，社会保障基础不断夯实。社会保险统筹层次提高，全省 20 个地级以上市实现市级统筹。社会保险基金收支状况进一步改善，19 个地级以上市（含省直）养老保险（统筹加个人账户）基金、17 个地级以上市的失业保险基金以及全部地级以上市的医疗、工伤保险基金保持收支平衡并略有结余。社会保险基金累计结余 1137 亿元，是“九五”期末的 4.3 倍。77 个县（市、区）的农村合作医疗转变为县级统筹。社会保障信息化水平提高，服务层次不断提升。到 2005 年底，全省实行社会化管理服务的企业退休人员已达 217.2 万人，社会化管理服务率达 95%。

第四，多层次的社会保险体系初步建立。企业年金制度全面启动。深圳等市初步建立了地方养老保险制度。部分地区试行覆盖职工子女、城乡居民等非就业人口的基本医疗保险。各地相应出台了公务员医疗补助办法，有条件的统筹地区建立了企业职工补充医疗保险制度，多数统筹地区建立了重大疾病医疗补助金制度，并开始探索建立社会医疗救助制度和劳务工医疗保险制度。

第五，社会救助走在全国前列。建立了城乡一体的最低生活保障制度，困难群众的基本生活权益得到保障。建立了救灾工作分级管理、救灾经费分级负担的运行机制。帮助灾民新建或重建住房127.1万间，灾民新村近170个，使灾民的吃、穿、住、医等基本生活需要得到了保障。全省共有救助站62个，流浪儿童保护中心8个。

第六，解决了一批群众关心的热点难点问题。基本解决11.9万名农垦系统职工和10多万名华侨农场职工参加地方养老保险问题；将企业离休人员养老待遇与当地机关离休费基本拉平；解决了省直3万名早期退休人员待遇偏低问题；帮助关闭破产煤炭、冶金、有色金属企业的退休人员、老职工参加基本医疗保险；将领取失业保险金人员纳入基本医疗保险等。

2007年，广东省委、省政府出台《关于解决社会保障若干问题的意见》，对六大民生问题作出明确的政策规定，将原有社会保障体系中的空白点和盲点都纳入社会保障网，进一步完善社会保障制度，包括建立被征地农民生产生活保障制度，建立城镇居民基本医疗保险制度，解决困难企业退休人员基本医疗保险问题，提高企业退休人员养老保险待遇，解决农垦企业职工养老保险问题以及解决华侨农场职工生产生活保障突出问题。标志着广东迈入全民全面保障时代，表明广东公共财政将更多地惠及社会困难群体。

二、广东省养老保险制度30年发展

社会保险是中国社会保障制度的主体，它由五个项目组成，分别是养老保险、医疗保险、工伤保险、失业保险以及生育保险。其中，养老保险是最重要的项目，其覆盖面较广，财务收支规模居各社会保障项目之首。

（一）广东省传统的养老保险制度

改革开放之前，广东省在城镇实行退休养老制度，国家机关、事业单位职工的退休养老经费由国家财政拨款，企业职工的退休养

老经费由企业列支。这种退休养老制度属于劳动保险的形式，自1958年以来在全国各地统一推行。职工退休养老由单位负责，具有浓厚的福利色彩，采取现收现付的非基金制财务模式，退休经费列入年度财政预算和年度经营成本，无任何积累，实行封闭式运行，职工退休后离岗不离单位。

1978年，国务院颁发《关于安置老弱病残干部的暂行办法》和《关于工人退休、退职的暂行办法》，将1958年以来企业和机关、事业单位统一实行的退休、退职制度，分开为干部与工人两个制度系列。干部退休条件一般是男年满60周岁，女年满55周岁，参加革命工作年限满10年。工人退休条件一般是男年满60周岁，女年满50周岁，连续工龄满10年。从事井下、高空、高温，特别繁重体力劳动或者其他有害身体健康的工作，男年满55周岁、女年满45周岁，连续工龄满10年。

干部、工人退休以后，每月按本人标准工资的90%至60%不等发给退休费，直至去世为止。饮食起居需要人扶助的，根据实际情况发给一定数额的护理费。离休和退休的干部去世后，给予丧葬补助费和供养直系亲属抚恤费。离休、退休干部、退休工人若要易地安置的，由原工作单位一次发给150～300元的安家补助费，离休、退休、退职干部、工人本人，可以享受公费医疗待遇。退休费、退职生活费，企业单位，由企业行政支付，党政机关、群众团体和事业单位，由原工作单位负责或由负责管理的组织、人事和县级民政部门另列预算支付。

（二）广东省养老保险制度改革

随着传统养老保险的制度基础被经济改革打破，为应对老龄化问题，保障老年人的基本生活与合法权益，广东省政府开始着手养老保险制度改革，探索建立多层次养老保险体系，实现养老保险制度的可持续发展。

广东省是全国建立统一社会保险制度的试点省。自1980年《广东省经济特区条例》批准实施以来，广东省逐步进行了以适应社会主义市场经济体制要求、有利生产、保障生活、安定社会为宗旨，以企业职工养老保险为重点的社会保险制度改革。改革大体分三个发展阶段。①

第一，改革起步阶段（1983—1992年），以退休费用社会统筹为改革的中心内容。

1983年，深圳市政府颁发《深圳市实行社会保险暂行规定》，在全国率先对劳动合同制工人和企业固定职工实行社会保险制度；1984年，广东省政府批转省劳动局《关于在城镇集体经济组织中建立退休制度统筹退休金的报告》，印发《广东省全民所有制单位企业固定职工退休统筹试行办法》，在全省开展县以上集体所有制企业固定职工退休统筹；1986年，广东省政府转发国务院《关于发布改革劳动制度四个规定的通知》，并制定实施细则，开展劳动合同制职工养老保险；1989年，广东省政府颁发《广东省临时工养老保险办法》，在全省范围开展临时工养老保险；1990年，广东省劳动局印发《贯彻劳动部关于实行固定职工个人缴纳少量退休养老保险费的意见的通知》，实行固定职工个人缴纳养老保险费。

这个阶段的改革，以部门组织为主，由于缺乏通盘规划和整体设计，单项推进，改革力度较小，主要是实行以县（市、区）为核算单位的退休基金统筹，在平衡企业间离退休费负担畸轻畸重方面发挥了一定作用。

第二，改革的成型阶段（1993—1997年），新型职工社会养老保险制度确立。

广东省政府在系统总结10年改革实践经验的基础上，于1992年制定了《广东省社会养老保险制度改革方案》，对深化改革作出了整体性、综合性的长远规划和分步实施的安排。1993年，颁布《广东省职工社会养老保险暂行规定》，开始构建社会统筹与个人账户相结合、权利与义务相对应、保障水平与承受能力相适应、基

① 参考广东省劳动和社会保障厅养老保险处《广东省养老保险制度改革情况》，2007年6月18日。

本养老保险和补充养老保险相结合的多层次的社会养老保险制度。覆盖范围由国有和集体企业职工扩大到所有企业职工、事业单位、党政机关、社会团体以及城镇个体工商户及其所属全部职工。其中，企业包括了各类所有制企业、股份制企业、联营企业、乡镇企业、外商投资企业、私营企业、城镇个体工商户及军办企业，职工包括了固定职工、合同制职工、临时工、农民轮换工、外商投资企业中的中国籍职工和劳务输出工。养老保险基金实行部分积累方式，由国家、单位、职工三方负担，养老保险待遇与缴费工资、缴费年限挂钩。单位和职工按月缴纳养老保险费，分别计入社会养老保险基金和个人养老专户。单位缴纳的养老保险费比例不低于工资总额的2%，个人缴纳工资收入的2%，并定期调整。城镇个体工商户按单位和个人两项费率之和计征，分别计入社会养老保险基金和个人养老专户中。缴费年限累计满10年以上，可以领取养老金直至死亡。养老金由基础养老金、基础附加金和个人专户养老年金组成。事业单位、党政机关、社会团体的国家干部、固定职工社会养老保险另行规定。《广东省职工社会养老保险暂行规定》的出台，打破了过去由国家、企业全包的传统理念，新型养老保险制度基本建立，广东省养老保险制度进入快速发展时期。

第三，改革的深化、完善阶段（1998年至今），出台了地方性的养老保险法规，广东省养老保险制度走上法制化轨道，并逐步扩大覆盖面，提高统筹层次，构建多层次养老保险体系、解决特殊困难群体的养老保险问题。

1998年，广东省政府发出《关于贯彻国务院建立统一的企业职工基本养老保险制度的决定的通知》，为逐步使广东省与全国统一制度并轨衔接，对广东省职工养老保险制度作适当调整。（1）扩大养老保险覆盖面，逐步将城镇所有企业职工和个体工商户纳入社会养老保险，增强养老保险基金统筹能力，确保养老保险待遇的发放。（2）长期拖欠养老保险费又无偿还能力的企业，要求用固定资产或实物变现抵偿所欠保险费。对拒不参加社会保险、偷漏应缴保险费的企业，进行经济处罚并追究企业负责人的行政责任和经济责任。(3) 提高社会养老保障能力，做好向省级统筹过渡的准备。加快从县级向市级的统筹，并提高省市两级的调剂能力。(4) 严格控制企业缴费比例，原则上不超过单位工资总额的20%。(5) 全省统一按职工缴费工资的11%建立个人账户，并调整养老金计发办法，将缴费累计年限调整为15年。(6) 建立多层次职工养老保险体系，鼓励有条件的地区实行地方补充养老保险，有条件的企业举办企业补充养老保险，此外，还允许养老保险关系跨地区转移。

至此，广东省社会养老保险制度已经完成了与全国统一制度的并轨，立法的外部环境也已经具备。1998年及2000年，省人大、省政府先后颁布《广东省社会养老保险条例》、《广东省社会养老保险实施细则》，以地方性法规的形式确立了我省养老保险制度，使养老保险事业走上了法制化轨道。《条例》确定了养老保险的保障对象是所有企业、城镇个体经济组织和与之形成劳动关系的劳动者，国家机关、事业单位、社会团体和与之建立劳动合同关系的劳动者，包括固定职工、合同制职工、临时工、农民轮换工、城镇个体经济组织的业主和从业人员、劳务输出人员、港澳台商投资企业中内地户籍员工及外商投资企业中的中国籍员工，均应在单位所在地参加社会养老保险。实行企业化管理和经费自收自支或差额结算的事业单位及其所属全部职工，国家机关中的合同制职工、临时工，按本实施细则参加企业的养老保险统筹。国家机关公务员、财政全额拨款的事业单位、社会团体工作人员的养老保险基金计征和发放办法另行规定。社会养老保险实行社会统筹和个人账户相结合方式，养老保险费用由国家、单位和个人三方合理负担。养老保险待遇同被保险人的缴费工资和缴费年限挂钩，并建立合理调节机制，使之与国民经济发展和人民生活水平相适应。单位缴纳的养老保险费比例由各地社会保险经办机构测定，全省统一按被保险人月缴费工资的11%建立个人账户，单位和被保险人按规定的标准逐月缴纳养老保险费。被保险人缴纳的养老保险费全部计入个人账户；单位缴纳的养老保险费一部分计入个人账户，其余计入社会养老保险基金。养老金实行社会化发放，委托银行、邮局、社区等多

种渠道将养老金直接发给被保险人。养老金个人账户部分可以继承，养老保险关系可以转移，跨省转移时仅转移个人账户部分。养老保险实行法定基本养老保险、地方补充保险和单位补充保险等多层次的保险。政府鼓励有条件的地方、单位为被保险人建立补充保险。

2001 年之前，广东省社会保险的统筹层次比较低，甚至在同一市的城区范围内，市辖区之间和市直单位的社会保险缴费比例、基金核算和管理、待遇计发都自成一体，标准不一。2001 年 9 月，广东省政府发出《关于提高我省社会保险区域统筹层次的通知》，要求各地级以上市要于 2002 年 7 月 1 日起，在市的城区范围内实行统一的社会保险缴费费率和待遇计发办法。

随着人口老龄化进程的加快，人们对养老保障的关注和需求不断增加，为进一步完善养老保险制度，2006 年 9 月，省政府颁布《关于贯彻国务院完善企业职工基本养老制度决定的通知》，以改革基本养老金计发办法为核心，从多个方面对我省养老保险制度进行了完善。《通知》明确提出了：（1）要以非公有企业、城镇个体工商户和灵活就业人员为重点，以规范参保缴费为内容，以提高实际缴费人数为目标，扩大我省基本养老保险覆盖范围，并规定城镇个体户和灵活就业人员参加基本养老保险的缴费比例原则上按 20% 执行。（2）构建多层次养老保险体系，推动有条件的企业建立企业年金制度，有条件的地区建立地方养老保险。（3）提高基本养老保险统筹层次，全面规范市级统筹工作，加快实现省级统筹。（4）逐步做实个人账户，实现个人账户基金的保值增值。此外，还提出了调整养老保险缴费基数，统一将全省企业职工基本养老保险个人账户规模从本人缴费工资的 11% 调整为 8%，并改革基本养老金计发办法，完善基本养老金年度调整办法，提高社会保险管理服务水平。

为解决一些特殊人群的社会保障问题，2007 年 9 月，广东省委、省政府发出《关于解决社会保障若干问题的意见》，要求建立被征地农民的养老保险制度，提高企业退休人员养老保险待遇，解

决农垦企业职工、华侨农场职工养老保险问题。其中，被征地农民的基本养老保险制度实行完全积累个人账户模式，政府、集体、个人三方合理负担的原则筹集费用，个人按一定比例缴纳，其余部分由集体经济缴纳和当地政府补助。具体对象是征地时享有农村集体土地承包权的在册农业人口，年满35周岁以上、59周岁以下、未参加城镇职工基本养老保险的被征地农民，实行被征地农民基本养老保险，60周岁及以上的被征地农民，实行养老补助，按月发放“老年生活津贴”，直至终老。

为提高企业退休人员养老保险待遇，重点对新中国成立前参加革命工作的老工人、具有高级职称的企业退休科技人员以及80周岁以上人员予以倾斜。通过调整，全省企业退休人员基本养老金月人均增加120元左右、月人均基本养老金达到1000元以上（其中欠发达地区不低于450元），保证广大企业退休人员共享经济社会发展成果。建立健全统一规范的基本养老金正常调整机制，逐步缩小不同地区和不同人员之间的养老金差距。2008年至2010年，连续3年提高企业退休人员基本养老金。同时加快企业年金制度建设，大力发展商业保险，构建多层次养老保障体系，着力提高企业离退休人员养老待遇总体水平。

在解决农垦企业职工养老保险问题上，逐步提高农垦企业离退休人员基本养老金标准，从2007年7月起，农垦企业离退休人员基本养老金按照全省统一政策和标准实施调整，并建立多种渠道、多方筹资解决农垦企业养老保险基金缺口的长效机制，认真做好扩面征缴和基本养老金按时足额发放工作，实现全省农垦企业职工应保尽保。

在解决华侨农场职工养老保险问题上，按照属地管理原则，组织华侨、职工及退休人员参加城镇基本养老保险和统账结合的城镇职工基本医疗保险，或单建统筹的住院基本医疗保险。对华侨农场中困难群体和困难地区的基本养老和医疗保险给予适当补助，安排好中央专项补助资金。

（三）广东省养老保险制度的主要特点

广东省养老保险制度实行三层结构式养老保险金制度，即法定基本养老金由基础养老金、过渡性养老金和个人账户养老金三部分组成。基础养老金以上年度省在岗职工平均工资和本人指数化月平均缴费工资的平均数为基数，每满一年计发1%。过渡性养老金为具有视同缴费权益的参保人的视同缴费账户储存额除以对应的计发月数。个人账户养老金以本人首次领取基本养老金时个人账户储存额除以计发月数。基础养老金、过渡性养老金由养老保险统筹基金给付，个人账户养老金由本人个人账户基金支付。2006 年后，广东省基本养老保险制度表现出三大亮点。①

第一，统一养老金计发基数，平衡退休人员待遇水平。广东省经济发展地区不平衡，以各市职工平均工资水平为基数计算的基本养老金差距较大，欠发达地区基本养老金水平一直偏低。2006 年，将基础养老金计发基数统一为全省上年度在岗职工平均工资，从制度上解决经济欠发达地区的基本养老金水平偏低的问题，为省级统筹打下基础，同时缓解地区待遇差引起的养老保险关系向经济发达地区单一方向转移的“趋富效应”。

第二，建立了待遇与缴费时间和缴费金额双挂钩的激励约束机制。2006 年前，不论缴费多少，基础养老金都是所在市上年度职工平均工资的20%，过渡性养老金的计发虽与本人缴费工资水平挂钩，但激励作用还不明显。2006 年后，在基础养老金中引入了本人指数化月平均缴费工资和缴费年限指标，在过渡性养老金方面实现了激励和公平的平衡。

第三，允许参保人延缴，解决参保年限问题。为解决参保人因年龄较大、中断缴费时间较长等原因导致的缴费年限短而无法享受基本养老金的问题，2006 年的改革措施是对本省户籍的参保人，

① 参考广东省劳动和社会保障厅养老保险处《广东省养老保险制度改革情况》，2007 年6 月18 日。

允许在达到退休年龄时暂不申领待遇，参照个体工商户费率、费基继续缴费，继续缴费期间计算缴费年限，直至本人申领待遇时止，以解决参保的年限问题。

（四）广东省养老保险制度的发展成就与工作目标

广东省养老保险制度经过30年的调整、改革，不断发展与完善，参保人数逐年增长。“十五”期末，全省企业养老保险参保人数比“九五”期末增长了64.6%，指标居全国第一。2005年底，全省参加企业养老保险的人数已达到1423.6万人，比2004年底增长了16.2%。到2006年末时，全省参加基本养老保险已增加至1972.3万人，比上年增长9.8%。到2007年底，全省养老保险参保人数已达2100万人。

养老保险运行机制逐步完善，全省各级采取有力措施，加强社会保险费征缴稽核，保证各项社会保险待遇按时、足额发放，及时按规定调整养老金发放标准。全省多层次养老保险体系也逐步健全，出台了《广东省企业年金实施意见》，部分企业已经建立了企业年金。同时，做实养老保险个人账户工作，企业退休人员社会化管理覆盖面进一步扩大，管理服务水平不断提高。

总结养老保险制度的发展经验及存在的问题，广东省养老保险制度在今后的发展中，还有很多工作需要加强与改善。

1. 深入贯彻落实《国务院关于完善企业职工基本养老保险制度的决定》，结合我省实际，坚持公平与效率相结合、权利和义务相对等原则，提请省人大常委会修订《广东省社会养老保险条例》，改革养老金计发办法，规范待遇享受条件，合理缩小不同群体退休人员的待遇差距；逐步做实个人账户，实现收支平衡；改革社会保险关系转移办法，促进劳动力合理流动。积极推动有条件的企业建立企业年金制度，有条件的地区建立地方养老保险制度，构建多层次养老保险体系。继续完善保险基金征缴制度，努力实现社保基金收支平衡。

2. 进一步扩大社会保险覆盖面，以促进非公有制企业职工、

城镇个体户和灵活就业人员参保为重点，把大多数城镇从业人员纳入社会保险覆盖范围。按照低费率、广覆盖、可转移，并能够与现行城镇养老保险制度相衔接的思路，制定《广东省农民工养老保险实施意见》，有条件的地方可直接将稳定就业的农民工纳入城镇职工养老保险，切实解决农民工养老保障问题。大力推进扩面征缴工作，以非公有制企业和中小企业为重点，强化对企业参加社会保险的监督检查，逐步完善社会保险费征缴机制和稽核办法。

3. 尽快完善社会保险市级统筹制度，逐步实现“统一费率、统一技术、统一基础养老金、统一经办管理”；积极研究省级统筹方案，加大省级调剂力度；健全社保基金当期收支自求平衡机制，改善基金收支状况。

三、广东省医疗与生育保险制度30年发展

（一）广东省传统的医疗保险制度

改革开放前，广东省城镇实行公费医疗与劳保医疗制度，农村实行合作医疗制度。公费医疗与劳保医疗的费用由政府与企业承担，合作医疗的费用由农村集体组织承担，大体上满足了几乎所有社会成员的基本医疗卫生服务需求。

改革开放初期，广东省如同全国其他地区一样，农村合作医疗制度迅速瓦解，城镇劳保医疗和公费医疗体制出现了很多问题，诸如：经费超支，浪费严重；管理松弛，执行制度不严；少数单位和人员特殊化，搞不正之风；管理和服务的社会化程度低，公费医疗与劳保医疗制度不统一；医疗总体技术水平较低；计划管理体制影响了医疗服务机构及医疗人员的积极性和创造性等。广东省医疗体制急需改革。

（二）广东省医疗保险制度的改革

在城镇严格实行公费医疗、劳保医疗制度的同时，广东省积极

试点医疗保险制度，改革公费医疗制度。这一改革历程经历了三个阶段。

第一阶段：1984—1998年，医疗保险改革的早期试点阶段。

对于公费与劳保医疗制度存在的严重问题，1984年，卫生部、财政部发出《关于进一步加强公费医疗管理的通知》，要求加强对公费医疗的管理工作，节约开支，防止浪费，严格执行国家规定的公费医疗享受范围与医药费报销范围，开始了积极而又慎重地改革公费医疗制度的历程。1989年，卫生部和财政部颁布《公费医疗管理办法》，规范享受公费医疗待遇的人员范围共计12大类，规范公费医疗经费开支范围及报销比例，指定公费医疗医院定点就医，规定公费医疗经费的管理办法。

然而，公费医疗与劳保医疗由国家、企业包揽费用，造成了严重浪费的同时，部分困难企业职工却得不到应有的基本医疗保障，医疗体制对医患双方缺乏有效制约，医疗保障的覆盖面窄，管理和服务的社会化程度低，不利于劳动力的流动和减轻企业的社会负担。这种制度已不再适应社会经济发展，难于继续运转下去。因此，1994年，国家体改委、财政部、劳动部、卫生部发出《关于职工医疗制度改革的试点意见》，对公费医疗与劳保医疗制度进行试点改革，提出建立社会统筹医疗基金与个人医疗账户相结合的社会保险制度。医疗保险制度覆盖城镇所有劳动者；医疗保险费用由用人单位和职工共同缴纳，基本医疗保障待遇与个人贡献适当挂钩；实行定点医院就医，逐步实行医疗服务和销售药品分开核算；建立医患双方制约机制，最大限度地减少浪费；实行政事分开，政府主管部门制定政策、制度、标准，社会医疗保险事业机构承担职工医疗保险资金的收、付和运营。

在试点公费医疗和劳保医疗如何向医疗社会保险转型，特别是试点医疗保险如何将社会统筹与个人账户相结合，深圳市作为试点城市之一，对此作出了有益的尝试，开始了广东省医疗保险改革的早期试点步伐。1991年，深圳市成立医疗保险局，统一管理全市医疗保险事业，1992年5月颁布《深圳市社会保险暂行规定》及

《职工医疗保险实施细则》。深圳市的医疗保险改革被称为“混合型”模式，它把医疗保险分为综合医疗保险、住院医疗保险和特殊医疗保险三种类型。综合医疗保险针对深圳常住户口的在职职工和退休人员，参保人员按照规定缴费，住院基本医疗费用主要由医疗保险共济基金支付，门诊基本医疗费用由医疗保险个人账户支付，实行社会统筹与个人账户相结合。住院医疗保险针对深圳市暂住户口的职工和领取失业救济金期间的失业人员，实行基金统筹，不设个人账户，参保人按照规定缴费，住院基本医疗费用主要由医疗保险基金支付。特殊医疗保险参保人员是离休人员和二等乙级以上革命伤残军人，个人不缴费，就医时不自付。深圳模式采取三个层次的混合型医疗保险方式，满足不同人员医疗需求，提高了保险覆盖面，对个人账户进行改进，拉开个人账户与共济账户之间的自付段，缓解共济账户透支和个人账户沉淀过多的状况。深圳模式中个人账户比较高，强调资本运营和保险基金的保值增值，反映了深圳城市年轻化、移民化和居民高收入的特点，有利于应对人口老龄化问题，这一试点对全国医疗保险制度改革作出了有益的尝试(郑功成，2002)。

1996 年，国务院办公厅转发国家体改委等四部委《关于职工医疗保障制度改革扩大试点意见的通知》，要求职工医疗保障制度改革试点扩大范围，建立社会统筹医疗基金与个人医疗账户相结合的社会医疗保险制度，为城镇全体劳动者提供基本医疗保障。职工医疗保险基金由用人单位和职工个人共同缴纳，用人单位缴费由各单位预算内资金或由单位提取的医疗基金中开支，企业在职职工从职工福利费中开支，离退休人员在劳动保险费中开支，国家、单位和职工三方合理负担医疗费用。要求私营企业职工和外商投资企业的中方职工参加当地的社会医疗保险。城镇个体劳动者也可参加社会医疗保险，其医疗保险费全部由个人缴纳。职工个人缴费和用人单位为职工缴费的一部分划入个人账户，用于支付个人的医疗费用。用人单位为职工缴费的其余部分进入社会统筹医疗基金，并规定了职工医疗费用的支付办法。医疗保险基金由社会医疗保险事业机构负责经办，坚持以收定支、收支平衡、略有结余；要专款专用，不得挪作他用，确保基金的安全，实现保值增值。

在中央关于扩大试点的意见出台后，在坚持实行公费医疗与劳保医疗的同时，广东省部分城市如珠海、佛山、东莞、遂溪、英德、中山等市都陆续展开了医疗保险体制的改革试点工作。

第二阶段，1999—2003年，广东省医疗保险制度改革的推广阶段。

从1999年开始，广东省积极推进全省职工基本医疗保险制度的改革工作，将全体城镇职工纳入医疗保险体制范围，并不断完善管理办法，解决困难人员的医疗保障问题。

1999年2月，广东省政府发出《转发国务院关于建立城镇职工基本医疗保险制度决定的通知》，由省人民政府成立省城镇职工基本医疗保险制度改革领导小组，1999年2月开始启动，1999年底在全省建立城镇职工基本医疗保险制度，将城镇所有用人单位及其职工纳入覆盖范围，并特别提出将乡镇企业及其职工和城镇个体经济组织从业人员纳入覆盖范围。同时，注意新老制度间的衔接，在新制度实施之前，现行公费医疗、劳保医疗制度的有关规定不改变，继续加强对现行公费医疗、劳保医疗的日常管理，严格医疗费用开支的审核、报销制度，确保改革平稳过渡。

全省建立基本医疗保险制度的具体办法是：第一，社会医疗保险制度要保障职工基本医疗需求，同时考虑省财政、企业和个人的承受能力，保险水平要与社会主义初级阶段生产力水平相适应。第二，全省城镇所有用人单位及其职工都要参加基本医疗保险，包括企业（国有企业、集体企业、外商投资企业、私营企业等）、机关、事业单位、社会团体、民办非企业单位及其职工，实行属地管理。第三，基本医疗保险基金实行社会统筹和个人账户相结合，基本医疗保险费用由用人单位和职工双方共同负担。用人单位缴费率应控制在职工工资总额的6%左右，职工缴费率一般为本人工资收入的2%。职工个人缴费全部计入个人账户。用人单位缴费分为两部分，一部分用于建立统筹基金，一部分划入个人账户。第四，规

定统筹基金的起付标准和最高支付限额。起付标准以下的医疗费用，从个人账户中支付或由个人自付。起付标准以上、最高支付限额以下的医疗费用，主要从统筹基金中支付，个人也要负担一定比例。第五，统筹基金和个人账户分别核算，基本医疗保险基金纳入财政专户管理，专款专用，不得挤占挪用。第六，基本医疗保险原则上以地级以上行政区为统筹单位，也可以县（市）为统筹单位。第七，确定基本医疗保险的服务范围和标准。第八，实行定点医疗机构和定点药店管理，建立医药分开核算、分别管理的制度。第九，积极发展社区卫生服务，将社区卫生服务中的基本医疗服务项目纳入基本医疗保险范围。此外，规定退休人员参加基本医疗保险，个人不缴纳基本医疗保险费；国家公务员在参加基本医疗保险的基础上，享受医疗补助政策。

同年4月，广东省政府颁布《关于全省城镇职工基本医疗保险制度改革的规划方案》，对全省城镇职工基本医疗保险制度改革的进程提出了具体规划，要求全省对公费医疗和劳保医疗进行同步改革，坚持“低水平、广覆盖”的原则，在年内逐步建立社会医疗保险制度，允许建立补充医疗保险。同时，加强对医疗机构的管理，规范医疗服务行为；设立医疗保险资料核查制度，遏制医疗资源浪费，提高医疗服务质量和效率等。并提出改革的重点是抓好地级城市的医疗保险改革，抓好企业劳保医疗的改革以及抓好统筹基金的管理。并提出了基本医疗保险的四个实施步骤及进度，包括传达贯彻国务院文件及会议精神，调查测算，制定基本医疗保险方案，广泛征求意见，作更深入的研究、论证和推演及完成基本医疗保险方案审批工作，并择机实施。同时，还要求已经开展医改试点的深圳、珠海、佛山、东莞、遂溪、英德、中山七个市、县要根据国务院文件精神，尽快修订医改方案并实施。并要求医疗机构改革要与城镇职工基本医疗保险制度改革同步配套进行，积极推进医药分开核算、分别管理的制度，改革医院运行机制，加强区域卫生规划，优化卫生资源配置，发展社区健康服务，建立健全对医疗机构的合理补偿机制。同时，社会保险部门要加强对定点医疗机构的核

查，要加强药品价格管理。

2000年12月，广东省劳动和社会保障厅发出通知，制定《广东省城镇职工基本医疗保险诊疗项目管理暂行办法》及《广东省城镇职工基本医疗保险诊疗项目范围》。

2001年，广东省劳动和社会保障厅发出《关于进一步完善城镇职工基本医疗保险制度有关问题的通知》，制定国家公务员医疗补助办法和公安民警医疗照顾措施，调整职工基本医疗保险待遇，降低一年内多次住院的统筹基金起付标准，并适当放宽门诊特定项目的范围，向老年慢性疾病（如糖尿病、高血压病、冠心病等）倾斜，以减轻退休人员的负担；对门诊及住院自付费用高的参保职工给予补助，并规范退休人员过渡性基本医疗保险金的征收办法，启动了县级基本医疗保险制度。

针对医疗保险制度改革中出现的一些问题，比如困难企业及其职工特别是退休人员医疗保障问题，关闭、破产的国有企业退休人员医疗保障问题，以及下岗职工的医疗保障问题等，都没有得到妥善解决，2002年，广东省劳动和社会保障厅发出了《关于妥善解决医疗保险制度改革有关问题的指导意见》，对困难企业职工医疗保障问题提出了改革办法。将有部分缴费能力的困难企业纳入基本医疗保险，适当降低单位缴费率，先建立统筹基金，暂不建立个人账户，保障其职工相应的医疗保险待遇。对关闭、破产国有企业的退休人员，多渠道筹集医疗保险资金，单独列账管理，专项用于保障其医疗保险待遇。对仍在再就业服务中心的国有企业下岗职工，按照“三三制”原则，落实基本医疗保险缴费资金。要求制定灵活就业人员参加基本医疗保险的办法，明确和细化医疗机构与零售药店定点资格条件，强化医疗服务项目及费用支出管理，建立医疗保险监督检查制度，提高医疗保险管理服务水平。

第三阶段，2003年至今，广东医疗保险制度改革的深化阶段。

2003年开始，广东省医疗保险制度的改革进入深化时期，重点工作是扩大基本医疗保险覆盖面，关注灵活就业人员、农民工的医疗保险问题，试点城镇居民医疗保险工作，推进全民医保，并解

决困难企业退休人员的医疗保险问题。

2003年4月，广东省劳动厅转发劳动保障部办公厅《关于进一步做好扩大城镇职工基本医疗保险覆盖范围工作的通知》，要求进一步扩大覆盖面，将广东省城镇符合参保条件的用人单位和职工以及灵活就业人员纳入基本医疗保险范围。具体要求是：第一，坚持权利和义务相对应原则，将城镇符合参保条件的用人单位和职工纳入基本医疗保险范围，大中城市参保率要达到60%以上，其中直辖市和省会城市要达到70%以上。第二，落实2002年的措施，进一步解决困难群体的参保问题，主要解决有部分缴费能力的单位，因退休人员较多或其他原因目前还没有纳入基本医疗保险范围的单位的参保问题，将实施关闭、破产的中央企业和中央下放地方的企业以及地方关闭、破产企业的退休人员，纳入基本医疗保险范围。第三，将灵活就业人员纳入基本医疗保险范围。第四，规范管理，核实缴费基数，加强基本医疗保险费的征缴工作。第五，加强监督检查，将扩面指标分解到各统筹地区。

广东省特别重视灵活就业人员的医疗保险工作，在2003年5月发出了《关于城镇灵活就业人员参加基本医疗保险的指导意见》，坚持权利和义务相对应、缴费水平与待遇水平相挂钩的原则，提出了既与城镇职工基本医疗保险制度相衔接，又适应灵活就业人员特点的参保办法。具体是：第一，已与用人单位建立明确劳动关系的灵活就业人员，按照用人单位参加基本医疗保险的方法缴费参保。其他灵活就业人员，以个人身份缴费参保。第二，建立基本医疗保险统筹基金，解决灵活就业人员住院和门诊大额医疗费用的保障问题，为有条件的部分灵活就业人员同时建立个人账户和实行大额医疗补助。第三，灵活就业人员参加基本医疗保险的缴费率原则上按照当地的缴费率确定。第四，促使灵活就业人员连续足额缴费，完善医疗保险的业务管理办法，提高社会化管理服务水平与信息管理工作。

2004年，广东省开展混合所有制与非公有制企业及其人员参加医疗保险工作，进一步推动医疗保险的扩面范围和深度。广东省劳动和社会保障厅转发了劳动和社会保障部《关于推进混合所有制企业和非公有制经济组织从业人员参加医疗保险的意见》，积极推进混合所有制企业和非公有制经济组织从业人员参加医疗保险。将扩面对象分为三类，第一，解决在职职工医疗保险关系接续问题和解决退休人员医疗保险资金问题，巩固和扩大国有企业转制为混合所有制企业后的参保面。第二，以私营、民营等非公有制企业为重点，提高中小企业职工的参保率。第三，以与城镇用人单位建立了劳动关系的农村进城务工人员为重点，逐步将与用人单位形成劳动关系的农村进城务工人员纳入医疗保险范围，对在城镇从事个体经营等灵活就业的农村进城务工人员，按照灵活就业人员参保的有关规定参加医疗保险，合理确定缴费率和保障方式，解决大病医疗保障问题。广东省将扩面的重点范围集中在大中城市，通过建立统筹基金和参加大额医疗费用补助办法，重点解决这三类人群的大额医疗费用风险问题，并统一执行基本医疗保险定点管理、医疗服务项目支付范围和标准，及时结算医疗费用，保证待遇落实，还鼓励用人单位和各类从业人员连续参保。

2006年，广东省将医疗保险的扩面工作专门集中于农民工群体。5月，广东省劳动厅转发了《关于开展农民工参加医疗保险专项扩面行动的通知》，解决农民工医疗保障问题，维护农民工权益。扩面工作以省会城市和大中城市为重点，以农民工比较集中的加工制造业、建筑业、采掘业和服务业等行业为重点，以与城镇用人单位建立劳动关系的农民工为重点，全面推进农民工参加医疗保险工作，争取2006年底农民工参加医疗保险的人数突破2000万人，2008年底将与城镇用人单位建立劳动关系的农民工基本纳入医疗保险。农民工医疗保险工作主要解决大病医疗保障问题，按照“低费率、保大病、保当期、以用人单位缴费为主”的原则，制定农民工参加医疗保险的办法，并探索完善农民工参加医疗保险和新型农村合作医疗的衔接办法和政策。同时，做好管理和服务工作，完善参保缴费登记办法，方便农民工参加医疗保险。加强基金管理，确保足额征缴，并纳入医疗保险基金统一管理。要结合社区卫

生服务事业发展，积极探索切实有效的农民工就医管理方式，以方便参保农民工就医，并探索农民工异地就医的医疗费用结算方式，为患病后自愿返回原籍治疗的参保农民工提供方便快捷的医疗费用结算服务。

2007年9月，广东省委、省政府发出《关于解决社会保障若干问题的意见》，开始城镇居民基本医疗保险制度的建设进程，以实现全民医保。城镇居民基本医疗保险的范围是城镇职工基本医疗保险制度覆盖范围以外的本省各统筹地区城镇户籍居民，包括未成年人（未满18周岁的居民以及18周岁以上的中学生），18周岁及以上无业居民，未享受公费医疗的大中专及技工学校全日制在校学生，征地后转为城镇居民的被征地农民等。有条件的地区，农村户籍居民可以与城镇户籍居民实行统一的居民基本医疗保险。坚持低水平起步，着眼于保障基本的医疗需求，重点解决参保人员在保险期限内疾病、意外事故以及符合计划生育政策规定的生育或终止妊娠发生的住院医疗费用和门诊特定病种医疗费用。城镇居民基本医疗保险只设统筹基金，不设个人账户，最高支付限额设定在上年度所在统筹地区在岗职工平均工资的2倍左右，起付标准以上部分的医疗费用，医疗保险基金的支付比例按连续缴费时间设定在40%~60%之间。有条件的地区，在建立城镇居民基本医疗保险的同时，可设立社区门诊医疗统筹。鼓励有条件的居民购买商业医疗保险作为补充。城镇居民基本医疗保险以家庭缴费为主，各级财政给予适当补助，用人单位对职工供养直系亲属给予补助。一次性领取征地补偿金的被征地农民，可一次性预缴基本医疗保险费若干年，并享受相应年限的医疗保险待遇，享受年限期满后，继续按期缴费参保。大中专及技校学生以学校为单位缴费，其他符合参保条件的居民以家庭为单位全员缴费。城镇居民基本医疗保险基金及其利息免征税、费。城镇居民参加基本医疗保险，原则上由财政按人均每年不低于50元的标准给予补助，省财政对东西两翼和粤北山区按实际参保人数人均每年35元标准给予补助，所在市、县、乡镇（街道）三级财政按每人每年不低于15元给予补助。低保对象或重度残疾的家庭成员和低收入家庭60岁以上的老年人等困难居民参保所需的家庭缴费部分，由当地社会医疗救助基金承担。

2007年9月14日，广东城镇居民基本医疗保险试点启动仪式在惠州市举行，标志着广东省向人人享有医疗保障的目标迈出了第一步，在广东省医疗保险事业发展史上具有里程碑性的意义。广东省计划用3年左右的时间，在全省全面建立起覆盖全体城镇居民的基本医疗保险体系。2007年，选择梅州、湛江、揭阳、韶关、惠州、肇庆等六市先行开展试点工作，2008年，全省开展试点工作的城市达到80%，在2009年试点工作全面推开，覆盖全省城镇非从业居民。试点工作坚持四个基本原则：一是居民自愿参保、家庭全员参保的原则，解决“一老一少一残”的医疗保障问题。二是家庭缴费为主、各级政府适当补助的原则。对低保对象、重度残疾人和低收入家庭60岁以上的老年人等困难居民参保所需的家庭缴费部分，各级财政给予50%的补助，其余50%由当地城乡基本医疗救助金解决。三是低水平起步、逐步提高标准的原则，综合考虑居民医疗需求和家庭、财政承受能力，根据以收定支、收支平衡原则确定待遇水平。四是统筹协调、做好制度衔接的原则。与医疗卫生体制改革和药品流通体制改革相互结合，做好与城镇职工基本医疗保险和新型农村合作医疗的衔接工作。同时，在城镇职工基本医疗保险的制度框架内，探索解决好国有困难企业职工和退休人员、非公经济组织从业人员及灵活就业人员、农民工等群体的参保问题。

2007年的《关于解决社会保障若干问题的意见》还要求解决关闭、破产、解散的国有和县级以上集体企业的退休人员基本医疗保险问题，于2007年底前将这些困难企业退休人员全部纳入基本医疗保险范围。对不同时期困难企业退休人员，采取分类纳入的办法，帮助其参加基本医疗保险，参保方式实行属地管理的原则。并建立保障门诊特定病种和住院为主的医疗保险社会统筹办法，不建个人账户，优先解决困难企业退休人员住院和大病医疗保障问题。确定合理的缴费标准，所需资金由各级财政、医疗保险基金承担。

《意见》还要求解决华侨农场职工的基本医疗保险问题。

（三）广东省生育保险制度的改革

生育保险制度是在生育事件发生期间对生育责任承担者给予收入补偿、医疗服务和生育休假的社会保障制度。我国的生育保险制度在新中国成立初期就基本确立。1951 年，政务院颁布的《中华人民共和国劳动保险条例》，建立了企业生育保险制度。1955 年，政务院颁布的《关于女工作人员生产假期的规定》，建立了机关、事业单位女工作人员生育保险制度。生育保险制度规定，女职工生育享受产假 56 天，产假期间工资照发，生育期间医疗费用由用人单位负担。这一时期的生育保险金包括在劳动保险之中，实行全国统筹与企业留存相结合的基金管理制度，并规定了生育休假、生育津贴，以及生育补助、医疗服务等费用的支出来源及办法。在 20 世纪六七十年代，生育保险由国家统筹调整为企业统筹。

1988 年，国务院颁布《女职工劳动保护规定》，企业生育保险转变为社会生育保险，生育保险基金实行社会统筹，夫妇双方所在企业平均分担生育保险费用，并在全国多个城市推行生育保险制度改革试点。1994 年劳动部发布《企业职工生育保险试行办法》，1995 年国务院颁布《中国妇女发展纲要（1995—2000）》，生育保险由国有企业逐步扩展到所有企业。生育保险基金根据“以支定收、收支基本平衡”的原则实行社会统筹。基金提取比例最高不得超过企业职工工资总额的 1%，职工个人不缴纳生育保险费。女职工生育或流产后，由生育保险基金支付相关待遇。生育保险待遇项目包括，产假期间的生育津贴，生育时的检查费、接生费、手术费、住院费和药费，生育出院后因生育引起疾病的医疗费，以及产假期满后因病需要休息治疗的病假待遇。社会保险经办机构负责生育保险基金的收缴、支付和管理。生育保险基金实行市（地）或县级统筹及属地管理原则。

广东省按照国家生育保险制度的相关规定，建立了广东省生育保险制度，认真贯彻执行国家相关部门的政策规定，积极推进企业生育保险制度的改革。目前，生育保险制度覆盖了广东省机关、事业单位、大部分城镇企业及其职工，并逐步实现了在地市级范围内统一保险项目、统一缴费比例、统一给付标准。生育保险费由参保单位按照不超过职工工资总额1%的比例缴纳，职工个人不缴费；没有参保的单位，由企业承担支付生育保险待遇的责任。职工生育依法享受不少于90天的生育津贴。女职工生育或流产后，其工资、劳动关系保留不变，按规定报销医疗费用。

1995年4月，广东省社会保险委员会办公室、广东省劳动厅发出《关于转发劳动部〈企业职工生育保险试行办法〉的通知》，要求已开展了生育保险的市县进一步完善原办法，还没有开展生育保险的市县要根据当地经济条件和女职工分布状况，制订切实可行的实施方案，尽快开展职工生育保险。并规定，企业职工生育保险业务由单位所在地的社会保险机构负责经办，中央、省属、军队驻穗单位的职工生育保险业务由省社会保险事业局直接管理。

20世纪90年代末以后，国家关于生育保险的政策发展主要围绕如何进一步完善生育保险制度，扩大覆盖面，保障基金筹集与待遇支付等问题上。

1997年7月，国务院妇女儿童工作委员会转发《关于研究深入开展企业职工生育保险制度改革的会议纪要》的通知，要求在城镇企业职工中实行生育保险统筹，规范各地生育保险办法，严格控制基金提取率，确保基金专款专用，将实行计划生育的人工流产费用列入统筹保障的范围之内，研究在贫困地区和困难企业如何开展生育基金社会统筹工作。1999年，劳动和社会保障部、国家计划生育委员会、财政部、卫生部等部门联合发出《关于妥善解决城镇职工计划生育手术费用问题的通知》，规定已经建立地方企业职工生育保险的地区和没有建立企业职工生育保险的地区，参保单位职工的计划生育手术费用的支付办法。2000年3月，《中共中央国务院关于加强人口与计划生育工作稳定低生育水平的决定》要求在城市积极建立并发展生育保险制度。九届全国人大四次会议将生育保险纳入《国民经济和社会发展第十个五年计划纲要》，提出

要完善生育保险制度，逐步扩大覆盖面。《中国妇女发展纲要（2001—2010年）》进一步提出了城镇职工生育保险覆盖面要达到90%以上的目标，要求普遍建立城镇职工生育保险制度。

广东省在这些问题上，结合当地实际情况严格执行，取得了不小的进展。1999年，广东省是收缴基金最多和基金累计结余最多的省份之一，人均生育保险待遇为3765.10元。

（四）广东省医疗、生育保险制度的改革成就与发展目标

“十五”期末，全省医疗保险参保人数比“九五”期末增长了295.1%，指标居全国第一。2005年底，全省参加医疗和生育保险的人数分别上升至1265.3万人和419.4万人，分别比2004年底增长19.4%和11.3%。2006年底，全省参加医疗保险1421.1万人，增长15.4%。其中参保职工1223.1万人，增长15.9%；参保退休人员198万人，增长9.8%。参加生育保险464.8万人，增长10.8%。到2007年底，全省医疗和生育参保人数分别达到1600万人和495万人，其中农民工参加医疗保险人数达到1000万人。

“十五”期间，广东省指导各地制定灵活就业人员和困难企业参加医疗保险的办法，加快将灵活就业人员和非公有制企业职工纳入医疗保险覆盖范围，规范医疗保险管理，提高服务水平和质量。如东莞、肇庆等市推广城镇职工基本医疗保险制度运行质量评估系统；佛山市顺德区通过完善管理办法有效地控制了医疗保险费用不合理增长；深圳市建立劳务合作医疗制度，参加人员达124万人；珠海等地开展了未成年人医疗保险；珠三角部分地区将医疗保障向城镇全体居民覆盖。

广东省医疗保险、生育保险尚未制订地方性法规，基本医疗保险制度还需进一步完善。因此，在“十一五”期间，广东省医疗与生育保险的发展重点是制订并提请省人大常委会颁布《广东省医疗保险条例》，完善医疗保险服务管理措施，建立对定点医疗机构、参保人员和医疗保险经办机构的三方制约机制，规范基本医疗

保险费用支出管理和医疗费用结算办法。完善灵活就业人员参加基本医疗保险办法，将与城镇用人单位签订劳动合同的农民工全部纳入医疗保险范畴，优先解决大病医疗保障问题。解决困难企业退休人员基本医疗保险问题，进一步规范补充医疗保险，构建由基本医疗保险和补充医疗保险组成的、兼顾多层次需求的医疗保障体系。推进与深化城镇居民基本医疗保险制度的试点工作，解决看病难、看病贵问题。建立医疗保障制度的财政补贴机制，积极采取措施，解决困难国有和集体企业职工、社会申办退休人员的基本医疗保险问题。

制定《广东省职工生育保险规定》，规范生育保险运作，加快推进生育保险，健全生育保险制度。要加快城镇医疗救助制度建设，探索以医疗救助金帮助符合医疗救助条件的人员参加医疗保险的办法。

解决医疗筹资与分配公平性问题，进一步解决医疗保险的公共品性质、服务可及性与商业化、市场化服务方式之间的矛盾。完善医疗保险服务管理措施，加强医疗保险定点医院、定点零售药店管理，完善结算办法，简化业务经办流程，提高管理服务水平。加快提高社会保险统筹层次，实现医疗保险市级统筹。

到2010年，全省城镇职工医疗、生育保险参保人数的目标是分别达到2200万人和600万人。

四、广东省工伤保险制度30年发展

随着工业化的发展，职业风险日益增大。为增强抵御风险的能力，维护劳动者权益，工伤保险也日益被各级政府所重视、为民众所接受。广东省工伤保险制度以工伤补偿为主，包括工伤保险与赔付、工伤预防、工伤康复等重要环节。

（一）广东省传统的工伤保险制度

1953年，国家制定并颁布了《劳动保险条例》及其实施细则，

规定在100人以上的企业实施工伤待遇，工伤保险是劳动保险制度中的一个组成内容。1956年、1957年，国家将矽肺病、职业病纳入了工伤保险的保护范围。1964年，中华全国总工会又扩大了享受工伤保险待遇的范围，符合条件者都可以享受工伤保险待遇。“文化大革命”前，广东省按照国家的这些规定建立了工伤保险制度。

1969年，国家财政部发文将所有社会保险的责任全部下放到企业，由企业自行按照国家规定解决职工的各类社会保险待遇。由此产生如下问题：第一，由于取消了工伤保险基金，由企业自行解决工伤问题，造成企业之间工伤费用畸轻畸重；第二，没有一次性的工伤补偿待遇，长期性工伤待遇偏低，企业工伤待遇保障作用有限；第三，企业工伤待遇实施范围比较窄，只限于国营和县、区集体企业，不能适应广东改革开放后多种经济成分发展和企业用工形式多样化的需要。

（二）广东省工伤保险制度的改革

1979年后，广东省结合劳动用工制度改革，开始对工伤保险制度进行同步改革，在全国范围内率先建立起比较规范的工伤保险制度，并不断深化、调整，形成了比较完善的政策体系和比较健全的标准体系，建立了具有广东特色的工伤保险制度。

第一阶段，20世纪80年代至90年代初期，各地市对工伤保险制度的改革探索时期。

1984年，深圳市劳动局开始组织力量，学习、研究国外和香港地区的经验，着手深圳特区内的工伤保险制度改革，起草了《深圳经济特区工伤保险暂行规定（草案）》，但未获通过。1986年底，广东省劳动局提出有条件的地方要研究建立工伤保险制度。1988年11月，全国第一次工伤保险改革研讨会在深圳市召开。广东省劳动局先后于1989年在深圳市、东莞市开展了工伤保险试点。其中，深圳市于1989年7月以市政府名义颁布了《深圳经济特区伤、病、残劳动能力鉴定暂行办法》，建立了劳动能力鉴定程序和制度，并成立了市医务劳动鉴定委员会；1990年4月，又颁布了《深圳经济特区工伤保险暂行规定》，深圳市工伤保险制度最终确立。

1990年2月，东莞市颁布《社会工伤保险暂行办法》。同年12月，广东省劳动局和卫生厅印发《广东省职工因工残废评定暂行标准》，建立了工伤保险法规的配套规范标准。1990年底，东莞、深圳市参加工伤保险职工达32.6万。1991年底，开展工伤保险试点的市增加到6个，加上省直驻穗单位也开展了工伤保险试点，参保职工总数达到91.05万人，比1990年增加了184.4%。到1991年底，全省工伤保险试点市达10个，参保职工超过200万。

第二阶段，20世纪90年代，广东省工伤保险制度确立与迅速发展时期，工作的重点是扩大试点范围。

1992年1月，广东省政府正式颁布《广东省企业职工社会工伤保险规定》，同年3月1日在全省范围内施行，4月，广东省劳动局发布《广东省企业职工社会工伤保险规定实施意见》，5月，工伤保险配套文件《广东省职工外伤、职业中毒医疗终结鉴定标准》由广东省劳动局和卫生厅公布执行。广东省成为全国第一个由省级政府立规开展工伤保险的省份。

广东省还以当年东莞市一场特大火灾事故为契机，推动全省工伤保险的扩面工作，迅速提高全省工伤保险职工参保人数。其中，东莞市当年的工伤保险参保人数从1991年的不足7万人，猛增到80万人，增加了1200%，也使东莞市职工工伤保险参保人数在当年跃居全省第一。到年底，全省开展工伤保险的市已达17个，加上驻穗单位，参保职工总数达338.84万人，比1991年增加了272.15%。

1993年2月，广东省财政厅等4个部门联合转发劳动部、全国总工会等部委办《关于调整企业工伤全残职工护理费标准的通知》，根据广东的实际和经济承受能力，规定了享受护理费待遇的4个档次，尤其是五项均需护理的全残职工可定为严重完全护理依赖，按当地上年度社会平均工资的60%领取护理费，标准高于全

国的执行水平。

到1993年底，余下的4个市也都开展了工伤保险。至此，广东省21个地级市和99%的县（市）区开展了工伤保险，尤其是外来工较多的几个市从实际出发，允许外来工首先参加工伤保险，以解决外来工最关心的问题，因此参保人数上升很快。到年底，参加人数突破500万人，达524.49万，超过养老保险参保人数，成为广东省参加人数最多的一项社会保险。

1994年，广东省人大开始将社会工伤保险列入立法计划，组织人力着手工伤保险制度法规的制订工作。1995年8月，广东省劳动保险部门在佛山三水召开第一次工伤认定案件分析会，以案例形式统一各地市在工伤认定上的裁量尺度。1996年，广东省在韶关市探索与医院合作的形式对参保的老工伤职工进行康复性治疗。同年10月，国家技术监督局《职工工伤与职业病致残程度鉴定》（GB/T16180－1996）实施，废止了《广东省职工因工残废评定暂行标准》。1997年，广东省关于由社会保险来独立进行医疗康复，成立康复中心的可行性研究着手展开，1999年，广州市开始筹建工伤康复中心。

1998年9月，《广东省工伤保险条例》提交省第九届人大常委会审议并获得通过，同年11月1日正式实施。2000年，《广东省社会工伤保险条例实施细则》公布执行。广东省地方性工伤保险条例及实施细则的颁布与实施，标志着广东省工伤保险制度改革取得了重大突破，极大地推动了广东省工伤保险制度的发展。

1998年底，全省工伤保险参保人数达767.27万人，占当年全国工伤保险参保人数的1/4强。到2000年，全省工伤保险参保职工人数稳居全国第一。2003年底，全省工伤保险参加人数达到1120万人，全年征缴保险基金119771万元，基金征缴率达97.3%，享受工伤待遇95863人，因公死亡711人，供养直系亲属3580人，工伤保险制度发挥了良好的保障作用。

第三阶段，2003年至今，广东省工伤保险制度与全国接轨，并重点开展农民工工伤保险扩面工作，工伤保险制度进入深化时期。

2003年4月，国务院颁布《工伤保险条例》，并于2004年1月1日在全国范围内实施。按照国务院颁布的《工伤保险条例》，广东省根据省内的实际情况，对1998年的《广东省工伤保险条例》进行修订，做好省工伤保险条例与国家工伤保险条例的平稳衔接。对国家工伤保险条例授权地方政府制定政策的八个问题，在修订稿中加以明确。修订后的《广东省工伤保险条例》于2004年2月1日颁布实施。

此后，广东省工伤保险的覆盖范围稳步扩大，工伤保险工作的重点逐步转向重点行业与重点人群，主要是加强建筑施工行业及农民工的工伤保险参保工作。

2004年，广东省劳动保障厅转发劳动和社会保障部《关于农民工参加工伤保险有关问题的通知》，要求全省各地将农民工参加工伤保险作为当年工伤保险扩面的重要工作，用人单位必须及时为与之建立劳动关系的农民工先行办理参加工伤保险的手续。2004年重点推进建筑、矿山等工伤风险较大、职业危害较重行业的农民工参加工伤保险。农民工受到事故伤害或患职业病后，进行工伤认定、劳动能力鉴定，按参保地的规定依法享受工伤保险待遇。要求做好农民工参加工伤保险的宣传和督促检查、咨询服务工作，对侵害农民工工伤保险权益的行为要严肃查处，切实保障农民工的合法权益。

2006年，广东省劳动保障厅实施农民工“平安计划”，推进农民工特别是高风险行业农民工先行参加工伤保险工作，以贯彻劳动保障部的《农民工“平安计划”——推进农民工参加工伤保险三年行动计划》，并对各市下达了农民工工伤保险参保人数的任务。其中，要求广州市2006年增加农民工工伤保险参保人数80万人的任务，以矿山、建筑企业和其他农民工较为集中、工伤风险程度较高的企业作为重点，用3年左右时间，将农民工基本覆盖到工伤保险制度中来。为此，广州市劳动和社会保障厅发出《关于进一步推进农民工“平安计划”和工伤保险扩面工作的通知》，以及《参

加工伤保险若干操作问题的通知》，为保证完成省里下达本市的任务，提出了若干项工作要求，包括：加大农民工参加工伤保险的政策宣传力度、开展农民工工伤预防宣传教育活动，提高农民工维权意识，将本市工伤认定、劳动能力鉴定、社保经办机构名录、劳动保障监察机构的举报投诉电话等印成宣传单张和小册子，分别在车站、码头等农民工集散地和高风险企业及农民工生产、生活场所免费派发。将参保扩面任务分解落实到街道、乡镇企业和有关单位，各级劳动保障部门与安监、建设、交通、地税、卫生等行政部门协调合作，联合行动，为农民工先行参加工伤保险开设绿色通道，设立农民工参保办理专窗、预约上门服务、网上办理、查询服务。设立农民工“平安计划”和参保扩面巡查督导组及落实专人负责制度，实行每周报告扩面进度和例会制度。

2006 年 9 月，广东省人民政府发出《关于进一步加强农民工工作的意见》，要求在广东省逐步建立农民工社会保障制度，优先解决农民工的工伤保险和大病医疗保障问题，切实落实伤亡赔偿，改善农民工安全生产条件。要求所有用人单位必须为已建立劳动关系的农民工依法办理参加工伤保险手续，按时足额缴纳工伤保险费。未参加工伤保险的农民工发生工伤，由用人单位按照工伤保险规定的标准支付费用。建筑施工企业同时应为从事特定高风险作业的职工办理意外伤害保险。

2007 年 9 月，广东省劳动和社会保障厅转发劳动和社会保障部、建设部《关于做好建筑施工企业农民工参加工伤保险有关工作的通知》，要求全省各地及时为建筑施工企业（包括从事土木工程、建筑工程、线路管道和设备安装工程及装修工程的新建、扩建、改建和拆除等有关活动的企业）农民工办理工伤保险。要求针对建筑施工企业跨地区施工、流动性大等特点，采用多种方式方便企业缴费参保。并对建筑施工企业农民工参加工伤保险作出了具体安排，第一，将工伤保险费作为工程造价的组成部分，列入规费项目，单独设项，专款专用，由建筑施工企业或建筑劳务企业负责缴交。第二，允许逐月缴费，也可按工程项目一次性缴费参加工伤

保险。第三，建立农民工参加工伤保险报备制度。第四，及时提取使用工伤预防专项经费，安排一定比例经费用于加强建筑施工企业农民工的安全教育培训，并将工伤保险与建筑工人“平安卡”管理制度有机地结合。

为贯彻国家与广东省关于建筑施工企业农民工先行参加工伤保险的政策精神，2007年10月，广州市劳动和社会保障局、建设委员会发出《关于广州市建筑施工企业农民工先行参加工伤保险的通知》，对本市的建筑施工企业先行办理农民工参加工伤保险的工作，作出了十四项细致的安排，内容涉及农民工工伤保险费用缴纳标准、保险期限、保险信息管理、保险待遇、主管部门监察工作以及农民工安全教育培训费用等问题。

（三）广东省工伤保险制度的主要特点

从1992年的保险规定到1998年的保险条例，再到2004年新的保险条例的改革过程来看，广东省工伤保险制度包括了职工工伤预防、工伤补偿和工伤康复，其中以工伤补偿为主体，并充分重视工伤康复和职业康复工作，同时妥善解决流动人员参保和工伤待遇支付、伤残职工再就业等问题。它主要表现出以下一些特点。①

第一，重视工伤预防在先。

广东省工伤保险制度改革坚持“安全第一、预防为主”的方针，严格执行国家安全卫生规程和标准，积极预防工伤事故，减少职业危害，根据不同行业的危险程度和工伤事故发生频率划分缴费档次，实行行业差别费率和浮动费率，工伤保险费用由基金和单位共同承担，工伤职工医疗未终结期间由单位按职工工伤前标准发放工资，通过这种费用、责任分担机制促进单位重视安全生产与工伤预防工作。同时工伤保险基金设有工伤预防费用支出项目，并规定最高可提取基金征缴总额的5%，用于工伤预防的宣传、教育和安

---

① 参考广东省劳动和社会保障厅：《广东省工伤保险立法过程回顾与思考》，2007年6月提供。

全生产奖励工作。

第二，工伤医疗就治及时。

广东省工伤保险在制度设计上制定了及时、有效的工伤医疗救治措施。社会保险机构与医疗机构签订协议，工伤事故发生后由协议医疗机构救治，紧急情况可以就近治疗，可以转院治疗。在医疗费用支付上，符合工伤保险诊疗目录、药品目录和住院服务标准的医疗费用，全部由工伤保险基金支付，住院伙食费用由单位按因公出差标准报销70%，有效保障工伤职工医疗救治。

第三，工伤康复辅助。

工伤康复工作是工伤保险的重要组成部分，它可以减轻社会负担，提高伤残职工生活质量，使之重新融入社会。1992 年制定的工伤保险规定还没有明确工伤康复的地位，在之后的工伤保险改革工作中，逐步认识到了工伤康复的重要性。因此，1998 年的工伤保险条例中明确提出了“发展医疗康复和职业康复事业，帮助因工致残者从事适合身体状况的劳动”，在结存基金中提取一定比例用于医疗康复和职业康复。在 2004 年的新条例中，明确医疗康复和职业康复费用是工伤保险基金的法定支出项目之一，最高可提取当年基金结存的 1/3 比例。广东省还于 2002 年建立了工伤康复中心。

第四，工伤赔付到位。

1992 年的规定确立了工伤保障和工伤补偿相结合的原则，工伤保险除了保障基本生活外，对生理和心理损害也给予一定补偿，在补偿形式上采取一次性补偿与长期补偿相结合的方式。各等级伤残的一次性补偿和长期待遇也相应提高，规定长期待遇的调整机制，1998 年条例和 2004 年的新条例均规定了生活护理费、伤残津贴（新条例规定按照基本养老保险金调整办法调整）、供养亲属抚恤金随职工平均工资增长调整，职工平均工资负增长时不调整，保障了职工及供养亲属的长期待遇。1998 年工伤保险条例规定了工伤保险基金支付项目，长期待遇均由社会保险机构发放，对跨统筹地区和迁往省外的伤残职工待遇发放等做了明确规定，逐步由用人单位管理过渡到社会保险机构管理，实现了社会化管理模式，保证工伤赔偿及时到位。

第五，方便工残职工的流动和再就业。

广东省流动人口超过2000万，外来工占全省劳动力人数的1/3，且多数在企业从事体力劳动，职业风险高，在参保人群中有相当比重。针对这个群体的特点，广东省工伤保险制度对此作出了可行性安排，对于被鉴定为一至四级残疾的职工迁回原籍的，其伤残津贴可由统筹地区社会保险机构按标准每半年发放一次，如果本人要求解除或终止劳动关系并一次性享受工伤保险待遇的，可由社会保险机构按照规定标准一次性计发各项津贴和补助金，并终结工伤保险关系。以自愿选择为原则，允许一次性享受工伤保险待遇的制度设计，方便伤残职工的流动，有利于他们的再就业，使之不会成为接收企业的包袱。为促进伤残职工的再就业，广东省工伤保险制度设置了明确的工伤保险关系转移、承接办法，规定用人单位分立、合并、转让、破产、承包经营等情况下，职工工伤保险关系与责任、待遇的办法。

第六，工伤认定、劳动能力鉴定结论公正公开及时。

广东省工伤保险制度要求用人单位在工伤事故发生后，及时向劳动保障行政部门报送工伤认定申请书，如果在规定时限内不报告，该期间工伤保险待遇由单位负责。2004年新条例开辟了允许个人申请工伤认定渠道，保证工伤职工及时得到补偿的权利。对工伤认定结论期限、劳动能力鉴定结论期限作出明确规定，规定如果伤残职工或亲属认为是工伤，单位认为不是工伤的，由用人单位承担举证责任，避免了以往职工举证困难而得不到应有待遇的情况。

广东省在1989年开始研究省评残标准，1990年出台评残暂行标准文件，建立了省、市、县（区）三级劳动能力鉴定委员会，建立了医疗卫生专家库，指导大型工矿企业建立劳动能力鉴定小组，培训工伤保险工作人员，保障工伤认定和劳动能力鉴定的公正性。历次的工伤保险规定与条例也详细规定了工伤范围以及不能认定工伤的条件，操作性很强。设计了五项生活自理障碍等级评定指

标，在国家护理待遇级别基础上，再增加一级并提高护理费支付标准。

新条例还赋予用人单位、职工、工会组织监督工伤保险条例实施的权利，如用人单位应当向职工如实通告因工伤亡、参保、缴费的情况，用人单位和职工有权查询本单位缴费和待遇支付的情况，工会组织依法维护工伤职工合法权益等。关于工伤争议的处理，设立了包括劳动争议、复查鉴定、重新鉴定、行政复议、行政诉讼等多种途径，对非法用工、未参保职工的工伤处理问题也制定了法律处理的手段。

第七，工伤保险制度改革适应市场经济的需要。

1992 年，广东省工伤保险制度覆盖范围为企业、实行企业管理的事业单位和城镇个体工商户，1998 年起扩大到机关、事业单位、社会团体等单位，面向所有职工，打破用工形式、单位性质、户籍关系限制，实现全社会覆盖，并在全省范围内推行，分散企业的工伤风险，减轻企业的负担，平衡新老企业之间、中外企业之间、各种所有制企业之间的负担，有利于促进企业制度改革，有利于人员流动，有利于建立完善的劳动力市场。并为适应市场经济的竞争，应对企业破产、合并、重组、分立等市场行为，在工伤保险关系承接、转移、终结等方面作出调整，保障职工权益，在参保范围、参保办法、待遇支付等方面作出调整，探索一次性待遇支付方式，应对人员自由流动问题。

第八，工伤保险制度改革适应广东省经济发展的特点。

一方面，在政策制定上，吸引外资企业和外来工参加。建立行业差别费率和浮动费率制度，符合规定的工伤医疗费用全部由基金支付，不再要求企业负担比例，吸引外资、合资、民资企业积极参保。同时，充分考虑到外来工的高流动性、就业形式的多样性、劳动合同签订率低等特点，只需认定劳动关系，即可保障外来工参加工伤保险，并建立多种监督渠道以及争议处理办法，加强外来工权益保护，吸引外来工参保。另一方面，在待遇支付上方便外来工。工伤保险在省内不同统筹地区之间，保险关系转移与支付办法比较合理。由于外来工流动性强，工伤发生后往往选择辞职并转往外省，从多数外来工意愿看，他们倾向于一次性享受工伤待遇，因此，广东省设置了较为优惠的一次性待遇支付方式，给外来工更大的保障。

第九，在保持与国家工伤保险条例一致的前提下，体现广东的特色。

广东省在保持与国家工伤保险条例一致的前提下，结合广东实际情况，修订出台了具广东特色的工伤保险条例。这些特色体现在几个方面：（1）工伤保险的覆盖范围为行政区内的所有用人单位及其职工或雇工；（2）针对某些行业、企业特点，要求用人单位应当为职工在生产经营所在地缴费参保，而非注册地；（3）明确工伤保险基金开支项目和提取比例，建立省级调剂金制度；（4）增加急性中毒和感染疫病两项视同工伤情形；（5）按照五项指标，将生活自理障碍等级划分为四级；（6）规定一至四级伤残的职工退出岗位，终止劳动关系，办理伤残退休，伤残津贴由保险基金计发至死亡；（7）在工残职工自愿的原则下，一次性支付工伤待遇后，可以终结工伤保险关系；（8）中央、省属和军队驻穗单位工伤保险由省劳动行政部门直接管理，驻其他市的按属地原则由所在市管理。

（四）广东省工伤保险制度的改革成就与工作目标

广东省工伤保险制度的改革一直走在全国前列，积累了很多的经验，也取得了很大的成绩。“十五”期末，全省企业工伤保险参保人数比“九五”期末增长了67.1%，居全国第一。2005年底，全省参加企业工伤保险的人数1605.1万人，比2004年底增长32.1%。到2006年底，全省参加工伤保险上升到1868.2万人，比上年增长16.4%。2007年底，全省工伤保险参保人数达1910万人，其中农民工参加工伤保险的人数为1150万人。

工伤保险制度进一步完善。在大力推进高风险企业和农民工参加工伤保险的同时，顺利接收广州市工伤康复中心，并在此基础上设立省工伤康复中心。全省还进一步加强和规范了工伤预防、工伤认定、劳动能力鉴定和工伤康复等工作。

到2008年，将工伤风险较高的建筑行业、非煤矿山等采掘行业的农民工全部纳入工伤保险，并将逐步把未参加城镇养老保险的农民工纳入农民工养老保险。到2010年，全省工伤保险参保人数计划达到2000万人。

“十一五”期间，广东省工伤保险的工作重点有：第一，完善《广东省工伤保险条例》的配套政策措施，完善工伤保险政策体系。包括建立工伤康复准入标准；积极探索建立工伤预防、补偿、康复“三位一体”的现代工伤保险制度体系；建立健全工伤康复的专业技术标准体系、组织管理体系和服务网络体系。

第二，大力推动所有用人单位依法为农民工参加工伤保险，优先解决工伤保险问题；认真贯彻落实《广东省工伤保险条例》，督促用人单位及时为农民工办理参加工伤保险手续；做好工伤认定、劳动能力鉴定和工伤待遇支付工作。

第三，重点建设广东省工伤康复中心，促进工伤人员医疗康复和职业康复，提高工伤人员的就业能力，增强其回归社会的信心。在“十一五”期间，还要以工伤保险基金投入为主，投入3.1亿元建设一个集工伤康复技术探索、人才培养、标准制定、国际交流四大职能于一体的国家级工伤康复基地，该项目征地110亩，规划设计床位600张。

第四，提高工伤保险管理服务能力，加强工伤保险宣传教育，推动工伤预防工作，建立随经济社会发展调整工伤待遇水平的机制。

第五，保持工伤保险基金收入与支出基本平衡，在统筹地区全部建立工伤保险储备金制度。

五、广东省失业保险制度的30年发展

（一）广东省传统的失业保险制度

20世纪80年代中期，企业改革不断冲破计划经济体制的束

缚，在劳动管理方面，迫切要求推行劳动合同制度。国务院决定对国营企业新招工人实行劳动合同制度，并允许企业辞退违纪职工。同时，一些企业因经营不善，缺乏竞争活力，难以维持生存，甚至破产或濒临破产，职工失业成为不可避免的现象。为适应国营企业经营机制的转换和劳动制度的重大改革，保障职工失业后的基本生活，建立失业保险制度被提到改革的重要日程上来。

1986年，国务院颁布《国营企业实行劳动合同制暂行规定》、《国营企业招用工人暂行规定》、《国营企业辞退违纪职工暂行规定》和《国营企业职工待业保险暂行规定》等四项改革劳动制度的行政法规。其中《国营企业职工待业保险暂行规定》对国营企业职工在待业期间的基本生活需要作出了相关规定。企业按照其全部职工标准工资总额的1%缴纳待业保险基金，职工待业保险基金在省内统筹使用，开支项目包括职工待业期间的待业救济金、医疗费、死亡丧葬补助费、供养直系亲属抚恤费、救济费、离退休金、待业职工的转业训练费、扶持待业职工的生产自救费等。待业救济金以职工离开企业前两年内本人月平均标准工资额为基数发放，工龄在5年和5年以上的，最多发给24个月的待业救济金，工龄不足5年的，最多发给12个月的待业救济金。

为完善国有企业的劳动制度，保障待业职工的基本生活，国务院于1993年实施了《国有企业职工待业保险规定》，同时1986年的《国营企业职工待业保险暂行规定》废止。规定待业职工为失去工作的国有企业职工，待业保险工作与职业介绍、就业训练和生产自救等就业服务工作紧密结合。企业按照全部职工工资总额的0.6%缴纳待业保险费，最多不得超过企业职工工资总额的1%。待业保险费专项储存，专款专用，不得挪用。待业保险基金实行市、县统筹，省、自治区可以集中部分待业保险基金调剂使用。待业保险基金及其管理费不计征税、费。并规定了待业保险基金的开支项目，同时规定待业职工需向企业所在地的待业保险机构办理待业登记后，方可领取待业救济金。待业职工领取待业救济金的期限，在企业连续工作一年以上不足5年的，领取待业救济金的期限

最长为12个月；在企业连续工作5年以上的，领取待业救济金的期限最长为24个月。待业救济金由待业保险机构按月发给待业职工。待业救济金的发放标准相当于当地民政部门规定的社会救济金额的120%至150%。待业职工医疗费的发放标准，由省、自治区、直辖市人民政府规定。待业职工丧葬补助费和其供养的直系亲属的抚恤费、救济费的发放标准，参照当地职工社会保险有关规定办理。待业职工转业训练费和生产自救费，按照上年度筹集待业保险基金的一定比例提取。具体提取比例和使用办法，由省、自治区、直辖市人民政府规定。国务院劳动行政主管部门负责全国企业职工待业保险的管理工作。县级以上地方各级人民政府劳动行政主管部门负责本行政区域内企业职工待业保险的管理工作，地方待业保险机构为非营利性的事业单位，具体经办待业保险业务。待业保险机构的经费在待业保险管理费中列支。实行企业化管理的事业单位职工待业保险，待业保险费在事业单位自有资金中列支。不适用企业招用的农民合同制工人。

1986年9月，广东省颁布《国营企业职工待业保险实施细则》，贯彻执行国务院四项规定，从1986年10月1日至1996年6月30日期间，在全省国有企业事业单位，机关、社会团体、事业单位的劳动合同制工人，以及中央、部队、外省驻粤的国营企业及其所属的事业单位，实行职工待业保险制度。

（二）广东省失业保险制度的改革

1996年7月，广东省政府颁布实施《广东省职工失业保险暂行规定》（以下简称《暂行规定》），将失业保险对象扩大到省内所有企业、个体经济组织、企业化管理的事业单位及其职工，以及国家机关、非企业化管理的事业单位、社会团体及与之形成劳动关系的劳动者。失业保险费由单位按单位全部职工上年度平均工资总额的1%缴纳。

1999年1月，国务院颁布《失业保险规定》，同年6月，广东省颁布实施《广东省失业保险规定》，使失业保险制度更加规范和

完善。失业保险的实施范围继续覆盖1996年的《暂行规定》所定的范围，为省行政区域内所有企业、个体经济组织、企业化管理的事业单位及其职工，以及与国家机关、非企业化管理的事业单位、社会团体建立劳动合同关系的职工。同时对《暂行规定》作出一些调整，包括：第一，改革失业保险费的交纳责任人，坚持国家、单位、个人三方合理负担原则，增加了被保险人的缴纳责任。要求单位缴纳全部被保险人上年度平均工资总额的2%，个人缴纳本人上年度月平均工资总额的1%。第二，规定了失业保险待遇享受必须具备三个条件：缴纳失业保险费满1年；非因本人意愿中断就业；已办理失业登记并有求职要求。第三，规定失业保险金的标准要按照低于当地最低工资标准、高于城市居民最低生活保障标准的水平而确定。第四，失业保险待遇享受的期限分三种：失业人员失业前所在单位和本人按照规定累计缴费时间满1年不足5年的，领取期限最长为12个月；满5年不足10年的，最长为18个月；10年以上的，最长为24个月。第五，规定了失业保险的待遇内容包括：失业保险金、医疗补助金、丧葬补助金和遗属抚恤金、职业培训和职业介绍补贴等。第六，规定城镇企业事业单位招用的农民合同制工人参加失业保险，由用人单位按规定缴费，个人不缴费。连续工作满1年，劳动合同期满未续订或提前解除劳动合同的，可以根据工作时间长短申领一次性生活补助。第七，还对促进再就业作出了相关规定：包括加强失业保险服务和就业服务的有机衔接；及时进行失业登记，积极提供就业信息，全面开展就业指导和职业介绍，帮助失业人员在技能、心理方面提高竞争就业的能力；增加失业保险基金对职业介绍、职业培训的投入；通过直接组织培训和政府购买成果的形式，广泛开展技能培训，增强失业人员的再就业能力等。

2002年8月《广东省失业保险条例》（以下简称《条例》）出台并于10月实施，标志着广东省失业保险事业实现了法制化。《条例》确定了被保险人为本省内所有企业、机关、事业单位、社会团体、民办非企业单位、城镇个体经济组织及与之形成劳动关系的

劳动者，国家公务员和参照国家公务员制度管理的职工，其失业保险按照国家规定执行。《条例》对失业保险基金与待遇及管理作出了细致的规定，包括：第一，失业保险实行属地管理。第二，失业保险基金在地级以上市实行统筹，由单位和职工缴纳的失业保险费及利息、滞纳金以及财政补贴等项构成。必须存入财政部门在国有商业银行开设的社会保障基金财政专户，实行收支两条线管理，专款专用，不得挪作他用，不得用于平衡财政收支。第三，失业保险金按当地最低工资标准的80%，由社会保险经办机构按月发放。不得高于当地最低工资标准或者低于当地城市居民最低生活保障标准。医疗补助金按不超过当地最低工资标准的10%的比例，患严重疾病又负担医疗费确有困难的给予不超过本次医疗费50%的一次性补贴。失业后在领取失业保险金期间继续参加当地的基本医疗保险，基本医疗保险费改由失业保险基金负担；丧葬补助金和其供养的配偶、直系亲属抚恤金一次性发给其家属。享受减免费的职业介绍服务，参加一期减免费的职业培训。失业人员享受失业保险待遇后，其家庭人均收入仍达不到当地最低生活保障标准的，按照规定享受当地最低生活保障待遇。失业保险基金、失业保险待遇按国家规定不计征税、费。

（三）广东省失业保险制度的主要特点

第一，在覆盖范围方面，自1986年至今，经过1996年《暂行规定》、1999年的《规定》及2002年的《条例》等四个发展阶段，覆盖范围有了实质变化，由原来的国有企业职工逐步扩大到所有的企业、个体经济组织、企业化管理的事业单位职工，以及社会团体、民办企业单位等组织及其形成劳动关系的劳动者，并明确了农民合同制工人也是失业保障的对象。

第二，在基金筹集方面，从1986年起到2002年止，在资金来源、征缴范围、征缴比例上都作了比较大的调整。失业保险基金由原来的单位单方缴纳，逐步发展为国家、单位与个人三方合理负担。将原来的三个来源即单位缴费、利息及财政补贴，另外增扩了职工个人缴费、失业保险基金的增值收入、滞纳金及罚款等三个重要的来源渠道。

第三，从1996年7月开始，广东省失业保险的覆盖范围面向了农民工，并在缴费及待遇计发方面，对农民工参加失业保险作出特别规定，农民工有别于企业其他职工，农民工个人不缴费，失业保险待遇的发放为一次性支付。

第四，对参保行为不规范的单位进行惩处，对基金进行严格的财务管理，还逐步加强了对申请失业保险金受益人的义务和道德要求，同时保险待遇也逐步提高。

（四）广东省失业保险制度的改革成就与发展目标

经过近30年的改革与发展，广东省失业保险制度取得了可喜的成绩。“十五”期末，全省失业参保人数比“九五”期末增长51.1%，居全国第一。2005年底，全省参加失业保险的人数达1130.7万人，比2004年底增长12.4%。2006年末参加失业保险1213.9万人，比上年增长7.4%。当年领取失业保险金31.5万人，比上年下降16.4%。2007年底，全省失业保险参保人数达到1250万人。失业保险制度进一步完善，失业保险市级统筹工作继续推进，失业保险基金促进就业的调查研究取得进展。计划到2010年，全省城镇职工失业保险参保人数要达1300万人。

同时，失业保险制度还有待继续完善，要加快失业保险制度向预防失业与促进就业相结合转变；充分发挥失业保险基金促进就业的作用；要研究制定灵活就业人员参加失业保险办法；要进一步完善失业保险市级统筹，加大省级调剂力度，探索建立省级统筹制度。

六、广东省社会救助制度的30年发展

社会救助制度的主要内容包括自然灾害救助、贫困救助、特殊困难救助。救灾制度主要是针对严重的自然灾害采取救助措施，力

求在短时间内迅速解决灾区人民的基本生活问题，迅速恢复生产。贫困救助制度主要是针对城乡贫困居民的生活而采取救助措施，主要项目有扶贫、城乡居民最低生活保障、农村五保供养等。

（一）广东省传统的社会救助制度

19 世纪 50 年代后期，我国传统的、与计划经济相配套的社会救助制度基本确立。在城镇，绝大部分城镇人口被组织到全民所有制和集体所有制单位中就业，在充分就业的基础上，职工、干部及其家属的生老病死都依靠政府和单位。在农村，人民公社所有成员享受集体保障，孤寡老人、孤儿吃“五保”，由集体供养。农村“五保”供养制度产生于 1956 年的《高级农业生产合作社示范章程》，完善于 1960 年的《全国农业发展纲要》。它规定集体经济必须保障农村居民中无法定抚养义务人、无劳动能力、无生活来源者的吃、穿、住、医、葬（孤儿保教），“五保”供养的标准不低于当地一般群众的实际生活水平。“五保”供养的形式有集体供养、分散供养、亲友供养、义务供养等。

改革开放后，我国对传统社会救助制度进行改革，其中最著名的是在农村开展的扶贫工作，由传统的救济式扶贫向开发式扶贫转移，这种“开发式扶贫”又被称为改输血为造血的工程，通过扶植贫困户发展生产，增加收入，摆脱贫困。

从 20 世纪 80 年代中期开始，出现了社会化扶贫的措施，即通过政府、社会和市场等多种渠道动员社会资源参与扶贫工作，用行政手段，通过“对口”、“挂钩”、“结对”等方式把社会组织与特定的贫困地区和贫困户联结在一起，通过制定扶贫责任制，定点帮扶，限期脱贫。这种社会化扶贫的代表性项目有政府担保的世界银行等扶贫贷款，社会组织发起的“希望工程”、“春蕾计划”等，在经济上为帮扶对象捐款捐物，为贫困地区提供项目合作、劳务输出、信息传递、干部交流等发展的机会。

这一时期，由于实行了家庭联产承包责任制等一系列富民政策，农村贫困人口减少，政府也逐步提高贫困线的标准。进入 20

世纪90年代以后，贫困人口主要分布于少数自然条件恶劣的贫困地区，贫困地区外的阶层性贫困则越来越突出。

20世纪90年代后期，全国城镇出现大规模的下岗、失业人员，进入2000年后，又出现农民工、大学生等新的失业重灾群体，贫困问题更加复杂化。养老保险制度存在缺陷，贫富差距拉大，城市贫困群体出现一定的规模。传统社会救助制度已经不能适应这些新问题，救助范围有限、标准低、经费也不足，亟待改革。

这些方面，广东省的情况都不例外。

（二）广东省社会救助制度的改革

广东省社会救助制度的改革发展，比较具有地方特色的还是在1998年《广东省社会救济条例》出台之后。广东省社会救助制度的改革可分为以下几个阶段。

第一阶段，1998年《广东省社会救济条例》时期，社会救助的工作主要放在城乡贫困救助以及灾害救助。

1998年12月31日，广东省第九届人民代表大会常务委员会第七次会议通过《广东省社会救济条例》，1999年3月实施。广东省社会救济的目标是对省内常住户口无法维持基本生活的人员给予救助，保障救济对象的基本生活需要。

社会救济的对象包括七大类人员，具体有：第一，无劳动能力，无生活来源，无法定赡养、抚养义务人或者法定赡养、抚养义务人是没有赡养、抚养能力的“三无”老年人、残疾人、未成年人；第二，领取失业救济期间或失业救济期满仍未重新就业，家庭人均收入低于当地最低生活保障标准的人员；第三，在职人员、下岗人员、离退休人员家庭人均收入低于当地最低生活保障标准的人员；第四，城镇无固定职业、无固定收入，家庭人均收入低于当地最低生活保障标准的居民；第五，农村村民家庭人均收入低于当地农村最低生活保障标准的人员；第六，遭受自然灾害无法维持基本生活的人员；第七，其他法律、法规规定应当给予社会救济的人员。并规定，违反《广东省计划生育条例》的人员，必须落实计

划生育补救措施后，才能申请社会救济。领取失业救济的人员以及无业、下岗人员，经劳动服务部门两次介绍就业，而无正当理由拒绝就业的，不予救济；因吸毒、赌博造成自身生活困难的不予救济。从救助对象来看，社会救济对象的范围概括了城镇、农村的贫困居民，以及遭受自然灾害的灾民。

社会救济的形式分五种：第一，在城镇的，实行最低生活保障救济。在农村的，实行五保供养，即保吃、保穿、保住、保医和保葬。对其中的未成年人还应当保障其接受义务教育；第二，对二、三、四、五类人员，按最低生活保障标准实行差额救济；第三，对第六类人员，实行自然灾害救济；第四，对第七类人员，按有关法律、法规规定实施社会救济；第五，对生活发生特殊困难的第五类人员，实行临时救济。

社会救济的形式主要采取发放现金、实物，按规定减免税收或有关费用等方式，同时还鼓励和帮助救济对象自谋职业，在医疗、子女入学、房屋租赁等方面给予必要的照顾和扶持。

社会救济的标准参考几项指标来制定，包括：第一，维持吃、穿、住、医疗等基本生存所需物品、服务的种类和数量，其中未成年人增加义务教育费用；第二，基本生活消费物价指数；第三，地区社会经济发展及财政状况。社会救济标准不低于当地居民的一般生活水平，并视情况变化适时调整。自然灾害救济以保障灾民吃、穿、住和因灾害引起的疾病治疗等基本需要为主，对恢复住房确有困难的，可给予适当补助。临时救济标准根据救济对象的困难程度确定。

《广东省社会救济条例》还制定了社会救济的程序、经费和物资的来源，以及专款专用、专物专用、重点使用的原则，并要求各级人民政府将社会救济纳入国民经济和社会发展规划，设立社会救济专项经费，提倡和鼓励国家机关、企业事业单位、社会团体、集体经济组织和个人捐赠资金和物资，鼓励和支持志愿者为救济对象服务，组织社会力量帮助有劳动能力的救济对象开展生产自救等。

第二阶段：1993 年后，广东省社会救助制度注重专项救助，将灾害救助与贫困救助加以区分，社会救助制度进一步发展、完善。

1. 城乡贫困救助制度日益完善。

1993年，全国开始了城市居民最低生活保障制度的试点工作，到1995年上半年，已有上海、厦门、青岛、大连、福州、广州等6个大中城市相继建立了城市居民的最低生活保障制度。1999年10月，中央政府正式实施《城市居民最低生活保障条例》。在稍早的7月1日，广东省通过并施行《广东省城乡居（村）民最低生活保障制度实施办法》，确立了广东省最低生活保障制度，使广东省社会救助制度在贫困救助方面向制度化迈进了一大步。

广东省城乡居（村）民最低生活保障制度对家庭人均月收入低于当地最低生活保障标准的城乡居（村）民实行差额救助，保障广东省城乡居（村）民的基本生活与经济、社会发展水平相适应，坚持最低生活保障与法定赡养、抚养相结合的原则。在保障对象、保障标准、保障资金、申请审批程序、保障金发放、保障工作的管理等方面均作出了明确的规定。其中，保障对象为广东省辖区内常住户口，家庭人均月收入低于当地最低生活保障标准的城乡居（村）民，主要有四类人员：（1）无经济来源、无劳动能力、无法定赡养人或抚养人（简称“三无”人员）的居民；（2）领取失业救济金期间或失业救济期满仍未能重新就业，家庭人均收入低于当地最低生活保障标准的居民；（3）在职和下（待）岗人员在领取工资或最低工资、基本生活费后，以及退休人员领取养老金后，其家庭人均月收入仍低于当地最低生活保障标准的居民；（4）其他家庭人均月收入低于当地最低生活保障标准的城乡居（村）民，不包括农村五保对象。

保障标准坚持既保障基本生活，又有利于克服依赖思想的原则，结合当地人均实际生活水平、维持最低生活水平所必需的费用、物价指数以及经济发展水平和财政状况，并与其他各项社会保障标准相衔接，要求根据当地生活必需品的价格变化和人民生活水平的提高适时作出调整。保障资金由财政预算安排，保障金由街道

办事处、乡镇人民政府每月定时发放。

保障对象申请保障金，要经过严格的资格审核程序，包括向户籍所在地居（村）委会提出书面申请，出具单位及家庭收入等有关证明材料，经过调查核实后，还要将批准的保障对象名单、保障金额等内容张榜公布，接受群众监督。

在2001年，广东省低保救济金通过银行等金融网点实行社会化发放。2006年，广东省民政厅发出《关于免收代发最低生活保障资金费用的通知》，方便城乡最低生活保障对象就近、安全、及时地领取救济金，要求各地银行及农村信用社、邮政储汇局等金融网点代民政部门向全省城乡特困群众（低保、五保对象）发放救济金时，要免收银行账户服务费、挂失手续费、工本等费用。

此段时期，在农村继续推行五保制度，并逐步推行农村的低保制度。此外，针对一些特殊困难问题，建立特殊困难救助，比如重大疾病救助等。

2. 城市生活无着的流浪乞讨人员救助制度改革。

国务院于2003年6月颁布，8月正式实施了《城市生活无着的流浪乞讨人员救助管理办法》，该办法按照“自愿受助、无偿援助”的原则，对在城市生活无着的流浪乞讨人员给予关爱性的救助管理，改革以往对流浪乞讨人员进行强制性收容管理的制度。民政部也于之后颁布了《城市生活无着的流浪乞讨人员救助管理办法实施细则》。

根据国家关于城市生活无着流浪人员的救助精神，2004年1月30日，广东省政府制定并印发《广东省城市生活无着的流浪乞讨人员救助管理规定》（以下简称《规定》）。《规定》将“城市生活无着的流浪乞讨人员”规范为因自身无力解决食宿，无亲友投靠，又不享受城市最低生活保障或者农村五保供养，正在城市流浪乞讨度日的人员。主要解决这类人员的基本生活困难，提供临时性的社会救助措施。救助期限一般不超过10天。受助人员若自愿离开救助站，要求及时为其办理离站登记手续，或通知其亲属或所在单位派人接领。

《规定》要求在县级以上城市设立救助站，救助站属于事业单位，由该地方政府及民政部门主管，并建立救助工作协调机制，专门对流浪乞讨人员实施救助。不得将流浪乞讨人员运送至行政区域边界弃之不管，对在救助工作中互相推诿或失职、渎职的，要追究有关责任人的政纪责任。流浪乞讨人员救助管理工作的经费由财政部门负责，将经费列入同级财政预算。

《规定》对相关部门的职责作出了明确规定，要求公安、城管和其他有关行政机关工作人员，在执行职务时发现和遇到需救助的流浪乞讨人员，有责任和义务告知其到救助站求助，并应耐心指明救助站所在位置，对其中的危重病人、精神病人和传染病人直接护送到医院治疗；对其中的残疾人、未成年人、老年人和行动不便的其他人员主动求助且符合救助范围的，应帮助和护送到救助站。卫生部门负责流浪乞讨人员中危重病人、精神病人和传染病人的救治工作，治疗费用由财政部门核拨。交通运输部门负责为流浪乞讨人员返回住所地或者所在单位提供交通便利。还要求在码头、车站及其他流浪乞讨人员较多的公共场所显著位置设置标志牌，标明救助站所在位置及联系方式、联系电话。

《规定》对救助站的设施要求按照临时性社会救助的功能设计，保证受助人员人均使用面积不低于3平方米，室内要俱备采光通风条件，为受助人员提供必要的床具、被褥、洗漱用品等生活必需品，附属设施要完善，要具备公用餐厅、卫生间、洗澡间。

《规定》要求工作人员不得向受助人员、其亲属或者所在单位收取费用；组织受助人员从事生产劳动，拘禁或者变相拘禁受助人员；打骂、体罚、虐待受助人员或者唆使他人打骂、体罚、虐待受助人员；敲诈、勒索、侵吞受助人员财物，克扣受助人员生活供应品，扣压受助人员证件、申诉控告材料，任用受助人员担任管理工作，使用受助人员为工作人员干私活，调戏妇女等。因擅自离岗、渎职导致受助人员失踪或者伤亡的要追究责任。

之后，在2004年内，广东省民政厅连续发出了多份文件，要求进一步做好关于流浪乞讨人员的救助工作。其中，包括18号文

《关于认真贯彻〈广东省城市生活无着的流浪乞讨人员救助管理规定〉切实做好救助管理工作的通知》，要求各地充分认识做好救助管理工作的重要意义，以及民政部门在救助管理工作中担负的基本职责和重要任务；尽快建立救助工作协调机制，依法落实和保障救助管理经费；加强与公安、城管、卫生、交通等部门的沟通，做好指引、护送工作以及危重病人、急性传染病人和精神病人的定点收治工作，确保受助人员返家时车船票得到解决。认真修订和完善站内各项规章制度，明确救助管理工作程序及内部管理，完善工作人员的行为准则。

《转发民政部财政部关于做好城市生活无着的流浪乞讨人员中特殊困难救助对象跨省返乡工作的通知》，提出建立健全跨省接送安全责任制，修订和完善各种规章制度、跨省接送安全措施和应急预案，确保救助管理工作和流浪乞讨人员中特殊困难救助对象跨省返乡工作的安全和顺利进行。

《关于设置救助管理站引导牌的通知》，规定引导牌的基本内容必须包括救助管理站的名称、地址和联系方式、救助条件、救助内容、乘车路线、方位地图等。引导牌的外观、形式方面要求文字和图案醒目、美观、简洁、耐用、易懂。引导牌要安装在人流量较大的车站、码头和繁华地区。这些工作都要求考虑少数民族的特点。

危重病人、精神病人救治工作是救助管理工作的难点之一，既要保障救治对象的基本权益，又要克服救治对象依赖政府救治的思想，因此，准确把握和严格确定救治对象是工作的重中之重。2006年5月，广东省民政厅《转发民政部等六部门关于进一步做好城市流浪乞讨人员中危重病人、精神病人救治工作指导意见的通知》，要求严格确定救治对象为城市流浪乞讨人员中的危重病人和精神病人，救治的标准是病情基本稳定。对暂时无法判明情况的城市流浪乞讨病人，予以先行救治。同时确保救治工作经费由各级政府纳入年度财政预算，对经济欠发达和救治任务重的困难地区，省财政给予适当补助。同时，各级民政、公安、财政、劳动保障、城管、卫

生等部门要加强城市流浪乞讨病人救治工作的协调和配合。公安、城管和其他有关行政机关工作人员在执行职务时发现和遇到需救治的城市流浪乞讨病人，有责任和义务将其护送到定点医院治疗。各县级以上卫生部门要指定医院，负责对城市流浪乞讨病人病情进行诊断、甄别和救治。

2006年12月，广州铁路集团公司、广东省民政厅联合转发《铁道部民政部关于加强铁路站车上城市生活无着流浪乞讨人员救助管理工作的通知》，要求铁路、民政部门切实保障生活无着流浪乞讨人员的合法权益，明确责任范围，避免发生职责不清、相互推诿、上访投诉等问题。在实施救助时，要本着人道主义精神，注意方式，严禁打骂、驱赶等有损铁路及民政形象的问题发生。

广东省政府尤为重视对流浪乞讨人员中未成年人的救助工作。2006年4月，民政厅《转发民政部等十九部委关于加强流浪未成年人工作意见的通知》，提出充分认识到加强和改进流浪未成年人工作。首先，建立流浪未成年人工作协调机制，将流浪未成年人工作纳入社会治安综合治理检查考核的重要内容。其次，要求各级民政部门把流浪未成年人工作当做民政工作大事来抓：第一，要积极研究工作动态和特点。第二，在大中城市、交通枢纽城市要建立流浪未成年人救助保护。第三，对流浪未成年人履行监护职责，把符合相关条件的特困未成年人纳入城乡最低生活保障或农村“五保”范围。第四，加大福利机构建设投入。第五，动员社会力量，鼓励社会民间组织、慈善机构和义工参与流浪未成年人教育和保护工作。

广东省政府为严厉打击强迫、诱骗未成年人流浪乞讨和强迫、拐骗聋哑青少年实施违法犯罪行为，2007年转发了《关于开展为了明天——全国强迫诱骗未成年人流浪乞讨和强迫拐骗聋哑青少年违法犯罪整治工作的通知》，要求加强对未成年人的救助保护工作，抓好调查取证、整治打击和救助保护等关键环节，尤其要做好对流浪未成年人家庭、监护人的教育和责任追究等工作，采取有效的救助和保护手段，妥善安置。

为了防范和打击救助管理工作中骗取救助的行为，2007 年 4 月，广东省民政厅发出《关于加强防范和打击救助管理工作中骗取救助行为的通知》，坚持“救助与管理教育并重”，要求加强部门之间的协调，救助管理站要认真甄别，多渠道调查、核实受助人员，发现可疑情况、人员，要及时通报公安部门，积极配合公安部门执行公务。公安机关要积极配合救助管理站，严厉打击骗取救助的不法分子，及时取证并有效处理救助管理工作中的突发事件。广东省各级救助管理站已建立了完善的全省救助管理信息系统网络，各级救助管理站之间要加快信息交流和互通及资料更新，通过完善数据库资料，进一步提高救助管理工作的整体水平。

3. 自然灾害救助制度的发展。

广东省自然灾害发生较频繁，省政府投入了大量的人力、物力和财力对江河进行综合治理，兴修了包括水利、林业、农业、地质等各个方面的防灾工程与设施，建立了包括地震、水利、海洋、气象等方面的监测、预报、报警系统。广东省政府还建立了针对突发性自然灾害的应急体系，规范灾民救助工作。

根据 2000 年民政部颁发的《救灾捐赠管理暂行办法》，广东省加强救灾捐赠款物的管理，规范救灾捐赠活动，禁止强行摊派或者变相摊派及营利活动，对救灾捐赠款物使用范围、救灾捐赠情况社会公布、救灾捐赠款管理、救灾捐赠物资分类登记等方面作出了细致的规定。

2002 年 6 月，为规范灾民救济工作，广东省人民政府制定了《广东省自然灾害救济工作规定》，于 2002 年 9 月 1 日施行。救灾对象为广东省常住户口、在本行政区域内遭受自然灾害、无法维持基本生活的人员。《规定》对及时准确调查、统计、核定和迅速上报自然灾害情况，救济方案设计，管理发放自然灾害救济款物，接收和分配国内外自然灾害救济捐赠款物，监督和检查自然灾害救济款物的管理使用情况的工作等作出了相关规定。对有关部门包括财政、发展计划或者粮食部门、国土、建设及卫生等部门的职责也作出了规定。《规定》以保障灾民基本生活需要为原则，以困难程度

为依据，对救灾标准作出了具体规定，内容包括紧急转移救济、住房救济、口粮救济、衣被救济及伤病救济。规定了救灾经费与物资主要来源于国务院救济款、地方政府财政预算安排以及社会捐赠或募集等，并规定政府财政预算要随着经济水平的提高逐年增加。对经费的发放也作出严格规定，要求专款专用、重点使用，不得平均分配，不得截留、贪污、克扣和挪用。

由于广东省是自然灾害多发省份，近年来特大自然灾害对广东省工农业生产和人民的生命财产造成巨大损失。2004 年 1 月，广东省政府颁发《广东省特大自然灾害救灾应急预案》，要求各级政府、各有关部门制定救灾应急预案并组织实施，应急预案的适用范围为台风、强热带风暴、暴雨、洪涝、地震及地质等因素引发的特大自然灾害。按《广东省水、旱、风灾害等级划分标准（试行）》，对自然灾害等级进行划分，明确了特大自然灾害的执行标准，同时还明确领导及有关部门各自的职责范围与内容，共同做好救灾工作。要求发起应急反应行动，并制定了五项具体步骤，包括灾害预警、应急决策基本程序、紧急救援行动、转移安置行动与有关事务处理等，同时进行预案的宣传教育和训练演习，提高干部群众紧急反应能力。

2006 年，广东省发生了大范围的水灾，灾情十分严重。水灾过后，广东省民政厅发出《关于全省重建家园工作进展情况的通报》，对救灾工作中取得的成绩、存在的问题进行总结，在全省范围内开展重建家园工作。

（三）广东省社会救助制度的改革成就与发展目标

广东省社会救助制度的改革取得的成绩是有目共睹的，社会救助体系逐步完善。

在城乡最低生活保障制度方面，应保尽保成果得到巩固。2003 年，全省城乡居民最低生活保障已保人数 103. 2 万人，其中城镇 35. 6 万人，农村 67. 6 万人，资金投入 5. 9 亿元。低保覆盖面进一步扩大，2006 年底，全省享受低保救济的困难群众达 172. 70 万

人，其中城镇 38.93 万人，农村 133.77 万人。2006 年全省预算资金 11.41 亿元。城市人均月补助水平进一步提高。全国 8 月份人均月补助金额最高的 10 个市中，广东省占了 2 个市，分别是深圳市 200 元、广州市 177 元。全国人均月补助金额最高的 15 个县中，广东省占了 1 个县区，深圳市南山区 245 元。全省城镇低保标准为 120 ~ 344 元，农村低保标准为 85 ~ 310 元。城乡低保和五保供养体系进一步健全，建立了城乡低保标准、五保供养标准与经济社会发展水平相适应的自然增长机制，实现了动态管理下的应保尽保。城市生活无着流浪乞讨人员救助管理水平也逐步提高。救灾应急保障系统进一步健全。建立省、市、县三级灾害应急指挥系统、灾害应急机构和减灾工作机构，建立信息传输系统和定位监控系统。地级以上市及灾害多发地区建立了救灾物资储备中心，还设置相对固定的灾害应急庇护场所，及时安置紧急转移的灾民。

“十一五”期间，广东省社会救助制度的发展目标是：

在城乡低保工作方面，建立城乡低保标准、五保供养经费和标准与经济社会发展水平相适应的自然增长机制。真正做到应保尽保，逐步提高低保标准。加大政府对城乡低保、农村五保供养和特困户救济的投入力度，切实落实配套资金。加强规范管理，低保金按月实行社会化发放，对低保资金进行专项督查。

根据省委、省政府“十项民心工程”的部署，“十一五”期间计划投入 2.4 亿元，继续实施“千间敬老福星工程”，更新改造、扩建居住条件较差的 600 多间敬老院，使之达到省级敬老院标准，实现每个乡镇都有 1 所设施齐全的敬老院，并逐步办成农村社会福利服务中心。

加强流浪未成年人工作和孤儿救助工作，在大中城市、交通枢纽城市建立和分设流浪未成年人救助保护机构，完善现有的孤儿收养、救助护理机构，建立流浪乞讨人员救助网络，完善流浪乞讨人员救助管理站（所）设施设备，提高救助管理水平。

拓宽社会救助模式，开展职业培训，加强医疗救助制度建设，健全多层次教育体系，切实解决困难群众子女上学难问题，制定城乡群众住房建设规划，对特困群众住房改造和维修给予资助，积极开展对困难群众等弱势群体的法律援助。

在救灾制度建设方面，加大政府对灾害救助的投入。加强救灾应急保障工作，完善救灾网络建设，畅通信息传输，提高指挥决策效率。完善各级灾害应急机制，配套救灾工作设备，强化救灾工作手段。完善救灾物资储备制度，储备适量的救灾物资，建立和完善救灾物资储备仓库和经常性社会捐助工作站。改造泥砖房，改善农村困难群众居住环境，努力提高防灾抗灾能力。强化灾害预防措施，广泛开展全民防灾减灾知识宣传，提高防灾减灾意识。

七、广东省社会福利制度的30年变迁

中国的社会福利制度是社会保障制度的重要组成部分，本篇所研究的社会福利制度主要指由民政部门负责的民政福利。改革开放前，社会福利制度主要面对无依无靠的孤老残幼，改革开放之后，福利服务逐步社会化，通过多种渠道筹集资金，为老年人、孤儿和残疾人等群体提供社会福利。

（一）广东省传统的社会福利制度

新中国成立初期，广东省的民政福利与社会救济联系在一起，20世纪50年代末从社会救济中分离出来，形成独立的体系。在城镇主要解决无依无靠的孤寡老人与孤儿、弃婴、残疾人等的生活安置问题，建立了社会福利院、儿童福利院、精神病院等收养性机构，通过福利企业吸收残疾人就业。在农村也涌现了集体经济举办的敬老院等福利设施，集中供养“五保”对象。

20世纪80年代，广东省传统福利制度向新型福利制度变革，农村实行土地承包责任制后，乡村集体福利失去了财政基础，面临着挑战，在城镇，居民福利需求全面增长，对社会服务的需求持续高涨，各种福利机构的增长速度赶不上需求的增长速度。

（二）广东省社会福利制度的改革

1. 广东省老年人社会福利制度改革。

在 1999 年民政部颁布《社会福利机构管理暂行办法》之前，广东省于 1998 年出台《广东省民办社会福利机构管理办法》，加强民办社会福利机构的管理，推动广东省民办福利机构走向规范化的发展方向，并将民办福利机构界定为企事业单位、社会团体及其他社会组织（国家机关除外）和公民利用非国家财政性经费，在广东省境内举办的以老年人、残疾人、孤儿（含弃婴）为主要服务对象的社会福利机构。2000 年，广东省民政厅发出《关于扶持我省社会福利事业发展的通知》，将推进民办福利机构作为推动社会福利社会化的重要举措。

广东省民政厅 2001 年发布了《关于在全省推进城市社区建设的意见》，提出发挥政府投入的主渠道作用，动员社区成员单位和居民捐资，鼓励集体、私人投资兴办社区服务业，为老年人提供各种服务，把社区服务业的发展与解决人口老龄化问题、发展残疾人事业、最低生活保障等结合起来，将老年人社区服务设施建设纳入规划。

广东省大力推动社区老年福利服务星光计划的活动。2004 年 7 月，广东省民政厅《转发民政部关于“社区老年福利服务星光计划”项目管理的意见的通知》，明确“社区老年福利服务星光计划”项目的产权问题，要求“星光计划”项目实行划归主要投资方的单一归属方式，按照投资份额实行股份制的产权归属方式。对于产权不属于街道、居委会或民政部门所有的项目，必须通过制定使用协议的方式对项目的使用或经营作出明确规定，确保“星光计划”项目为老年人服务的方向不变。建立包括产权归属在内的登记档案，项目的管理服务上，要坚持为老年人服务的宗旨，坚持无偿、低偿和有偿服务相结合的原则，要建立科学、有效的管理运营模式。设备维护费用和日常运作开支列入县（区）以上财政的福利事业和老龄事业预算，难以列入预算的可由各级福利金给予适当补贴。

2006年，广东省贯彻国务院《关于加快发展养老服务业的意见》，采取多种形式，鼓励和支持社会力量多形式、多渠道参与老年社会福利事业，增加老年福利服务设施数量，提高服务质量。引导和支持社会力量兴建适宜老年人集中居住、生活、学习、娱乐、健身的老年公寓、养老院、敬老院，鼓励下岗、失业等人员创办家庭养老院、托老机构。鼓励发展居家老人服务业务，鼓励社会资本投资兴办以老年人为对象的老年生活照顾、家政服务、心理咨询、康复服务、紧急救援等业务。发展老年护理、临终关怀服务业务，促进老年用品市场开发，提高养老服务人员素质，加快培养老年医学、管理学、护理学、营养学以及心理学等方面的专业人才，把加快发展养老服务业列入了议事日程。

广东省通过推行各项社会福利社会化措施，逐步形成了以政府举办老年社会福利机构为骨干，以社会力量举办老年社会福利机构为新的增长点，以社区老年人福利服务为依托，以社区居家养老服务为基础的老年人社会福利服务体系。

2. 广东省儿童社会福利制度改革。

广东省积极实施“明天计划”。2004年，民政部颁布《“残疾孤儿手术康复明天计划”实施方案》，从2004年起，在全国为城乡各类社会福利机构中0～18岁具有手术适应症的残疾孤儿进行手术矫治和康复。广东省高度重视“明天计划”工作，指出孤残儿童是社会上最弱小、最不幸的特殊困难群体。推出让孤残儿童在指定医院做一次全面的身体检查，及时进行手术矫治，通过公民收养、家庭寄养、社会助养等多种渠道，使他们早日回归家庭、回归社会等工作措施。

为做好孤儿救助保护工作，2006年6月，广东省民政厅发出《转发民政部等十五部委关于加强孤儿救助工作意见的通知》，要求民政部门建立和完善孤儿救助的工作机制，及时了解和掌握当地孤儿的翔实情况，建立登记制度，做好孤儿安置工作。加强对有收养孤儿、弃婴（童）福利机构的监督管理。把农村中无劳动能力、

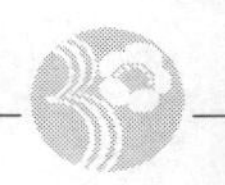

无生活来源又无法定抚养义务人，或者其法定的抚养义务人无抚养能力的孤儿纳入农村五保供养，提供所需的生活和医疗救助，帮助他们接受同等的教育。积极探索有利于儿童身心健康成长的养育方式，对具有手术适应症的残疾孤儿要及时进行手术治疗和康复，非定向的社会捐赠资金要优先用于残疾孤儿的治疗和康复，资助他们优先接受同等教育。开展慈善捐赠活动，积极推动孤儿救助工作，倡导和鼓励社会各界支持和参与孤儿救助工作，积极开展慈善公益活动，设立新的助医项目，帮助孤儿治疗疾病。

为贯彻实施民政部制定的“儿童福利机构建设蓝天计划”，加快儿童福利机构设施建设，2007 年，广东省制定并实施《广东省“儿童福利机构建设蓝天计划”实施方案》，采取地方财政投入和福利彩票公益金资助相结合的方式，广泛动员社会力量参与儿童福利机构基础设施建设，改善孤残儿童的生存环境和条件，提高他们的生活质量。《实施方案》提出，将“蓝天计划”列入当地国民经济和社会发展的“十一五”规划和年度计划，加大建设资金投入，在“十一五”期间，建一所集养护、教育、康复、娱乐场所于一体的儿童福利机构；建设多功能综合性福利机构；改造和扩建一批功能完善、设施齐全、环境优美的儿童福利机构。省级留成的福利彩票公益金将重点资助以上建设项目，各地留成的本级福利彩票公益金也应重点资助管辖以上建设项目。把孤残儿童福利保障经费纳入财政预算；广泛动员社会力量积极参与和支持孤残儿童福利事业，倡导慈善义举，营造关爱孤残儿童氛围。

为加强广东省实施“蓝天计划”的领导工作，加快“蓝天计划”项目建设，省民政厅又于 2007 年 3 月发出《关于印发广东省民政厅实施“蓝天计划”领导小组组成人员及职责的通知》，参照民政部的做法，在省民政厅成立实施“蓝天计划”领导小组，明确领导小组及其成员处室（单位）的职责，要求各承担建设任务的市、县（市、区）成立相应的工作机构，抓紧组织实施“蓝天计划”。

3. 广东省福利企业制度的改革。

近年来，广东省在兴办福利企业方面出台了很多措施。2007年3月民政厅发出《关于做好2007年社会福利企业换证和年检工作的通知》，对社会福利企业进行资格审核和年检，将证书换发和福利企业2006年度检查工作结合进行。清理不合格的福利企业，加强福利企业资格审核，切实维护福利企业残疾职工的合法权益，对申请换证进行认真审核。2007年5月，广东省民政厅《转发民政部关于调整完善现行福利企业税收优惠政策试点地区福利企业进行资格审核认定的通知》，要求完善现行福利企业税收优惠政策的试点工作，提高福利企业资格审核认定工作效率，解决有劳动能力的残疾人集中安排就业问题，严格审核福利企业资格，加强日常监督管理，及时掌握福利企业安置残疾人员劳动就业的情况动态，切实保障残疾职工的合法权益。

（三）广东省社会福利制度的成就与发展目标

广东省社会福利制度经过30年的发展，逐步建立起了较完善的体系，各项福利指标增长较快。2003年，全省有各类社会福利单位1968个，床位7.61万张，收养5.08万人，城镇各种社区服务设施6297个，其中社区服务中心732个，“星光老年之家”1913个；到2006年末，全省各类社会福利单位床位8.39万张，各类社会福利单位收养人员5.47万人，城镇各种社区服务设施4973个，其中综合性社区服务中心822个。

在“十一五”期间，社会福利制度的发展目标是：第一，到2010年，每个地级以上市和县（市、区）都建立一所综合性、多功能的社会福利机构，解决孤、老、残、幼等对象的生活问题。社会孤儿保障机制和老年人权益保障机制要更加完善，以社区为依托的老年服务产业要加快发展。第二，建立健全与广东省经济社会发展水平相适应并具有广东特色的退休人员社会化管理服务体系，按照专业化、规范化、产业化、市场化和社会化的要求，建设以居家养老为基础、社区服务为依托、机构养老为补充的养老服务体系，引导、支持社会力量兴办老年服务设施和服务机构。建立地级以上

市、县（市、区）老年活动中心和社区、街道（乡镇）老年文化娱乐中心（站），丰富老年人精神文化生活。第三，加大城市福利机构设施建设和改造维修力度，以“民办公助”、“公办民营”和“政府购买服务”为主要形式，发动和鼓励社会民间组织兴办多种形式的社会福利服务机构和设施。研究制定财政、税收、金融、土地使用等方面的扶持政策，鼓励、支持社会民间组织兴办养老服务业。第四，完善社会孤儿保障机制，在集中供养的基础上，健全家庭寄养制度，建立手术康复保障机制，力争到2007年，福利机构中具有手术康复适应症的残疾孤儿95%以上得到手术康复。

八、广东省农村社会保障制度的30年发展

（一）广东省传统的农村社会保障制度

由于中国二元社会结构的特点，国家在农村实行与城镇有别的社会保障办法。

新中国成立后，全国农村社会保障项目主要有两个，一是农村的五保制度，二是农村合作医疗制度。改革开放之前，广东省的农村社会保障主要就是这两项制度。

农村“五保”供养制度产生于1956年的《高级农业生产合作社示范章程》，完善于1960年的《全国农业发展纲要》，是适应集体经济形式的集体保障制度。它规定由集体经济来保障农村居民中无法定抚养义务人、无劳动能力、无生活来源者的吃、穿、住、医、葬（孤儿保教）。“五保”供养的标准不低于当地一般群众的实际生活水平。“五保”供养的形式有集体供养、分散供养、亲友供养、义务供养等，又以分散供养为主。

合作医疗制度是在政府和集体经济的扶持下，农民遵循自愿、互益和适度的原则，通过合作形式，民办公助、互助共济，向农民提供基本的医疗卫生保健服务，以满足其基本医疗保健要求。政府建立起以县医院为龙头的农村卫生网络，大力开展了地方病、传染

病等的预防和治疗。基层卫生机构依靠生产队公益金提取、农民缴纳保健费等，保证主要经费来源，实现了“合医合防不合药”的合作医疗，基本解决了农村缺医少药的问题，大大降低了农村居民的死亡率，提高了平均期望寿命。

（二）广东省农村社会保障制度的改革

1. 广东省农村养老保险制度的改革。

改革开放以来，我省农村经济得到了较大发展，在工业化和城镇化发展过程中，广大农民对建立健全养老保障体系、解除后顾之忧有迫切的要求，部分地区开始探索建立农村养老保险制度。改革大致经历了两个阶段。①

第一阶段：养老保险个人账户积累式的探索试点阶段。

广东省部分地区按照农村社会经济发展的实际情况，按照“个人缴费为主、集体补助为辅、政府给予政策扶持”的原则，开始试点建立个人账户积累式的养老保险。

1992年后，深圳、东莞、珠海等有条件的地区根据当地的实际需要，按照民政部《县级农村社会养老保险基本方案》，陆续开展了农村养老保险试点，主要局限于部分镇区。此后，湛江、江门、惠州等地也先后在1990年至1999年间开展了农村管理区基层干部养老保险统筹。2000年后，广东省劳动保障厅按照国务院《批转整顿保险业工作小组保险业整顿与改革方案的通知》的统一部署和要求，组织各地对试点工作进行整顿和规范，并开始新一轮的积极探索。2000年东莞市政府投入10亿元补贴，将原来的完全个人账户的农民养老保险改造为统账结合的农民养老保险制度，覆盖全体农民。2003年深圳市龙岗、宝安的农民，由于土地被全部收归国有而成为“城市化人员”，被全部纳入城市职工养老保险制度，各经济组织缴纳一定费用后，老年人口享受平均约900元/年

① 参见广东省劳动和社会保障厅农村社会保险处：《我省农村养老保险发展情况介绍》，2007年6月13日。

的待遇，约为城市职工待遇的一半。2004 年，佛山市高明区政府颁布了《高明区农村基本养老保险试行办法》，实施了被征地农民的养老保障制度。2005 年 1 月，中山市实施《中山市农村基本养老保险暂行办法》，由市财政出资 5 亿元作为基础资金。佛山市政府也颁布了《佛山市建立全征土地农村居民基本养老保险补贴制度的实施意见》，开始建立全征地农村居民基本养老补贴制度。2006 年，珠海市实施《珠海市农民与被征地农民养老保险过渡办法》，广州市实施《广州市“农转居”人员基本养老保险办法》（试行）。至此，我省东莞、深圳、珠海、中山、佛山、广州等 6 个地级市实施了农民与被征地农民养老保险制度。截至 2007 年 1 季度，广东省有 134.93 万农民与被征地农民养老保险被纳入了养老保险范围，其中，43.61 万人按月领取养老金，人均月养老金 200 元。

第二阶段：以被征地农民养老保障为重点，养老保险的积极推进阶段。

2006 年，广东省人均 GDP 已达 3509 美元，基本具备了建立农村养老保险制度的经济基础。在总结珠三角地区建立农民与被征地农民养老保障制度经验的基础上，2006 年 9 月，广东省劳动厅选取了部分欠发达县区开展被征地农民养老保障试点。经过三个多月的努力，阳西县、博罗县、肇庆县端州区、湛江开发区四个试点已顺利启动实施被征地农民养老保障制度，首批 100 多名被征地农民参加了养老保险制度，几十名 60 岁以上的老年农民直接领到了政府发给的老年津贴。各试点还开展了宣传发动、工作人员培训、资格审核、参保登记等各项工作。2007 年 1 月底，各试点参保和享受老年津贴人数已达 500 多人，另有 1 万多人正在办理参保手续。其他尚未建立被征土地农民养老保障制度的地区也正积极筹备。广东省被征地农民养老保障工作呈现以珠三角为中心向全省辐射之势。

广东省各地农村养老保险制度的模式主要有三种：第一种模式，东莞、中山的农（居）民基本养老保险，广州的农转居人员养老保险以及深圳的城市化人员养老保险，都仿效现行城镇养老保险采取统账结合模式；第二种模式，佛山市的全征地农民基本养老保险补贴办法，实行完全统筹模式；第三种模式，珠海市农民和被征地农民养老保险过渡办法，采取完全个人账户模式。

这三种模式中，统账结合模式的推广普及区域有限，该模式的优点是与城镇职工养老保险制度相同，今后接轨容易，缺点是缴费标准较高，大部分农村集体经济组织和农民个人收入较低，难以承担，所以只能在发达的珠三角地区推行。完全统筹模式由政府和村集体负责，农民个人不出钱，利于减轻农民负担，但待遇水平人人相同，而且只设统筹账户不设个人账户，过于强调公平与原则，不利于调动农民积极性，弱化农民的社会保障意识，该模式给政府和集体经济带来较大负担，在欠发达地区也难以推广。

实践表明，完全个人账户模式比较适合广东的大部分农村地区。它具有很多优点：第一，通过政府、集体、个人三方筹资建立农村养老保险制度，共同承担农民的养老保障责任。政府定额或定比补助，个人、集体分档次缴费，多缴费多享受，少缴费少享受，权利与义务相对应，三方的责任清楚。第二，以完全积累的个人账户为基本模式，政府补助、集体补贴、个人缴费全部记入个人账户，缴费确定待遇，收支平衡，财政风险较小。第三，计发办法简明易懂，待遇水平主要由缴费决定。现在交多少钱就知道将来享受多少待遇，计发办法简单明了，农民易理解、能接受、有信心。第四，个人缴费可多可少，比较灵活，适应农民收入不稳定、经济能力有差异的特点，有利于低水平起步。因此，农民与被征地农民养老保障制度选择完全个人账户模式，符合现阶段省情和国情的要求。缺点主要是存在保值压力，有待国家在确保基金安全的条件下统一组织基金的保值增值。

2. 广东省农村医疗保障制度的改革。

为保障农民的基本医疗需求，缓解因病致贫、因病返贫问题，中国政府于2002年开始建立以大病统筹为主的新型农村合作医疗制度。2002年10月，中共中央、国务院《关于进一步加强农村卫

生工作的决定》，提出在2010年，全国农村基本建立起适应社会主义市场经济体制要求和农村经济社会发展水平的农村卫生服务体系和农村合作医疗制度。2003年1月，国务院办公厅转发卫生部等部门《关于建立新型农村合作医疗制度意见》的通知，提出新型农村合作医疗制度由政府组织、引导、支持，农民自愿参加，个人、集体和政府多方筹资，建立以大病统筹为主的农民医疗互助共济制度。

2004年，广东省人民政府办公厅转发省卫生厅《关于建立和完善新型农村合作医疗制度意见的通知》，在广东省建立和完善新型农村合作医疗制度，基本原则是：（1）自愿参加，多方筹资。农民以家庭为单位自愿参加新型农村合作医疗，按时足额缴纳合作医疗经费；乡（镇）、村集体要给予资金扶持，省和市、县各级财政每年要安排专项资金予以支持。（2）以收定支，保障适度，收支平衡。（3）先行试点，逐步推广。在组织管理问题上，以县（市）为单位进行统筹。成立农村合作医疗协调小组，设立专门的农村合作医疗管理机构。在筹资标准方面，实行个人缴费、集体扶持和政府资助相结合的筹资机制。其中，农民个人每年的缴费标准不应低于10元，有条件的乡村集体经济组织应对本地新型农村合作医疗制度给予适当扶持。鼓励社会团体和个人资助新型农村合作医疗制度。当地财政每年对参加新型农村合作医疗的农民的资助不低于人均10元。在资金管理方面：农村合作医疗基金是由农民自愿缴纳、集体扶持、政府资助的民办公助社会性资金，要按照以收定支、收支平衡和公开、公平、公正的原则进行管理，必须专款专用，专户储存，不得挤占挪用。设立农村合作医疗基金专用账户。农村合作医疗基金主要补助参加新型农村合作医疗农民的大额医疗费用或住院医疗费用。要加强对农村合作医疗基金的监管，提高医疗卫生服务能力和水平。

2006年4月，根据《广东省人民政府关于帮助困难群众解决"看病难"问题的通知》及民政部、卫生部、财政部《关于实施农村医疗救助的意见》精神，广东省民政厅发出《关于切实做好资

助农村低保户五保户参加新型农村合作医疗的通知》，进一步做好资助农村低保户、五保户参加新型农村合作医疗工作。各级民政部门协调卫生部门，共同资助农村低保户、五保户缴纳个人负担的资金，参加当地农村合作医疗，享受合作医疗待遇。对因患大病经合作医疗补助后个人负担医疗费用过重，难以承担的部分，再给予适当救助。新型农村合作医疗与医疗救助互补。资助资金的来源，一是在县（市、区）设立的农村合作医疗保障救助基金中解决，二是从地方留成的社会福利彩票公益金中提取20%医疗救助金予以解决。

3. 广东省农村社会救助制度的改革。

1994年1月，《农村五保供养工作条例》出台，给予农村五保对象在吃、穿、住、医、葬等方面的生活照顾和物质帮助。广东省按照《条例》规定，将农村五保供养对象确定为农村中无劳动能力、无生活来源、无法定赡养扶养义务人，或虽有法定赡养扶养义务人，但无赡养扶养能力的老年人、残疾人和未成年人。五保供养的内容包括供给粮油和燃料、服装、被褥等用品和零用钱；提供符合基本条件的住房；及时治疗疾病；对生活不能自理者有人照料；妥善办理丧葬事宜等五个内容。五保对象是未成年人的，还应当保障其依法接受义务教育。五保供养标准不应低于当地村民的一般生活水平。五保供养的形式可根据当地的经济条件实行集中供养或分散供养。根据五保对象自愿，可吸收五保户入敬老院集中供养，五保户入院自愿，出院自由。实行分散供养的，应当由乡镇政府或农村集体经济组织、受委托的抚养人和五保对象三方签订五保供养协议。

在五保供养资金的问题上，2004年，广东省民政厅、财政厅、发改委转发民政部、财政部、国家发展和改革委员会《关于进一步做好农村五保供养工作的通知》，要求加大市县财政投入力度，把所需的五保资金全部列入县级财政预算，切实落实五保供养资金，争取将农村五保供养经费与当地财政收入结合起来，保障五保供养经费和供养标准随着当地财政收入的增长而提高，逐步建立农

村五保供养标准自然增长机制。

为做好农村五保供养工作，促进农村社会保障制度的发展，2006年3月，新的《农村五保供养工作条例》颁布实施。广东省认真贯彻新《条例》的精神，鼓励社会组织和个人为农村五保供养对象和农村五保供养工作提供捐助和服务。将供养对象确定为老年、残疾或者未满16周岁，无劳动能力、无生活来源又无法定赡养、抚养、扶养义务人，或者其法定赡养、抚养、扶养义务人无赡养、抚养、扶养能力的村民。农村五保供养待遇的申请遵循严格的程序。将农村五保供养对象的疾病治疗与农村合作医疗和农村医疗救助制度相衔接。规定农村五保供养标准不得低于当地村民的平均生活水平，并根据当地村民平均生活水平的提高适时调整。供养对象可以自行选择供养形式，服务机构建设要纳入经济社会发展规划，政府为服务机构提供必要的设备、管理资金，并配备必要的工作人员。服务机构应当建立健全内部民主管理和服务管理制度。服务机构工作人员应当经过必要的培训。

2007年7月，国务院发出《关于在全国建立最低生活保障制度的通知》，要求2007年在全国建立农村最低生活保障制度，解决农村贫困人口温饱问题。广东省目前正结合本省农村经济社会发展水平和财力状况的实际，探索建立一个有合理的保障标准和对象范围，实行动态管理，保障对象有进有出，补助水平有升有降，资金筹集来源稳定，审核程序简便易行，同时又能与扶贫开发、促进就业以及其他农村社会保障政策、生活性补助措施相衔接的农村最低生活保障制度。

（三）广东省农村社会保障制度的改革成就与发展目标

30年改革历程中，广东省农村社会保障制度的建设取得了很多的成果。2003年，农村共有1300个乡镇建立了社会保障网络设施，社会保障网络覆盖率98.0%。2005年底，进一步加快农村社会保障制度建设，完成了《关于做好被征地农民基本养老保障工作的指导意见》并上报省政府。目前，东莞、中山、珠海、深圳、佛山、惠州等地陆续实施了农村或被征地农民养老保险，参加人数达120多万人。全省农村享受低保救济的困难群众2003年为67.6万人，2006年末达133.77万人。

2006年，五保对象的基本生活得到保障，全省各县（市、区）五保供养工作普遍实行了"五统一"，即"五保供养经费统一列入财政预算，统一供养标准，统一社会化发放，统一办理合作医疗，统一实施千间敬老福星工程"。截至2006年7月底，全省已保五保对象达到了235616人，1—7月支出供养经费2.1亿元，人均年供养标准1600元。

"十一五"期间，广东省还要加快农村社会保障制度建设步伐。具体的工作目标与措施是：第一，在农村养老保险制度建设中，以被征地农民养老保障制度为突破口推进农村养老保险制度在全省的初步建立，逐步解决农民的养老保障问题。在已经实施农民与被征地农民养老保障制度的珠三角地区，进一步完善制度，扩大覆盖面，争取将所有的农民都纳入养老保障范围；其他地区到2007年底全面建立被征地农民养老保障制度，在2010年前将当地符合条件的被征地农民全面纳入养老保障范围。低水平，广覆盖，多层次，区分城市规划区内被征地农民、城市规划区外被征地农民、计生对象、农村一般居民四类对象，分类指导，逐步推进农村养老保险制度。解决农村基层管理区干部及计划生育纯二女户的养老保障问题。

第二，进一步完善农村医疗保障体系。构建以县区统筹、保大病保住院为主的农村合作医疗制度，到2010年新型农村合作医疗覆盖率达85%，提高统筹层次，积极推进县级统筹。做好宣传发动工作，引导广大农民积极参加合作医疗。建立财政投入对新型农村合作医疗逐年递增的筹资机制。"十一五"期间各级财政对参加新型农村合作医疗的农民补助每人每年达到40元以上。有条件的地区大力推广农（居）民医疗保险制度，不断提高农（居）民医疗保障水平。完善农村医疗救助制度，解决特困群众看病难问题。

第三，进一步健全城乡低保和五保供养体系。建立农村低保标

准、五保供养标准与经济社会发展水平相适应的自然增长机制。逐步提高供养标准，使五保户的生活不低于当地村民的平均生活水平。2006 年底要把应保未保的 3 万多名五保对象全部纳入五保供养，实现应保尽保。对低保实行动态管理。切实落实五保供养资金，将农村五保供养经费与当地财政收入结合起来。各级政府加大对城乡低保、农村五保供养和特困户救济的投入力度。

结　语

经过 30 年的探索和实践，广东省社会保障制度框架初步形成。进一步健全、完善社会保障制度，是广东省政府全面推进小康社会建设的一项重要任务。当前及今后一个时期，社会保障事业的任务依然艰巨。人口老龄化将进一步加大养老金和医疗费用支付压力，城镇化水平的提高将使建立健全城乡衔接的社会保障制度更为迫切，就业形式多样化将使更多的非公有制经济从业人员和灵活就业人员被纳入社会保障覆盖范围，这些都对广东省社会保障制度的平稳运行和可持续发展提出新的要求。

2007 年 1 月 1 日，广东省政府颁布了《广东省社会保障事业发展“十一五”规划》，提出要“把握机遇、完善社会保障制度”，“加快建设与广东省经济社会发展水平相适应的社会保障体系，促进和谐广东建设”。目前，广东省正处于从工业化中期向后期过渡的时期，经济增长方式由劳动密集型向资本、技术密集型转变，社会保障体系的地位与作用更突出、更关键。经过“十五”时期的快速发展，广东省的社会保障制度已比较完备，在协调各方利益、解决各种矛盾、维护社会公平、化解社会矛盾中发挥了重要的作用。

但从全省范围来看，社会保障制度发展极不平衡。在地区之间、城乡之间、不同群体之间存在较大差异。保障水平不平衡，经济欠发达地区待遇水平偏低；企业退休人员基本养老金水平与机关事业单位退休待遇水平有一定差距；城乡发展不平衡，城市已基本形成了较为完备的制度体系，农村社会保障制度才刚刚起步；社会保险制度还不完善，统筹层次偏低，共济能力不足；非公有制企业和外来工参保率偏低，企业欠费情况较严重，部分地区社保基金支付压力较大；随着人口老龄化步伐不断加快，养老保险、医疗保险的压力越来越大。广东省社会保险基金总量大幅度增加与部分统筹地区收不抵支、累计赤字的情况同时存在；社会保险市级统筹的目标尚未全面实现；农村合作医疗发展慢，水平低；社会保障信息化建设滞后；社会保险覆盖面有待进一步扩大；社会福利体系建设也有待进一步加强。

因此，要进一步完善城镇社会保险制度，在各地级以上市推行养老、工伤、失业保险统一费率、统一基数、统一待遇计发办法、统一核算管理使用基金，完善市级统筹，积极为实行省级统筹创造条件。构建多层次的社会保障体系，覆盖城镇所有人员。

进一步健全社会福利体系，加强社会救助、社会福利工作。

加强社会保险基金保障能力，提高基金收缴率，改善基金收支状况，实现各项社会保险基金收支平衡，确保按时足额支付各项社会保险待遇。加强对基金的监督管理，确保基金安全完整，探索社会保险基金的稳健投资方式，实现基金保值增值。

加大各级财政对社会保障事业的扶持力度，逐步提高财政的社会保障支出比重。特别是建立城乡一体化的社会保障体系，实现城乡社会保障制度的统筹发展，将是今后一段长时期里广东省的重要工作。

参考书目

第一章

国务院人口普查办公室、国家统计局人口统计司编：《中国1982年人口普查资料》，中国统计出版社1985年版。

国家统计局人口统计司编：《中国1987年1%人口抽样调查资料》(全国分册)，中国统计出版社1988年版。

广东省人口普查办公室编：《广东省1990年人口普查资料》，中国统计出版社1992年版。

广东省人口普查办公室编：《广东省第四次人口普查流动人口资料》，中国统计出版社1992年版。

广东省人口抽样调查办公室编：《1995年全国1%人口抽样调查资料》(广东分册)，中国统计出版社1996年版。

广东省人口普查办公室编：《广东省2000年人口普查资料》，中国统计出版社2002年版。

广东省人口普查办公室编《广东省2000年人口普查流动人口资料》，广东经济出版社2002年版。

广东省全国1%人口抽样调查领导小组办公室编：《2005年广东省全国1%人口抽样调查资料》，中国统计出版社2007年版。

孙竞新、翟锦云：《跨世纪的中国人口》(广东卷)，中国统计出版社1994年版。

朱向东：《世纪之交的中国人口》(广东卷)，中国统计出版社2004年版。

广东省统计局编：《广东统计年鉴（2006）》，中国统计出版社 2006 年版。

国家统计局编：《中国统计摘要》，中国统计出版社 2006 年版。

第二章

Chau, K. – C.（1998）. Agriculture and Forestry. In D. K. Y. Chu（Ed.）, Guangdong: survey of a province undergoing rapid change（pp. 87 ~ 112）. Hong Kong: Chinese University Press.

Cheng, J. Y. S.（2000a）. Guangdong's Challenges: Organizational Streamlining, Economic Restructuring and Anti – Corruption. In J. Y. S. Cheng（Ed.）, Guangdong in the twenty – first century : stagnation or second take – off?（pp. 17 ~ 54）. Hong Kong: City University of Hong Kong Press.

Cheng, J. Y. S.（2000b）. Guangdong in the twenty – first century : stagnation or second take – off? Hong Kong: City University of Hong Kong Press.

Chou, J. – t.（1966）. Social mobility in China : status careers among the gentry in a Chinese community（[1st] ed.）. New York: Atherton Press.

Fei, H. – T.（1946）. Peasantry and Gentry: An Interpretation of Chinese Social Structure and Its Changes. American Journal of Sociology 52: 1 ~ 17. American Journal of Sociology, 52, 1 ~ 17.

Hinton, W.（1984）. Shenfan. New York: Random House.

Kraus, R. C.（1981）. Class Conflict in Chinese Socialism. New York: Columbia University Press.

Kueh, Y. Y., & Ash, R. F.（1996）. The Fifth Dragon: Economic Development. In B. Hook（Ed.）, Guangdong : China's promised land（Vol. Regional development in China ; v. 1, pp. xix, 197）. Hong Kong ; New York: Oxford University Press.

Lau, P. –k. (2000). Industrial Structure and Industrial Policy in Guangdong Province. In Y. –s. Cheng (Ed.), Guangdong in the twenty –first century: stagnation or second take –off? (pp. xxii, 460). Hong Kong: City University of Hong Kong Press.

Lin, G. C. S. (1997). Red Capitalism in South China: Growth and Development of the Pearl River Delta. Vancouver: UBC Press.

Michael, F. (1955). State and Society in Nineteenth – Century China. World Politics, 7, 419 ~ 433.

Oi, J. C. (1985). Communism and Clientelism: Rural Politics in China. World Politcis, 37 (2), 238 ~ 266.

Oi, J. C. (1989). State and Peasant in Contemporary China: The political Economy of Village Government. Berkeley: University of California Press.

Oi, J. C. (1992). Fiscal Reform and the Economic Foundations of Locall State Corporatism in China. World Politcis, 45 (1), 99 ~ 126.

Oi, J. C. (1999). Rural China takes off: institutional foundations of economic reform. Berkeley: University of California Press.

Parish, W. L., & Whyte, M. K. (1978). Village and Family in Contemporary China. Chicago: The University of Chicago Press.

Powell, S. G. (1992). Agricultural Reform in China: From Communes To Community Economy 1978 – 1990. Manchester: Manchester University Press.

Schurmann, F. (1968). Ideology and organization in Communist China (2nd ed.). Berkeley: University of California Press.

Scott, J. C. (1976). The moral economy of the peasant: rebellion and subsistence in Southeast Asia. New Haven: Yale University Press.

Shue, V. (1980). Peasant China in transition: the dynamics of development toward socialism, 1949 – 1956. Berkeley, Calif.: University of California Press.

Szelenyi, I. , & Kostello, E. (1996) . The Market Transition Debate: Toward a Synthesis. American Journal of Sociology, 101 (4), 1082 ~ 1096.

Unger, J. (1984) . The Class System in Rural China: A Case Study. In J. L. Watson (Ed.), Class & Social Stratification in Post – Revolution China (pp. 121 ~ 141) . Sydney: Cambridge University Press.

Vogel, E. F. (1989) . One step ahead in China : Guangdong under reform. Cambridge, Mass. : Harvard University Press.

Weber, M. (1968) . The religion of China: Confucianism and Taoism. New York, Free Press ; London: Collier Macmillan Pub.

Whyte, M. K. (1985) . The Politics of Life Chances in the People's Republic of China. In Y. – m. Shaw (Ed.), Power abd Policy in the PRC. Colorado: Westview Press.

Xiao, G. (1960) . Rural China : imperial control in the nineteenth century. Seattle: University of Washington Press.

Yang, C. K. (1959) . A Chinese Village in Early Communist-Transition. Westport, Conn. : Greenwood Press.

Zeng, K. (2000) . Retrospect and Prospects of Foreign Direct Investment Inflow: The Case of Guangdong Province. In Y. – s. Cheng (Ed.), Guangdong in the twenty – first century : stagnation or second take – off? (pp. 103 ~ 128) . Hong Kong: City University of Hong Kong Press.

Zhang, Z. (1955) . The Chinese gentry: studies on their role in nineteenth – century Chinese society. Seattle University of Washington Press.

张乐天：《告别理想：人民公社制度研究》，东方出版社 1998 年版。

广东省地方志编纂委员会：《广东省志：经济综述》，广东人民出版社 2004 年版。

第三章

G. Esping-Andersen, The Three Worlds of Welfare Q Capitalism, Prinaton University Press, 1990.

Bian, Yanjie &John R. Logan 1996, "Market Transition and the Persistence of Power : The Changing Stratification System in Urban China." American Sociological Review 61.

Bian, Yanjie &Zhanxin Zhang 2002, "Marketization and Income Distribution in Urban China : 1988 and 1995." Research on Social Stratification and Mobility 19.

Bian, Yanjie 1994, Work and Inequality in Urban China. Albany, NY : State University of New York Press.

Bian, Yanjie 2002, "Chinese Social Stratification and Social Mobility." Annual Review of Sociology 28.

Bian, Yanjie & John Logan 1996, "Market Transition and the Persistence of Power: The Changing Stratification System in Urban China." American Journal of Sociology 61.

Blossfeld, Hans - Peter (1986): "Career Opportunities in the Federal Republic of Germany: A Dynamic Approach to the Study of Life - Course, Cohort, and Period Effects." European Sociological Review 2 (3): 208 ~ 225.

Cao, Yang & Victor Nee 2000, "Comment: Controversies and Evidence in the Market Transition Debate." American Journal of Sociology, 105.

DiPrete , Thomas A. 1993 , "Industrial Restructuring and the Mobility Response of American Workers in the 1980s." American Sociological Review , Vol. 18 pp. 74 ~ 96.

Mincer, Jacob (1974). Schooling, Experience and Earnings. New York: Columbia University Press.

Nee , Victor & Rebecca Matthews 1996, "Market Transition and

Societal Transformation in Reforming State Socialism." Annual Review of Sociology 22.

Nee, Victor & Yang Cao 1999, "Path Dependent Societal Transformation: Stratification in Hybrid Mixed Economy." Theory and Society 28.

Nee, Victor 1989, "A Theory of Market Transition: From Redistribution to Market in State Socialism." American Sociology Review 54.

Nee, Victor 1991, "Social Inequalities in Reforming State Socialism: Between Redistribution and Markets in State Socialism." American Sociological Review 56.

Nee, Victor 1996, "The Emergence of a Market Society: Changing Mechanisms of Stratification in China." American Journal of Sociology 101.

Nee, Victor, & Y. Cao, 2002. "Postsocialist Inequalities: The Causes of Continuity and Discontinuity." Research on Stratification and Mobility, Vol. 19, pp. 3 ~ 39.

Sorensen A B. (1977) The structure of inequality and the process of. attainment. American Sociological Review, 42, 965 ~ 978.

Szelnyi, I. and Kostello, E. (1996). The Market Transition Debate: Towards a Synthesis? American Journal of Sociology, 101, 1082 ~ 1096.

Treiman, D. J., 1975: Problems of Concept and Measurement in the Comparative Study of Occupational Mobility. Social Science Research 4: 183 ~ 230.

Treiman, D. J., 1977: Occupational Prestige in Comparative Perspective. New York: Academic Press.

Vanneman, Reeve and Fred C. Pampel 1977, "The American Perception of Class and Status" American Sociological Review, Vol. 42.

Verhoeven, Willem - Jan, Wim Jansen, & Jos Dessens 2005, "In-

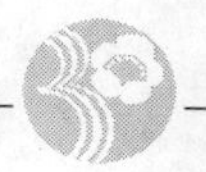

come Attainment During Transformation Processes: A Meta – Analysis of the Market Transition Theory." European Sociological Review, 21 (3).

Walder, Andrew G. 1996, "Markets and Inequality in Transitional Economies: Toward Testable Theories." American Journal of Sociology 101.

Wu, Xiaogang and Yu Xie. 2003. "Does the Market Pay Off? Earnings Inequality and Returns to Education in Urban China." American Sociological Review (June).

Zhou, Xueguang. 2000. "Economic Transformation and Income Inequality in Urban China: Evidence from. Panel Data". American Journal of Sociology 105: 1135 ~1174.

边燕杰主编：《美国社会学界的中国社会分层研究（代序言）》，《市场转型与社会分层：美国社会学者分析中国》，三联书店 2002 年版。

边燕杰、张展新：《市场化与收入分配：对 1988 年和 1995 年城市住户收入调查的分析》，《中国社会科学》第 5 期。

李煜：《制度变迁与教育不平等的产生机制——中国城市子女的教育获得（1966—2003）》，《中国社会科学》2006 年第 4 期。

梁玉成：《渐进转型与激进转型在初职进入和代内流动上的不同模式——市场转型分析模型应用于中国转型研究的修订》，《社会学研究》2006 年第 4 期。

梁玉成：《现代化转型与市场转型混合效应的分解：市场转型研究的年龄、时期和世代效应模型》，《社会学研究》2007 第 4 期。

刘精明：《市场化与国家规制——转型期城镇劳动力市场中的收入分配》，《中国社会科学》2006 年第 5 期。

伊藤宏：《失业与再就业行为的行为变量与意向变量的关系》，参见李实、伊藤宏主编的《经济转型的代价：中国城市失业、贫困、收入差距的经验分析》，中国财政经济出版社 2004 年版。

《2005年广东统计年鉴》，中国统计出版社2005年版。

《中国统计年鉴2003》，中国统计出版社2003年版。

国家统计局综合司：《新中国五十五年统计资料汇编》，中国统计出版社2005年版。

第四章

陈义平：《关于生活质量评估的再思考》，《社会科学研究》1999年第1期。

冯立天：《中国人口生活质量研究》，北京经济学院出版社1996年版。

冯立天、戴星翼：《中国人口生活质量再研究》，高等教育出版社1996年版。

风笑天、林南等：《中国城市居民生活质量研究》，华中理工大学出版社1998年版。

高峰：《生活质量与小康社会》，苏州大学出版社2003年版。

韩淑丽：《我国生活质量研究综述》，《宁波职业技术学院学报》2005年第6期。

胡荣：《厦门市居民生活质量调查》，《社会学研究》1996年第2期。

纪竹荪：《我国国民生活质量统计指标体系的构建》，《统计与信息论坛》2003年第7期。

厉以宁：《社会主义政治经济学》，商务印书馆1986年版。

李培林、朱庆芳等：《中国小康社会:》，社会科学文献出版社2003年版。

连玉明主编：《中国城市生活质量报告NO. 1》，中国时代经济出版社2006年版。

林南等：《生活质量的结构与指标——1985年天津千户问卷调查资料分析》，《社会学研究》1987年第6期。

林南、卢汉龙：《社会指标与生活质量的结构模型探讨——关于上海城市居民生活的一项研究》，《中国社会科学》1989年第

4 期。

卢嘉瑞：《现代消费视野与提高生活质量》，《经济评论》2005 年第 2 期。

卢淑华、韦鲁英：《生活质量主客观指标作用机制研究》，《中国社会科学》1992 年第 1 期。

刘延年、陈正：《生活质量评价方法研究》，《统计教育》2006 年第 9 期。

毛大庆：《城市人居生活质量评价理论及方法研究》，原子能出版社 2003 年版。

潘祖光：《"生活质量" 研究的进展和趋势》，《浙江社会科学》1994 年第 6 期。

彭念一、李丽：《我国居民生活质量评价指标与综合评价研究》，《湖南人学学报（社会科学版）》2003 年第 5 期。

苏斯耐，GA. 费舍：《"生活质量" 的社会学研究》，载《国外社会科学》1987 年第 1 期。

王建成，戴步效：《中国生活质量报告》，文汇出版社 2005 年版。

王威、陈云：《欧洲生活质量指标体系及其评价》，《江苏社会科学》2002 年第 5 期。

汪杨岚：《我国居民生活质量的评价》，《发展改革》2004 年第 3 期。

维什涅夫斯基主编：《社会主义生活方式》，南京大学出版社 1988 年版。

吴姚东：《国外生活质量研究述评》，《国外社会科学》2000 年第 4 期。

邢占军：《城乡居民主观生活质量比较研究初探》，《社会》2006 年第 1 期。

易松国：《生活质量研究进展综述》，《深圳大学学报（人文社会科学版）》1998 年第 1 期。

殷理由：《中国小康社会论》，人民出版社 1996 年版。

赵彦云、李静萍：《中国生活质量评价、分析和预测》，《管理世界》2003年第3期。

周长城：《社会发展与生活质量》，社会科学文献出版社2001年版。

周长城：《中国生活质量：现状与评价》，社会科学文献出版社2003年版。

周长城：《全面小康：生活质量与测量——国际视野下的生活质量指标》，社会科学文献出版社2003年版。

朱庆芳：《小康社会指标体系及2000年目标的综合评价》，《中国社会科学》1992年第1期。

朱庆芳、吴寒光：《社会指标体系》，中国社会科学出版社2001年版。

Campbell Angus，ConversePhilip E. and RodgersWillard L.：The Quality of American Life ：Perception，Evaluation，and Satisfaction. New York：Russell Sage Foundation ，1976.

Diener，Ed and Eunkook，Suk，：Measuring Quality of Life：Economic，Social and Subjective Indicators，*Social Indicators Research*，Vol. 40，1－2（1997），pp. 189～216.

Michael R. Hagerty，Kenneth C. Land：Constructing Summary Indices of Quality of Life——A Model for the Effect of Heterogeneous Importance Weights，*Sociological Methods & Research*，Vol 35 . Number 4 May 2007 pp. 455～49.

基本数据文献：

《广东统计年鉴》1997—2006年

《广州年鉴2004》

《广东农村统计年鉴2000》

《中国统计年鉴》1997—2006年

《新中国55年统计汇编1949—2004》

《中国劳动和社会保障年鉴1999》

《中国劳动和社会保障年鉴2006》

《中国劳动统计年鉴》2005—2006 年

《中国图书馆年鉴 2005》

《中国文化文物统计年鉴》2000 年、2002 年、2004 年

《中国城市统计年鉴》1997 年、1998 年、2000 年、2002 年、2006 年

《中国发展报告 1999》

《中国黄金海岸年鉴》2000 年、2001 年

《中国黄金海岸年鉴 2001》

《中国卫生统计年鉴 2005》

《中国经济贸易年鉴 2006》

《西部大开发指南统计》

《中国城市建设统计年报 2002》

《中国环境统计》1998 年、2000 年

《中国环境统计 2000》

《中国区域经济统计年鉴》2003—2005 年

《中国交通年鉴》2004—2006 年

第五章

桂勇、陆德梅、朱国宏：《经济转型、关系强度与求职行为——一项关于失业群体的实证研究》，《世界经济文汇》2004 年第 2 期。

杨宜音：《“自己人”：信任建构过程中的个案研究》，《社会学研究》1999 年第 2 期。

杨中芳、彭泗清：《中国人人际信任的概念化：一个人际关系的观点》，《社会学研究》1999 年第 2 期。

郭于华：《农村现代化过程中的传统亲缘关系》，《社会学研究》1994 年第 2 期。

卡尔·曼海姆：《卡尔·曼海姆精粹》，南京大学出版社 2002 年版。

安东尼·吉登斯：《现代性的后果》，译林出版社 2000 年版。

卜长莉:《“差序格局”的理论诠释及现代内涵》,《社会学研究》2003年第1期。

巴伯:《信任的逻辑与限度》,福建人民出版社1989年版。

辞海编辑委员会:《辞海》(增补本),上海辞书出版社1982年版。

董才生:《信任本质与类型的社会学阐释》,《河北师范大学学报》2004年第1期。

董才生、闻凤兰:《社会信任的模式与结构新解》,《中共南京市委党校南京市行政学院学报》2005年第5期。

费孝通:《乡土中国·生育制度》,北京大学出版社1998年版。

弗朗西斯·福山:《信任:社会道德与繁荣的创造》,远方出版社1998年版。

桂勇、陆德梅、朱国宏:《经济转型、关系强度与求职行为——一项关于失业群体的实证研究》,《世界经济文汇》2004年第2期。

顾凡、李志红:《建立稳定有效的社会信任机制》,《西安建筑科技大学学报(社会科学版)》2002年第6期。

韩东才:《和谐社会的信任文化因素研究》。

亨利·梅因:《古代法》,商务印书馆1996年版。

胡伟、李汉林:《单位作为一种制度——关于单位研究的一种视角》,《江苏社会科学》2003年第6期。

吉登斯著:《现代性的后果》,译林出版社2002年版。

金耀基:《从传统到现代》,中国人民大学出版社1999年版。

卡尔·曼海姆:《卡尔·曼海姆精粹》,南京大学出版社2002年版。

科尔曼:《社会理论的基础》,社会科学文献出版社1999年版。

李丰春:《差序格局·社会网络·农村剩余劳动力转移——对农村剩余劳动力转移途径的经济社会学解读》,《理论界》2005年

第 7 期。

李沛良：《论中国式社会学研究的关联概念与命题》，北京大学社会学与人类学所的《东西社会研究》，北京大学出版社 1993 年版。

李路路、李汉林：《单位组织中的资源获取与行动方式》，《东南学术》2000 年第 2 期。

李伟民、梁玉成：《特殊信任与普遍信任：中国人信任的结构与特征》，《社会学研究》2002 年第 3 期。

林南：《社会资本——关于社会结构与行动的理论》，上海人民出版社 2005 年版。

路风：《单位：一种特殊的社会组织形式》，《中国社会科学》1989 年第 1 期。

吕传振：《半熟人社会与人际信任——兼论社会信任结构变迁的路径选择》，《甘肃理论学刊》2007 年第 2 期

马克·E. 沃伦编：《民主与信任》，华夏出版社 2004 年版。

马斯洛：《动机与人格》，华夏出版社 1987 年版。

米尔思：《人的权利与人的多样性》，中国大百科全书出版社 1995 年版。

牟永福、胡鸣铎：《从身份社会到契约社会：重建社会信任的法制路径》，《中共福建省委党校学报》2005 年第 10 期。

尼克·拉斯卢曼：《信任》，上海新世纪出版集团 2005 年版。

庞树奇、范明林：《普通社会学理论》，上海大学出版社 2000 年版。

帕特南著：《使民主运转起来》，江西人民出版社 2001 年版。

齐美尔著：《货币哲学》，华夏出版社 2002 年版。

乔那森·特纳：《社会学理论的结构（上）》，华夏出版社。

什托姆普卡·彼得：《信任：一种社会学理》，中华书局 2005 年版。

孙立平：《“关系”、社会关系与社会结构》，《社会学研究》1996 年第 5 期。

陶传进：《市场经济与公民社会的关系：一种批判的视角》，《社会学研究》2003年第1期。

王达伟、景天魁：《关于市场过渡理论的讨论》，《社会学研究》2001年第2期。

王飞雪、山岸俊男：《信任的中、日、美比较研究》，《社会学研究》1999年第2期。

王绍光、刘欣：《信任的基础：一种理性的解释》，《社会学研究》2002年第3期。

谢建社、牛喜霞：《乡土中国社会“差序格局”新趋势》，《江西师范大学学报（哲学社会科学版）》2004年第1期。

严红、严峻：《广东家族企业公司治理的实证研究》，《商业研究》2005年第23期。

曾璨、陈宏军：《社会资本理论研究综述》，《铜陵学院学报》2007年第4期。

张凯、郭远远、邓贵胜：《社会资本视角的社会信任问题研究》，《湖北广播电视大学学报》2007年第6期。

张继焦：《差序格局：从“乡村版”到“城市版”——以迁移者的城市就业为例》，《民族研究》2004年第6期。

郑也夫：《信任与社会秩序》，《学术界》2001年第4期。

郑也夫：《信任：合作关系的建立与破坏》，中国城市出版社2003年版。

周建国：《紧缩圈层结构论：一项中国人际关系的结构与功能分析》，《社会科学研究》2002年第2期。

邹勤：《社会信任结构与社会信用体系建设研究》，《四川师范大学学报（社会科学版）》2006年第7期。

M. Webster, Merriam-Webster Dictionary, New York: Merriam Webster. 2004.

Deutsch M 1958. trust and suspicion [J], Journal of Conflict Resolution, 2: 265 ~279.

EARLE, T. C. , & G. T. CVETKOVICH. 1995. Social trust: To-

ward a cosmopolitan society. Westport, CT: Praeger.

Barber. 1983. The Logic and Limits of Trust [M], New Brunswick, NJ: Rutgers Univrsity Press.

Niklas lumann 1988: "Familiarity, confidence, trust: problems and alternatives, in Eiego Bambetta (eds) 1988: Trust: making and breaking cooperative relations. Balia Blackwell Ltd."

Rotter, J. B.. 1971. Generalized expectancies for interpersonal trust [J]. American Psychologist. (26): 443 ~452.

HOSMER L T. 1995. Trust: The connecting link between organizational theory and philosophical ethics [J]. Academy of Management Review, 20 (2): 379 ~403.

Adler. P. Kwon S. 2002. Social capital prospects for a new concept. Acad Manage 2002 (1).

Bian, Yanjie 2002. Institutional Holes and Job Mobility Processes: Guanxi Mechanisms in China's Emergent Labor Market [A]. pp. 117 ~136, in Social Connections in China: Institutions, Cultural and The Changing Nature of Guanxi [C]. edited by Thomas Gold, Doug Guthrie and David Wank. Cambridge University Press.

Bourdieu P, 1986. The Forms of Capital [A], In Richardson (ed), Hand hook of Theory and Research for the Sociology of Education [M], West port, CT: Greenwood Press.

Fafchamps, BartMinten. 1999.: Social Capital and the Firm Evidence from Agricultural Trade [J]. International Food Policy Research Institution, 1999.

Granovetter M. S. 1973. The strength of weak ties [J]. American Journal of Sociology, 1973 (6): 1361.

Hwang, K. K. 1987. Face and Favor: The Chinese Power Game [J]. American Journal of Sociology, Vol. 92, No. 4 January 1987, pp. 944 ~974.

Kornhauser, William. 1959. ThePolitics of Mass Society [M]

. Giencoe, lll . The Free Press.

M. Webster, Vberia. Webster Dictionary. [M] New York : Smith & Sebuster.

Parsons and Shils. Toward. 1951. a General Theory of Action. Cambridge [M]: Harvard University Press, 1951.

Putnam R D. 1993. The prosperous community: social capital and public life [M]. the American prospect 1993 (13): 35 ~ 42

Ronald S Burt. 1992. Structural Holes [M]. Cambridge: Harvard University Press.

Simmel. G sozioogie: untersuc bungen ber die Formen (P195) der vergesellscbaftung [J]. Berlin, 1968. pp. 101 ~ 185. 1975. The sociology of Georg Simmel [M]. Free Press New York.

Walder. Andrew G. 1986. Communist Neo – traditionalism: Work and Authority in Chinese Industry [M]. Berkely : University of California Press.

Yusheng Peng.. 2004. Kinship Networks and Entrepreneurs in China's Transitional Economy [J]. The American Journal of Sociology. Chicago: Mar 2004. Vol. 109, Iss. 5; p. 1045 (30 pages).

Zucker, L. G.. 1986. Production of Trust: institutional Source of Economic Structure [J]. Research in Organizational Behavior, 1986, (8): 53 ~ 111.

第六章

阿列克斯·英克尔斯，戴维. H. 史密斯：《从传统人到现代人——六个发展中国家中的个人变化》，中国人民大学出版社 1992 年版。

范英主编：《广东先进文化发展论》，广东人民出版社 2003 年版。

广州社情民意研究中心：《广州社会心理与情绪十四年研究》，《民意参考》2004 年第 13、14 期。

李路路、李汉林、王奋宇:《中国单位现象与体制改革》,《中国社会科学季刊》(香港)春季卷。

李顺德:《“滑坡”与“爬坡”——道德转型期的观念与现实》,《中国社会科学》1994年第3期。

石之瑜、姚源明:《社会科学研究认同的几个途径》,《东亚研究》2004年第35卷第1期。

王宁:《消费制度、劳动激励与合法性资源——围绕城镇职工消费生活与劳动动机的制度安排及转型逻辑》,《社会学研究》2007年第3期。

文崇一:《中国传统价值的稳定与变迁·中国人的心理》,江苏教育出版社2006年版。

徐贵权、邵广仪:《当代中国社会价值观范型的转换》,《社会科学战线》2005年第2期。

杨国枢:《中国人的心理与行为:本土化研究》,中国人民大学出版社2004年版。

禹芳琴、李红梅:《试论改革开放以来中国婚姻家庭道德观的变迁》,《湖南师范大学社会科学学报》2001年第2期。

张宇:《市场经济与价值重建》,《中国社会科学》1994年第3期。

郑杭生、洪大用:《当代中国社会结构转型的主要内涵》,《社会学研究》1996年第1期。

第七章

国务院新闻办公室:《中国的社会保障状况和政策白皮书》,2004年9月4日。

广东省政府:《广东省社会保障事业发展“十一五”规划》。

广东省政府:《广东省劳动和社会保障事业发展“十一五”规划》。

广东省统计局:《2005年广东国民经济和社会发展统计公报》,2006年2月23日。

广东省统计局：《2006年广东国民经济和社会发展统计公报》，2007年2月15日。

广东省劳动和社会保障厅养老保险处：《广东省养老保险制度改革情况》，2007年6月18日。

广东省劳动和社会保障厅农村社会保险处：《我省农村养老保险发展情况介绍》，2007年6月13日。

广东省劳动和社会保障厅：《广东省工伤保险立法过程回顾与思考》，2007年6月提供。

广东省民政厅：《关于全省农村五保供养工作的通报》。

广东省民政厅：《关于全省城乡低保工作情况的通报》。

广东省统计局主页"统计分析"：《"十五"时期广东劳动保障工作取得新突破》2006年10月17日。

广东省社保局办公室：《广东社保简报》2007年第1期。

陈良谨：《社会保障教程》，知识出版社1990年版。

尚晓援：《"社会福利"和"社会保障"再认识》，窦玉沛主编的《重构中国社会保障体系的探索》，中国社会科学出版社2001年版。

郭士征主编：《社会保障学》，上海财经大学出版社2004年版。

郑功成：《社会保障学——理念、制度、实践与思辨》，商务印书馆2000年版。

郑功成：《中国社会保障制度变迁与评估》，中国人民大学出版社2002年版。

后　　记

这套丛书从策划到完成，得到了广东省委常委、宣传部长林雄同志的大力支持。林雄部长对丛书提出了指导性意见，并多次过问丛书的进展情况。省委宣传部蒋斌副部长、省委宣传部理论处杜新山处长等同志对丛书的写作给予了具体指导。丛书立项作为广东社科基金规划项目，得到了广东省社科规划办的支持。在此一并致谢！

中山大学对这套丛书高度重视，成立了丛书课题组，由党委书记郑德涛同志牵头，党委副书记梁庆寅同志具体负责，蔡禾教授、社科处李仲飞处长、刘运国副处长具体组织实施。从 2007 年 4 月到 2008 年 8 月，课题组先后召开了开题报告会和四次讨论会，丛书完成初稿之后，组织了校内外专家匿名审稿和会议审稿。这套丛书的顺利完成，是与上述同志和专家的关心、支持和辛勤劳动分不开的。

本书总体思路和结构由王宁策划和设计。全书的组织工作也由王宁负责。本书各章的写作分工如下：

第一章　李若建、王嘉顺、周炜丹、胡周南、张　俊、武峰、陈丽娟、陈　宁

第二章　陈那波

第三章　梁玉成

第四章　林晓珊、叶　华、王　宇

第五章　刘录护、杨敏琪

第六章　张杨波、梁幸枝、王　刚

第七章　谭　兵

最后，全书的技术、文字编辑工作由林晓珊负责。

作　者

2008年11月